LA VENTE STRATÉGIQUE

Éditions d'Organisation
1, rue Thénard
75240 Paris Cedex 05
www. editions-organisation. com

Traduit de : *The New Strategic Selling,*
- 1ʳᵉ publication aux USA par Warner Books Inc,
  1271 Avenue of the Americas, New York, NY 10020 en 1995.
- Deuxième Édition publiée en 1998
- Dernière Édition publiée au Royaume-Uni en 1998
  par Kogan Page
  © Miller Heiman, Inc, 1995, 1998
  ISBN : 0-7494-2833-3

© Éditions d'Organisation, 1999
ISBN : 2-7081-1738-6

Collection Efficacité Commerciale
dirigée par René MOULINIER

STEPHEN HEIMAN ET DIANE SANCHEZ
avec la participation de TAD TULEJA

LA
VENTE
STRATÉGIQUE

*Traduit de l'anglais par Eileen Tyack-Lignot
et Bernadette Hou*

Avant-propos de J. W. MARRIOTT, Jr
Président-directeur général
Marriott International Inc.

**Éditions
d'Organisation**

CHEZ LE MÊME ÉDITEUR

• Annie et Loïc TROADEC. *Gérer et animer un réseau de point de vente.* Deuxième édition. 1999

• Claude CHINARDET. *Négocier avec la grande distribution. Méthodes et outils pour le compte-clé.* 1999

• André BERNOLE. *Le coaching des vendeurs.* Deuxième édition. 1999

• Don PEPPERS - Martha ROGERS - Bob DORF. *Le one to one en pratique.* 1999

STEPHEN HEIMAN a travaillé dans le développement des ventes depuis plus de 30 ans. En 1970, en tant que responsable de grands comptes chez IBM, il a augmenté ses ventes de plus de 35 % et se classait parmi les premiers 5 % pour les ventes globales et les pourcentages de quotas. Il a poursuivi sa brillante carrière chez Kepner-Tregoe comme directeur du marketing, puis chez American Van Lines où en tant que vice-président directeur général, pendant quatre ans il a accru le chiffre d'affaires et les bénéfices de 36 %. En 1978, il a rejoint son associé Robert Miller pour créer ce qui est devenu Miller Heiman Inc. Heiman a pris sa retraite de président - directeur général en 1988 et il est toujours président du conseil d'administration.

DIANE SANCHEZ a commencé sa carrière de commerciale en 1970 comme représentante chez Savin Business Machines. En 1973, elle a rejoint le groupe Scholl où elle a développé des talents de coaching commercial et dirigé les séminaires de promotion pour la force de vente. En 1979, en tant que directeur du marketing de la nouvelle société Miller Heiman, elle a mis au point une méthode de télémarketing et de vente directe qu'elle a appliquée d'abord chez Miller Heiman avant de créer dans les années 80 sa propre société de consultants. Elle a rejoint Miller Heiman en tant que président-directeur général en 1988 au moment où ses bénéfices annuels dépassaient à peine les 10 millions de francs. En cette dixième année de sa présidence, ce chiffre devrait dépasser les 100 millions de francs.

TAD TULEJA, rédacteur maison chez Miller Heiman, est le co-auteur de cinq livres pour la société notamment la première édition de *La vente stratégique*. Parmi ses trente autres livres on peut citer *Beyond the Bottom Line*, une étude sur la déontologie dans les affaires. Entre 1987 et 1991, il a dirigé le séminaire d'écriture de l'école de management de l'université du Massachusetts à Amherst. Il vient de terminer un PhD d'anthropologie à l'université du Texas à Austin.

SOMMAIRE

AVANT-PROPOS

Les hôtels Marriott ont eu la chance de se développer de façon spectaculaire au fil des ans au point d'être aujourd'hui présents dans cinquante pays dans le monde et d'employer plus de 200 000 personnes. Toutefois, nous restons à bien des égards une entreprise familiale, encore attachée aux valeurs auxquelles tenaient nos parents il y a 70 ans de cela, lorsqu'ils ont démarré dans une minuscule échoppe.

Parmi ces valeurs il y a l'importance qu'ils accordaient aux relations, aussi bien à l'intérieur qu'à l'extérieur de la société. Depuis 1927, nous disons que si vous vous engagez à prendre soin de votre propre personnel, vous pouvez être relativement sûr qu'il prendra soin de vos clients. Ce qui dans une société de services comme la nôtre est essentiel au succès. La réputation de qualité et de valeur des hôtels Mariott découle directement de l'application de ce principe. Et c'est ce même principe qui est au cœur de *La vente stratégique*.

Tout au long de notre histoire, nous nous sommes aperçus que les alliances les plus productives que nous ayons bâties, l'ont été avec des sociétés qui partageaient ce point de vue. Et l'une des plus solides a été celle avec Miller Heiman Inc. dont l'engagement en faveur des relations gagnant-gagnant n'a d'égal que le nôtre. Nous avons travaillé ensemble depuis 1986 lorsque notre société a présenté pour la première fois le processus de vente stratégique de Miller Heiman à un de ses commerciaux. Depuis lors, près de 1000 salariés de Mariott ont été initiés à ce processus.

Il y a à cela une raison précise. Nous nous sommes considérablement développés ces dix dernières années aussi bien dans l'hôtellerie que dans les services, de sorte qu'aujourd'hui nous avons un large éventail de choix à proposer à la clientèle. Miller Heiman s'est révélé un précieux allié en gérant la complexité naturellement associée à une telle expansion. La Vente Stratégique en particulier nous a beaucoup apporté dans nos relations avec nos clients professionnels. En outre, la démarche systématique de gestion du changement de Miller Heiman a contribué à optimiser la flexibilité de nos associés en les maintenant en adéquation avec les rapides changements de notre secteur.

En plus des avantages concrets que nous a apportés la Vente Stratégique, je pense que notre collaboration avec Miller Heiman est solide en raison de l'adéquation naturelle entre nos sociétés. En marche vers notre objectif des 2000 hôtels en l'an 2000 nous restons attachés au « coté humain » des affaires. Miller Heiman comprend et soutient cet attachement, et c'est une fois encore évident dans *La vente stratégique.*

J. W. MARRIOTT, Jr
Président-directeur général
Marriott International Inc.

INTRODUCTION

C E LIVRE a été publié pour la première fois en 1985 sous le titre *Stratégie de la vente*. A cette époque, bien que le concept sur lequel se fondait le livre n'existait que depuis environ huit ans, il avait déjà donné des résultats significatifs aussi bien pour notre société, Miller Heiman Inc., que pour nos clients qui avaient assisté à nos séminaires et à nos ateliers de Vente Stratégique. En 1985, nombre de sociétés commerciales performantes de par le monde avaient commencé à nous considérer comme les « experts en processus » et nous avions gagné la confiance de certains innovateurs sur le marché tels que Hewlett-Packard, Mariott, General Electric, Hallmark et Coca-Cola.

Comme nous l'avions indiqué dans l'introduction à la première édition, nous attribuons en grande partie notre succès, auprès de ces sociétés et d'autres sociétés avant-gardistes, à notre soutien raisonné d'une philosophie de vente non-manipulatrice qui constitue le moteur de notre démarche de vente stratégique. Cette philosophie se fondait sur l'hypothèse qu'obtenir une commande individuelle n'est jamais suffisant : le vrai succès de vente repose sur des prouesses « *au-delà de la vente* » telles que le réachat constant, des références solides et des relations à long terme. La recette pour y parvenir, disions-nous avec force, est de traiter chaque objectif de vente comme une joint venture – une transaction mutuellement béné-fique d'où vendeur et acheteur sortent « gagnants ».

En 1985, la notion de vente comme processus « gagnant-gagnant » était encore une démarche nouvelle dans la profession tout comme d'ailleurs le concept de la vente comme processus. Même dans les compagnies qui investissaient beaucoup en formation commerciale, l'enseignement portait sur les techniques et les talents de négociation – la panoplie classique du commercial avec ses hameçons, ses lignes et ses conclusions. Les tactiques manipulatrices étaient encore bien en vogue et Miller Heiman était pratiquement le seul parmi les consultants à insister pour dire que cette démarche éculée – le vieux « Arrachez la commande par n'importe quel moyen » était en définitive une façon de se tirer une balle dans le pied. Il y a 13 ans de cela, lorsque vous parliez de « servir l'intérêt du client aussi bien que le vôtre », beaucoup de commerciaux vous prenaient pour des rêveurs. Tout un chacun rendait hommage du bout des lèvres aux besoins du client mais une fois dans « les tranchées », conformément à l'esprit des années 80, c'était bien les chiffres, et les commandes et la bagarre qui vous apportaient le succès. Il y avait quelque chose d'anormal – certains disaient même de révolutionnaire – dans le processus orienté-client de la Vente Stratégique.

Il y avait aussi un élément éminemment pratique – tellement pratique même que certains de nos clients qui étaient déjà performants se sont rendus compte que c'était là un moyen de les rendre encore meilleurs. Aussi « irréaliste » que certains commerciaux de l'école classique aient pu trouver notre démarche « gagnant-gagnant », le fait incontournable était que cela marchait. La preuve pouvait en être faite en regardant les résultats financiers de nos clients, qui annonçaient régulièrement des bénéfices accrus qui pouvaient être directement attribués à l'adoption de notre méthode. C'était visible dans les centaines d'anecdotes racontant comment un client désespérément incertain avait commencé à donner des résultats concrets dès que l'équipe de vente se mettait à rédiger un plan commercial à la manière de Miller Heiman. Au fur et à mesure que ces histoires s'accumulaient et que nos clients confirmaient l'apport que nous avions fait à leur entreprise, nous avons eu la satisfaction de voir que nous avions acquis, selon les termes mêmes d'un directeur de division, la réputation « de pionniers de l'implantation du processus dans la vente ».

C'est certainement le processus qui est au cœur de notre succès et c'est vrai quels que soient les termes que nos clients emploient en interne pour le désigner. Chez PriceWaterhouse, par exemple, notre approche systématique est appelée « méthodologie ». Chez Coca-Cola ils préfèrent le terme de « technologies ». Nombre de nos autres clients ont directement

12

adopté notre terminologie, parlant naturellement et aisément des influences d'achat et des résultats-gains. Quel que soit le terme utilisé, le résultat est le même. La démarche systématique que nous avons lancée a amené une révolution silencieuse dans les grandes entreprises commerciales du monde. Nous en avons profité autant que les autres. Dans un certain sens, lorsque la première édition de l'ouvrage était sous presse, nous étions devenus notre meilleure publicité. En gérant notre entreprise selon les principes de la Vente Stratégique, nous accroissions chaque année nos résultats de façon spectaculaire. Aujourd'hui, alors que d'innombrables entreprises sont en train de connaître les affres du *downsizing*, Miller Heiman – comme la plupart de nos clients – continue sur sa lancée. Ainsi au cours des cinq dernières années, nous avons accru nos bénéfices de 25% à 30% en moyenne par an, nous avons triplé nos effectifs au siège et ouvert des bureaux en Grande-Bretagne, comme au Brésil et en Australie. En ayant recours à une force de vente qui a quadruplé en dix ans – sans parler des précieux clients associés – nous avons initié plus 150 000 commerciaux professionnels à l'un ou à plusieurs des processus de Miller Heiman et nous continuons à apporter régulièrement nos services à plus de 25 000 nouveaux clients par an.

En outre, tout ceci a eu lieu à un moment où sévissait un énorme bouleversement international, où les politiques gouvernementales ont connu des modifications spectaculaires et où la vente elle-même s'est incroyablement « complexifiée ». Le monde de la vente a connu mille et un changements majeurs, mais les processus que nous enseignons ont été à la hauteur des défis rencontrés. Ils sont encore adaptés, ils fonctionnent toujours et ils continuent à accroître les bénéfices de ceux qui les utilisent. Les ouvrages sur les techniques de vente passent. *Stratégie de la vente*, tel le lapin de la publicité pour une marque de pile « continue tout simplement à fonctionner ». Dans la mesure où une si grande part de notre succès repose sur la Vente Stratégique – le processus et le livre – vous êtes en droit de vous demander quelle est la logique de cette nouvelle édition. Pourquoi apporter des modifications à une méthode qui marche déjà si bien ? Ou, pour paraphraser le vieil adage « Si ça marche toujours, pourquoi l'arranger ». C'est une question pertinente et elle a deux réponses.

La première, c'est que ce sont nos clients qui nous l'ont demandé. Bien qu'ils trouvent toujours *Stratégie de la vente* aussi efficace et les concepts aussi adaptés qu'ils ne l'étaient en 1985, certains d'entre eux pensaient qu'après une douzaine d'années même les processus les plus aguerris pouvaient avoir besoin d'un petit lifting. Ils nous ont fait remarquer que certains des exemples du livre semblaient dater un peu au regard des années 90 et pourraient ne pas coller autant que nous le souhaiterions avec des forces de vente de plus en plus tournées vers l'avenir.

Lorsque nous décrivions comment de brusques changements pouvaient générer « le choc du futur », par exemple, nous illustrions notre propos en nous référant à l'embargo sur le pétrole des pays arabes des années 70. Ce tournant historique était encore dans toutes les mémoires en 1985, mais en cette fin des années 90 et à l'aube du nouveau millénaire, ce n'est plus vrai. « La plupart des jeunes loups qui travaillent pour nous aujourd'hui » nous a dit un directeur régional « étaient encore en train de faire des pâtés de sable lorsque la crise pétrolière a éclaté. Si vous voulez établir un contact avec eux, vous devez changer vos exemples ». Prenant ces critiques très au sérieux, nous avons tenté de donner à cet ouvrage une atmosphère plus contemporaine de façon à relier harmonieusement l'intemporel et le temps présent.

La deuxième raison pour laquelle nous avons revu la *Stratégie de la vente* tient à un des fondements de la méthode elle-même : « Quelles que soient les raisons qui vous ont conduits là où vous êtes aujourd'hui, elles ne seront pas suffisantes pour vous y maintenir ». Nous disions cela à nos clients depuis 1977 et l'an dernier, après y avoir été exhortés par nos clients et nos collègues, nous avons fini par nous appliquer à nous-mêmes cette maxime et entrepris une révision complète de la méthode qui nous avait « conduits là ». Après avoir consulté notre force spécialisée sur le terrain, nous avons passé le livre au peigne fin, l'affinant et le mettant en valeur ligne par ligne de façon à ce que le texte définitif soit encore plus concret et utile que ne l'avait été le texte original pendant plus de dix ans.

Certaines des modifications que nous y avons apportées étaient purement superficielles – les schémas, par exemple, ont tous été refaits pour donner à l'ouvrage un aspect plus convivial. Mais la plupart des changements se situent plus en profondeur. Lorsque nous avons " bricolé " ce manuscrit qui « marchait toujours », nous ne voulions pas nous contenter de remettre simplement un peu de chrome et une nouvelle couche de peinture. Nous souhaitions améliorer la puissance du moteur lui-même, effectuer les mille et un petits réglages qui garantiraient que les outils analytiques que nous proposons à nos clients soient aussi pointus et puissants qu'ils pouvaient l'être. Le résultat à été un travail en profondeur sur la totalité de l'ouvrage. Dans tout le texte de *La vente stratégique* vous ne trouverez pas une seule page intacte. Aussi bon que le premier, cet ouvrage est à présent meilleur – exprimé de façon plus précise, et (bien plus important que tout) plus utile. Quelques concepts sont totalement nouveaux. En réponse à la demande là encore de nos clients, nous y avons ajouté des réflexions sur des concepts qui ne faisaient partie ni de la méthode ni de l'ouvrage original et qui n'ont que récemment été introduits dans nos séminaires.

- Degré d'influence : Le fondement analytique de n'importe quelle bonne stratégie est l'identification de ce que nous avons appelé les influences d'achat ou parties prenantes à l'achat — les multiples acteurs qui peuvent avoir un impact sur l'issue de n'importe quelle vente. Au fil des ans, plusieurs clients nous ont fait remarquer que, bien que la couverture de toutes les parties prenantes soit importante, il était également utile de distinguer entre les différents degrés d'influence, de façon à éviter l'hypothèse selon laquelle « tous les acheteurs seraient égaux ». Notre réponse à cette observation figure au chapitre 5.
- La déclaration résultats-gains : L'un des éléments les plus importants et pourtant les plus délicats de la Vente Stratégique était le concept de la détermination des résultats-gains de vos parties prenantes. Nous explicitons ce concept dans le chapitre 10 à l'aide d'un outil : la déclaration de résultats-gains qui vous permet d'établir une relation concrète entre les résultats d'une société et les gains d'un acteur majeur.
- La concurrence : En réponse à nos clients qui nous ont demandé pourquoi nous passions si peu de temps à parler de la concurrence, nous avons ajouté un chapitre entier, le chapitre 13 qui explique notre position peu conventionnelle sur ce sujet majeur. Nous n'y donnons

qu'une définition flexible de la concurrence, nous y expliquons pourquoi il est aussi ridicule d'être obnubilé par la concurrence que de
l'ignorer et nous montrons comment traiter les pressions concurrentielles à partir d'une position de force.

- L'entonnoir de vente affiné : Dans la première édition, nous avions
  introduit notre outil de gestion du temps et du champ d'action, « l'entonnoir de vente », qui précédait de quelques chapitres notre important outil de qualification, le profil du client idéal. Parce que certains
  clients avaient du mal avec cette partie, nous avons inversé l'ordre des
  deux modules et nous nous sommes également étendus sur la relation
  entre les deux. Cet outil fait à présent l'objet des chapitres 14 à 18.

Nous avons également ajouté, à la fin de l'ouvrage, un chapitre de ques-
tions-réponses dans lequel nous répondons à quelques-uns des défis majeurs
de vente que nos clients nous ont posés et nous apportons une réflexion
aux solutions orientées processus.

Avec ces rajouts, et avec littéralement les mille et unes petites modifications que nous y avons faites, nous pensons que *La vente stratégique* est un
« embellissement » majeur d'un processus qui a fonctionné efficacement
pour des milliers de lecteurs depuis 1977 et dont le succès lui-même lui a
valu ces améliorations.

A l'époque, *Stratégie de la vente* avait montré aussi bien à nos clients qu'à un
vaste public la voie qui mène au succès solide et progressif dans les ventes
complexes. Scott DeGarmo de *Success Magazine* a servi de porte-parole à
bon nombre d'entre eux en écrivant, environ deux ans après la sortie de
l'ouvrage, que ce livre et son pendant « *Conceptual Selling* » étaient simplement les meilleurs livres qu'il avait jamais lus sur la vente. Depuis, les deux
ouvrages ont constamment été réclamés par le public et *Stratégie de la vente*
à elle seule s'est vendue à plus de centaines de milliers d'exemplaires.

Au moment où Miller Heiman fête son vingtième anniversaire et où les
entreprises sont soumises à une concurrence chaque fois plus féroce sur le
plan mondial, le temps est venu de se lancer dans une opération de *reengineering* de notre « classique professionnel ». Nous le présentons en toute
confiance et avec enthousiasme à une nouvelle génération de lecteurs et

aussi en remerciement a ceux qui ont contribué au succès de notre société – les professionnels innovants que nous sommes fiers d'appeler nos clients. Lister toutes les sociétés avec lesquelles nous avons travaillé au fil des ans aurait conduit à plus que tripler la longueur de cette introduction. Aussi pour représenter notre travail – et aussi notre reconnaissance – nous sommes heureux de distinguer les clients pour lesquels nous travaillons actuellement.

3 COM Corporation
3 M
Abbot Labs
ABB, Inc
ABSA
Ace Metal Crafts
ACI-US, Inc
Adaptec
Adecco
Adia Personnel Services
ADIC
ADS Environment Services
ADT Security Systems
Advanced Control Systems
Advanced Technology
   Laboratories-ATL
AFI Music Network
Aerotek
Allegiance Healthcare
Allen-Bradley Company
Allen Systems, Inc
Allied Van Lines
Allied Synal
Alternative Resource Corporation
Alvey
AM-RE Brokers
American Airlines
American Express
American Movie Classics
American Payment Systems
American Phoenix Corporation
American Printers
American Seating Group
American Technical Resources
American Teleconferencing Services
Amersham Corporation

AMP of Canada
Anderson & Anderson
Andrew Corporation
Angelica Uniform Group
Apex Systems
Apple Computer USA
ARAMARK
ARK
Arkwright Mutual Insurance
Arthur D Little
ASAP Software
Ashland Chemical
Aspect Telecommunications
ATC Leasing Company
Atlet
Ato Findley Adhesives
ATOTECH USA, Inc
AT & T Business Market Division
AT & T Global Business
   Communication
AT & T Wireless Services (McCaw
   Cellular Communication)
Aurora/Century
Automatic Data Processing - ADP
Avis, Inc
AVL Medical Instruments
Bairnco
Baltimore Therapeutic Equipment
Balzers Pfeiffer N A, Inc
Bank Compensation
Bank of America
Baroid of Canada
BASF Mexicana
Battelle
Bay Creek Real Estate Company
Bay Engineered Castings

BDM International
BDN Domain
BDN Planet
Becher Carlson Risk Management
Beckett Publications
Beckman Instruments, Inc
Becton Dickinson & Company
Beechwood Data Systems
Bell Helicopter Textron
Bell Packaging
Bell South
Bently Nevada Corporation
Berkshire Computer Products
Berlitz Translation Services
Bernhardt Furniture
Best Power
Better Baked Pizza, Inc
Betz Pro-Chem
BetzDearborn Paper Process Group
BetzDearborn Water Management
   Group
BF Goodrich
BI-TECH Software
Bio Whittaker
Biogen
BKM Total Office
Black & Decker
Blue Shield of California
Blue Sky Networks SA
Boerhringer Mannheim Corporation
Bomarko/Hollymatic
Boston Scientific Corporation
BPS & M
Broadway & Seymour
Browning Ferris-BFI
Bryan, Pendleton, Swats & McAllister
Bunge Foods
Burlington Air Express
Burton Group
Buss (America), Inc
Cable & Wireless Communication
CADD Edge
Cal-Surance Benefit Plans
Cal-Surance Companies
California Amplifiers
California Day Fresh Foods
California Lottery

Cara Corporation
Cardinal Health
Caremark
Caremark International
Cargill Processed Meat Products
Caribiner Communications
Carroll Company
Carvel Corporation
Cascade Communications
CEL
Celemi
Century Circuits & Electronics
Ceridian Employer Services
CFM Technologies
Charles Schwab & Company
Checkfree Corporation
Checkmate Electronics
Checkpoint Systems
Chemical Leaman Corporation
Chevron-Oronite
Cheyenne Software
Chrion Diagnostics
CIED
Ciena Corporation
Cigna Corporation
Cirqon Technologies
CBIS
Clarify
Climatech Service Company
CMP Interactive Media
CMP Publications
CNA Insurance Companies
Coca-Cola Amatil
Coca-Cola China Holdings
Coca-Cola Fountain
Coca-Cola Greater Europe Group
Coca-Cola GR & I
Coca-Cola International
Coca-Cola Nordic Beverages
Coca Cola Southern Africa
Coca-Cola USA
Cognex
Colad Group
Comdata
Comm Scope, Inc
Commercial Insurance
Concepts, Inc

Communispond, Inc
Compass Group USA
Compucom Systems
Computech Systems
Computer Prep, Inc
Computron
Computronix
Compuware
COMSAT International
COMSAT Turkiye
Comsat Venezuela
Comstream
ConAgra
Connoisseur Communications
Consolidated Printers
Consumers Power Company
Contel of Califomia
Continental Sprayers
Coopers & Lybrand
Cornerstone Consulting
Cornhuskers Motor Lines
Corporate Travel Consultants
CPC Foodservice
Creative Labs, Inc
Creative Office Interiors
Credence Systems
CSC Consulting
CSC Intelicom, Inc
CSRG
Cuna Mutual Insurance Group
CR Laurence Company, Inc
Data Documents
Dataccount Corporation
DataFlo Corporation
Datatec Distribution
Datex-Engstrom
Dean Distributors
Debis
Decision One
Decision Technology
Defining Image
Dell Computer Communications
Delmarva Power
Delphi Information Systems
Deluxe Corporation
DeNormandie Towel & Linen
Denron, Inc

Development Dimensions
International-DDI
DHL Airways, Inc
Diagraph Corporation
Digital Sight & Sound
Dimensions Computer Automation
Diners Club Enroute
Disco Hi-Tec America
Dittler Brothers
Dornier Medical
Dow Chemical Company
Dow Corning
Dragon Systems
Ducks Unlimited
Dunsian Industries
Dupont Merck
Durkan Patterned Carpets, Inc
Dyna-Trends International
Eastman Chemical
Eastman Kodak Company
ECC International
Edison Plastics
EDS-Sales Education
EISAI
Elkay Manufacturing Company
Emblem Enterprises, Inc
EMC Global Technologies
Emmis Broadcasting/RDS
Employment Learning Innovation
Endeavor Information Systems
Engelhard Corporation
Engineered Data Products
EnviroMetrics Software
EPE Technology
Ermanco, Inc
Ernst & Young LLP
Ericsson
Esterline Technologies
ETC
Etec, Inc
Ethicon Endo-Surgery
Eurest Ltd
Experian Plc
Eyecare & Surgery Center
Fair Isaac & Company
Fanuc Robotics
Fidelity Investments

Filenet
Fina Oil Company
First Security Services
Fiserv
Fisher Rosemount
Flometrics
FMC
Focus
Focused Marketing Associates
Foldcraft/Plymold Seating
Forrester Research
Forsythe Solutions Group
Fort Howard Corporation
Forth Shift
Four Gen Software
Friden Neopost
Frigidaire
FTP Software
Fujitsu Microelectronics
FurturLabs, Inc
Future Now
Gates McDonald & Company
GEC Plessy Semiconductors
Geiger International
Gencorp
General Electric-Capital
Gensym
GN Nettest
Grace Specialty Polymers
Graphics Management
Great Western Chemical
Greenpages
Griffith Laboratories
GTE Supply
GTE Telops
Guardian Insurance
Guardian Health
H & W Computer Systems
HA Debari & Associates
Hackley Health
Haemonetics Corporation
Hallmark Building Supplies
Hallmark Cards, Inc
Hallmark International
Handshaw & Associates
Hanson Group
Harbinger

Harris Computer Systems
Harris Corporation
Harris Semiconductor
Haworth Corporation
HBM, Inc
HBO & Company
Health Net
Healthcare Compare
Heppner Hardwoods
Herman Miller, Inc
Herman Miller/Milcare
Hewlett-Packard Company
Hitachi Data Systems
Hobbs Group/Arkwright
Honeywell, Inc
Houghton Chemical Corporation
Hughes Network Systems
HUSCO International, Inc
I-Stat Corporation
I Power KC Heartland
IBM Corporation
IBM Insurance
IDEXX Laboratories
IDF, Inc
IES Utilities, Inc
IMI, Inc
In Focus Systems
Independent Health
Industrial & Commercial Contracts
Inet Corporation
Infographix, Inc
Informatech, Inc
Information Dimensions, Inc
Information Mapping
Infotech
Insignia Systems, Inc
Instromedix, Inc
Insurance Auto Auctions
Integrated Fumiture Solutions
Integrated Network Corporation
Integration Alliance
Intelicorp
Intelligroup
Interaction Associates
Interactive Business Systems
InterCall
Intercim Corporation

Intermate International, Inc
International Billing Services
Interpath
Intertec Publishing
logen Corporation
IPI
IPRAX, Inc
lquip
Irvin Automotive Products
ISI Systems, Inc
Itac Systems
ITC
ITW/Signode
lxchange
Jabu Computer Services
Jamak Fabrication
Jet Line Communications
JLG Industries
Jobscope
John Crane UK
John Wood Company
Johnson Controls
Johnson & Johnson Clinical
Diagnostics, Inc
Johnson & Johnson Latin America
J P Morgan Securities, Inc
K & M. Electronics
Keane, Inc
Kelly Services
Keystone Group
KGA Engineering Company, Inc
Kimball International
Kinetics Technology
Kipp Group
KLA Instruments
Kline & Company
Knoll
Korn/Ferry International
Korry Electronics
KPMG Nolan Norton
KR Services/I CAT Logistics
Krauthanner International
Krohne
Lam Research
Lambda Electronics
LAN Systems
Landis & Gyr Powers, Inc

Lawson Margo Packaging
Le Febure Corporation
Lend Leaser Employer System
Lender's Credit/Info One
Libbey-Owens-Ford Co
Life Technologies
Lifescan
Limitorque Corporation
Lipha Tech, Inc
Little Charlie's Food Service
Lockheed Martin
    Telecommunications
Logicare
Logicon
Logikos
Los Angeles Times
Lotsoff Capital Management
Lucent Technologies
M. & M/Mars
Macdonald Dettweiler
Management Systems
    Associates
Manus
Marathon Special Products
Maritrans, Inc
Marriott International, Inc
Marsh & McLennan, Inc
Marshall Industrial
    Technology
Mason Laboratories
MassMutual
Master Chemical Corporation
Mastercard International
Matlack, Inc
Mayo Medical Laboratories
McCall Consulting Group
McDonald's Corporation
McGraw-Hill
McPeak Center For Eyecare
Medex
Medi USA
Medical Tracking Systems
Medicode, Inc
Medicus Systems
Meditrol
Medstat Group
Megasoft

Merck & Company, Inc
Metrix
Metromedia Restaurant Group
Micro Motion, Inc
Microage
Micrografx, Inc
Micros Systems, Inc
Microsoft Corporation
Midcon Cables Company
Millennia Vision
Minute Maid Food Service
Mizar, Inc
MMS International
MOAC
Modem Building Materials
Molecular Applications Group
Molecular Cooling Technology
Molecular Dynamics
Monsanto Chemical
Moog Controls, Inc
Moore Products
Moosbrugger Marketing
  Research
Morrison Healthcare
Motorola
MTEL International
MTI Abraxys, Inc
Murata Wiedemann, Inc
M. & I Data Services
National Car Rental
National Education Training
  Group
National Semiconductor
Natural Micro Systems Corporation
Navco
NCI Information Systems
NCS
Nellcor Puritan Bennett
Netcom Communications, Inc
Neural Applications
  Corporation
New Age Electronics
New World Van Lines
Newsbank, Inc
Nicholas Applegate
Noble Star Systems
Norstan Communications

North American Drager
Northwest Bank
Nova Biomedical
Novell, Inc
Now Software
NutraSweet Company
O'Connor Burnham
  Productions
Oacis Healthcare
Object Time Limited
Octel
Office Pavilion
Office Specialists
Oliver Wight East, Inc
Oliver Wight West, Inc
Omega Performance
On Technology
One Wave, Inc
Open Development
  Corporation
Open Group
Open Software Foundation
OpTel, Ine
Optical Data Systems
Orange County Register
Orbcomm
ORC Electronic Products
Ormec Systems
Ortho Diagnostics Systems, Inc
Osborn Laboratories
OSI
Owen Healthcare
Owosso Corporation
PacifiCare
Padi
PADS, Inc
Paradigm Group
Pathlore
Paychex
Payco American Corporation
PCS Health Systems
PDP, Inc
Performance Software
Perrier Group
Phar Lap Software, Inc
Pharmacia Biotech, Inc
Pharmacia Diagnostics

Pharmacia & Upjohn, Inc
PHH Asset Management
Philips Medical Systems
Phillips Key Modules
Phoenix Technologies, LTD
Pick Systems
Picturetel Corporation
PID, Inc
Pillsbury Company
Pilot Software
Pinkerton Security Services
Pioneer Electronics
Plastron
Platinum Technology
Poly Fibron Technologies
Potlatch Corporation
Powder River
Power One
Power Packing Corporation, Inc
PK Taylor, Inc
Powerserve
Powersoft Corporation
PR Taylor, Inc
Prairie Development
Praxair, Inc
Precision Systems Concepts
Preferred Hotels & Resorts
Presentation Products
Pressure Vessel Service
Princeton Financial Systems
Princeton Softtech
Pro Business, Inc
Progressive Networks
ProLight
PromptCare Company, Inc
Qualix Group, Inc
Quantra Corporation
Quantum Corporation
Racal Datacom
Radian Corporation
Radisson Hotels International
RCB Consulting
Red Brick System
Reed Travel Group
Reichhold
Reichold Chemical
Reliable Power Meters

Restat
Rex Packaging Inc
Reynolds & Reynolds
    Computer Division
Richard A Eisner & Company
Risk Management Group
Rittal Corporation
Riverside Paper Company
Rockwell Automation
Rockwell Collins
Rockwell International Corporation
Rollins Hudig Hall
Rosemount Analytical
Royal Mahogany Products
R R Donnelley & Sons Co
RTMS
Sabatasso Foods, Inc
Sabre Travel Information
Sachs Group
SAP America
Sara Lee Bakery
SAS Institute
Scantron Corporation
Schenck Trebel
Schlumberger Industries
Scholastic
Schwab International
Scitex America Corporation
SDC Coatings, Inc
Seafirst
Seagate Software
SMG Secured Funding Source
Seiko Instruments
Sensory Circuits, Inc
Service Master
Servonex Share Consulting Service
Shared Medical Systems
Shaw Industries, Inc
Sheldahl, Inc
Shine-Etsu
SHL
Siemens Energy & Automation
Siemens Medical Systems
Siemens Nixdorf Information System
Siemens Power Corporation
Sigma Aldrich Research
Sigma Diagnostics

Simtec HVAC
Situation Management Systems
Six Flags Over Georgia
SkyTel
SL Waber, Inc
Smallworld Systems, Inc
Smith-Blair, Inc
Sofamor Danek USA
Software Artistry
Solectron
Sonoco Products Company
Southeastern Mill
Spectrum Management Group, Inc
Sprint
SPSS
Square D Company
Standard Register
State Street Trust
Stellar Financial
Steri-OSS
Sterling Healthcare
Stralfors International, Inc
Sun Data
SunGard Financial Systems, Inc
Sungard Securities
SunRiver Data Systems
Supply Tech, Inc
Sycom
Symbios Logic
Syncor International
Systems Research Labs
T Line Services
T & D Consultants
Talarian
Talent Tree Staffing Service
Tally Systems Corporation
Tapemark Company
Tastemaker
Technology Service Solutions
Teklogix
Teknion Furniture
Tekowlogy
Tel Data Control
Telect
Telxon Corporation
Tencor Instruments, Inc
Tesseract

Texas Instruments
Texonics
Textron Systems Corp
Texwipe Company, Inc
Time Resource Management
Time Warner Communications
Tivoli Systems
TMP Worldwide
Tony's Food Service
Tosoh SMD, Inc
Transcat
Transition Systems, Inc
Transwitch
Trend Circuits
Triple M. Marketing
Tufts Health Plan
Tulin Technology
Tuscarora, Inc
TTC
ULTRADATA Corporation
Ultratech Stepper, Inc
UMI, Inc
UNC Business Development
UNEX Corporation
Unicco Services Co
Union Bank
Union Gas Limited
Uniphase Corporation
United Visual, Inc
Universal Flavors
Universal Forest Products
Universal Instruments
UNO-VEN Company
USA Roofing
US Robotics, Inc
US Tobacco
VALIC
Vangard Technology
Vanstar Corporation
Varian Associates
Verilink Corporation
Vertag
Verteq, Inc
Vinta Business Systems
Visigenic Software
VLSI Technology
Voice Processing Corporation

Voice Technologies
VWR Scientific Products
Walker Interactive Systems
Walker Parking Consultants
Wall Street Investor Service
Watermark Software
Wausau Insurance
WEM Automation
Wendover Corporation
Wesley Software
West Coast Information
Westco
Western Atlas
Williams Tele-Communications
Wind River Systems

Wisconsin Power & Light
Wood Associates
Woodware Governor Company
Work Group Solutions
Worldcom
WOZZ/WFDF
Wyeth-Ayerst
WL Gore & Associates, Inc
Xenejenex Health Videos
Xerox Canada
Xylum Corporation
Yaskawa Electric America, Inc
York International
Yushin America
Zurn/Nepco

En préparant cette liste, nous avons tenté d'être aussi exhaustif et à jour que possible. Toutefois, étant donné le rythme auquel surviennent les changements par rapport au planning éditorial, il se pourrait qu'elle doive être révisée lorsqu'elle sortira de presse. Si nous avions par mégarde oublié certains clients, nous espérons qu'ils comprendront. Nous devons également adressé nos remerciements à la fine équipe de Miller Heiman Inc. à notre siège de Reno, à nos sièges européens de Milton Keynes et sur le terrain, qui a tant fait pour le succès de notre entreprise.

PREMIÈRE PARTIE

Le concept de Vente Stratégique

1

VENDRE AVEC SUCCÈS
DANS UN MONDE EN CONSTANT
CHANGEMENT

UNE VIEILLE LÉGENDE GRECQUE raconte comment le roi Minos, souverain de Crète, avait un dédale de souterrains, le Labyrinthe, construit à côté de son palais pour servir de prison sans espoir d'évasion à l'infâme Minotaure monstre sanguinaire moitié taureau, moitié homme. Quiconque pénétrait le labyrinthe était irrémédiablement perdu et aussitôt le Minotaure le trouvait et le dévorait. Le lugubre scénario se reproduisit maintes et maintes fois jusqu'à ce que Thésée, le jeune héros, avec l'aide de la princesse Ariane, mette au point une stratégie pour tuer le monstre et en sortir.

Tuer le monstre était la partie facile. Thésée est un héros après tout et tuer était sa mission. Le problème était de sortir du labyrinthe. Consciente de cela, Ariane lui noua un long fil autour de la taille au moment où il pénétra dans le Labyrinthe et tint fermement l'autre bout dans sa main. Il s'agit là d'une solution simple mais efficace. Au fin fond du souterrain, Thésée se débarrassa du monstre et refit le circuit en sens inverse vers la lumière. Il se maria avec Ariane à la grande joie de tous.

Vous devez vous demander par Zeus qu'a donc cette vieille légende grecque à voir avec la vente ?

Assez en réalité. Si vous acceptez de mettre de coté votre scepticisme juste un instant pour imaginer que Thésée est un commercial d'aujourd'hui, nous pensons qu'alors vous verrez facilement se dessiner l'analogie à laquelle nous voulons en venir. Dans la vente aujourd'hui, notamment au niveau des entreprises, vous avez tous les jours à affronter le dédale des structures. Il y a un siècle de cela – voire seulement 20 ou 30 ans – il était possible, même si ce n'était pas toujours facile, de conclure une affaire importante en se rencontrant et en satisfaisant un décisionnaire clé. Ces temps sont révolus. Aujourd'hui, à l'ère de la vente complexe, chaque affaire importante entraîne des décisions multiples qui ne sont pratiquement jamais prises par la même personne. Vous avez non seulement à vous battre pour obtenir des décisions multiples, mais les personnes qui doivent les prendre ne travaillent parfois même pas sur le même lieu ; pour obtenir un contrat de livraison d'une cargaison à Birmingham, il se peut que vous deviez obtenir des signatures à Londres ou à Paris – ou Londres et Paris. Pour corser un peu les choses, vous ne pouvez pas être sûr que ceux qui ont donné leur accord sur une affaire auront toujours la même autorité deux semaines ou deux jours plus tard lors d'une deuxième affaire avec la même entreprise.

A l'époque du *downsizing*, des fusions constantes et des chaises musicales entre cadres, la vente est devenue tellement complexe et tellement lourde d'incertitude que la métaphore du Labyrinthe pourrait même se révéler trop simpliste. Au moins le Labyrinthe de la légende n'était-il pas construit sur une ligne de faille. Dans le dédale des structures d'aujourd'hui il semble que ce soit tous les jours la saison des tremblements de terre.

Nous reconnaissons que l'adversaire que vous affrontez dans le dédale professionnel n'est pas du type du Minotaure affamé. Quelle que soit la complexité de l'organigramme, quelle que soit la violence de la concurrence ou l'exigence de vos clients, vous ne courez jamais le risque d'être littéralement mangé tout cru. Mais au figuré ? Cela arrive quotidiennement. Et il n'y a aucun moyen de l'éviter à moins que vous n'ayez une stratégie. Tout comme Thésée, vous avez besoin d'un plan d'action et vous avez besoin d'un fil conducteur pour vous maintenir dans la bonne direction lorsque vous naviguez dans les méandres de vos opportunités de vente. Vous pouvez considérer ce livre comme un fil d'Ariane ou comme un plan des issues des labyrinthes professionnels changeants. Quelle que soit la métaphore que vous choisissiez, le résultat est le même. Pour survivre dans la vente aujourd'hui vous avez besoin d'une stratégie. Cet ouvrage est un guide éprouvé pour vous aider à la trouver.

Pour prouver la différence entre avoir et ne pas avoir de stratégie, nous allons vous raconter l'histoire d'une de nos entreprises clientes.

Tout récemment, un des principaux fabricants de systèmes informatiques – une entreprise dont le chiffre d'affaires annuel s'élève à plusieurs centaines de millions de francs – était sur le point de conclure un marché comprenant la vente d'un système d'ordinateur sophistiqué à un nouveau client au potentiel énorme. L'ingénieur commercial chargé des négociations (nous l'appellerons Frank) avait toutes les raisons d'être confiant. Depuis des mois il était en contact avec la direction générale du client, et au fur et à mesure qu'approchait la signature du contrat, il se savait solidement implanté. Le chef de service qui utiliserait le nouvel équipement, le signataire de l'achat, le personnel du service informatique, tous se montraient enchantés de sa proposition. Frank appartenait en outre au même club que le président de cette société, et le savait lui aussi favorable au projet. Avec une commission de plusieurs dizaines de milliers de francs pratiquement assurée, Frank avait déjà en vue l'achat d'une voiture neuve.

Frank savait que son entreprise n'était pas la seule qui lorgnait ce contrat. Une entreprise plus petite avait également contacté le client, et il était conscient de cette concurrence parallèle. Mais à en croire l'accueil général fait à son offre, il estimait n'avoir rien à craindre. La position sur le marché de l'autre société était de moitié inférieure à la sienne, et quelle que soit la qualité de son produit, il bénéficiait d'une confortable avance sur le seul plan de la réputation. Le bruit courait, et il s'en félicitait, que l'ingénieur commercial d'en face n'avait même pas rencontré le directeur général.

Ce que Frank ne savait pas, c'est que l'entreprise rivale possédait un avantage certain. Bon nombre de ses meilleurs vendeurs – y compris son adversaire direct, un jeune loup plein d'ardeur nommé Eric – venaient de suivre un de nos programmes de vente stratégique. Il y avait acquis un tout nouveau regard sur la vente. Il avait appris à reconnaître qui étaient les parties prenantes à l'achat, comment minimiser ses incertitudes quant à la réceptivité d'un client, comment empêcher qu'une proposition soit sabotée de l'intérieur – et il avait recueilli une mine de renseignements pratiques sur la façon de prendre appui sur ses propres forces et de tirer ainsi le maximum de son avantage concurrentiel. Quand il quitta le séminaire, il avait au moins un système applicable et détaillé lui permettant d'analyser les composantes de la vente en cours bien mieux que Frank ne pouvait espérer le faire. Armé de sa compréhension de ces composantes et de la façon dont elles s'assemblaient lors de la vente, il s'apprêtait à prendre le pas sur l'homme de tête.

Certes, Eric n'avait pas rencontré le directeur général, mais grâce au programme de Vente Stratégique auquel il avait assisté, il n'en avait pas besoin. Pendant que Frank se félicitait de convaincre la direction générale, lui repérait tranquillement les vrais maîtres de la décision et tout autre renseignement susceptible de l'aider à conclure l'affaire. Pour être précis, il voulait savoir qui donnerait son approbation définitive pour la vente. Il trouva ce qu'il cherchait en la personne d'Alain, un consultant externe que Frank avait totalement ignoré. Alain put fournir à Eric deux renseignements extrêmement précieux. D'abord, il lui expliqua que dans ce type de vente, c'était le directeur de la division et non le directeur général qui avait le pouvoir de décision finale. Ensuite, si Eric voulait vendre à ce responsable influent il n'avait rien de mieux à faire que de passer par Alain lui-même. Avant de devenir consultant, il avait été un membre important et apprécié de l'organisation de la société acheteuse, et le directeur de la division s'était appuyé sur lui pendant des années pour se tenir informé des évolutions techniques. Eric, donc, s'efforça de démontrer à Alain que les besoins de la société acheteuse étaient satisfaits par sa propre solution informatique – puis il laissa Alain faire cette démonstration au directeur de la division. Bientôt, toutes les parties prenantes à la décision d'achat avaient opté pour son produit. C'est lui qui s'acheta la voiture neuve, tandis que Frank, qui avait pensait-il la vente dans la poche, restait à se demander ce qui avait mal tourné. Quand la société s'aperçut qu'elle avait perdu, ses directeurs voulurent savoir pourquoi. Ils découvrirent alors que nous étions une des causes de leur infortune et ils nous envoyèrent donc les membres de la direction des ventes pour en savoir plus sur le contenu de notre programme. Aujourd'hui, les sociétés de Franck et d'Eric sont parmi nos clients importants et toutes deux connaissent des progressions de leur pénétration du marché et de leur performance commerciale.

Quiconque fait profession de vendre peut vous raconter des histoires identiques sur comment une « affaire faite » est tombée à l'eau parce que le

32

commercial avait omis d'assurer toutes ses positions, avait soumis son offre à la mauvaise personne, au mauvais moment, ou négligé un renseignement crucial indiquant que la vente s'annonçait mal. Si expert et expérimenté que vous soyez, vous avez probablement éprouvé le choc de la déception qui vous secoue quand votre concurrent parvient à vous déloger d'une position que vous pensiez acquise.

Ce dont vous ne vous rendez peut-être pas compte (et très peu de vendeurs en sont capables) c'est qu'il existe toujours une raison précise, identifiable, à l'échec d'une telle vente même si vous ne la connaissez pas. Ce ne sont pas seulement la « chance » ou le « timing » ou le « travail » qui entrent en jeu. Quand une vente qui paraissait solide comme du béton échoue, c'est presque toujours parce que vous avez omis d'y mettre ce qu'Eric apporta dans son contrat informatique : un programme fiable, soigneusement et clairement défini en vue de réussir qui prend en compte *tous* les éléments de la transaction en attente, si obscurs ou anodins soient-ils.

Ceci vaut pour n'importe quelle situation de vente, mais c'est particulièrement valable dans ce que nous appelons la *vente complexe*. Voilà ce dont traitent nos séminaires et ce livre. *La vente stratégique* » a pour but de vous aider à comprendre pourquoi les choses ont parfois mal tourné dans vos ventes complexes, et de vous offrir un système rodé et fiable vous permettant désormais de les réussir.

La vente complexe : définition

Notre méthode est bâtie sur la réalité et non la théorie, et il serait irréaliste de suggérer que toute personne s'occupant de vente peut profiter de la même façon de notre approche. C'est pourquoi il nous faut commencer par définir la *vente complexe*, afin que vous puissiez déterminer, selon le type de vente que vous faites, si vous pouvez ou non bénéficier de notre méthode. Dans ce livre, nous utilisons la définition suivante :

Une vente complexe est une vente dans laquelle plusieurs personnes doivent donner leur accord avant que la vente puisse se conclure.

Voilà qui paraît fort simple et qui l'est, mais le concept a néanmoins d'énormes implications. Pour donner un peu de corps à cette définition, nous pouvons dire qu'il y a vente complexe lorsque l'un ou plusieurs des éléments suivants est présent :

- L'entreprise acheteuse a plusieurs options
- L'entreprise vendeuse a plusieurs options
- Dans les deux entreprises, il y a plusieurs niveaux de responsabilités impliqués.

La prise de décision dans l'entreprise acheteuse est complexe, c'est-à-dire qu'elle est rarement évidente pour quelqu'un de l'extérieur. La présence de ces facteurs de complications rend la vente compliquée également dans une situation compliquée.

La diversité de personnes qui prennent part à une vente complexe, la diversité des décisions souvent contradictoires que ces personnes doivent communément prendre, signifient qu'au cours de ventes complexes, le commercial doit mettre au point une méthode de vente tout à fait différente et beaucoup plus analytique que celle du bon vieux Jean qui y allait d'un petit service. Comme l'indique l'histoire d'Eric et de Frank, pratiquer une telle méthode peut faire la différence entre échec et succès. C'est parce que nous démontrons cela à nos clients que notre méthode remporte un tel succès. S'il vous est jamais arrivé de vendre quelque chose à un couple, par opposition à un mari ou une femme séparément, vous savez à quel point une approbation multiple peut compliquer une vente. Si votre vente se situe dans l'environnement d'une société ou du gouvernement vous savez que les complications sont encore plus grandes quand ceux dont l'accord est nécessaire ne sont pas simplement des individus, mais des conseils d'administration et des comités d'achat. Le fond du problème est ici que, chaque fois que deux votes ou plus sont nécessaires pour qu'une vente soit menée à bien, vous avez affaire à une situation difficile et il vous faut une stratégie très spéciale pour y faire face.

Ceci est vrai, aussi simple ou complexe que soit le produit vendu, aussi cher ou bon marché soit-il. Le facteur décisif dans une vente complexe est la *structure*, non le produit ou le prix.

Prenez comme exemple les ballons de foot – sans aucun doute un produit de bas de gamme. Le vendeur qui en vend une douzaine au vieux père Leblanc au magasin de sport local effectue une vente simple ; il n'a nul besoin de notre aide. Mais celui qui en vend 12 000 à une grande surface en a absolument besoin, car pour réussir cette vente, il ne lui faudra pas qu'un oui, mais plusieurs. Ceux qui vendent dans ce type de contexte en *business to business*, sont confrontés tous les jours à la complexité des structures, ce que nous appelons la vente complexe.

Gardant à l'esprit cette définition de la vente complexe, vous devriez être à même de déterminer jusqu'à quel point ce livre est fait pour vous. Si vous vendez surtout en magasin ou en porte à porte, il ne vous sera pas aussi utile, car vous avez rarement besoin de plus d'un oui pour conclure. Mais si vous touchez en quoi que ce soit au domaine de la vente aux sociétés, notre méthode peut vous aider à affûter les talents que vous possédez déjà, à en développer de nouveaux dont vous ne pensiez peut-être pas avoir besoin, de les rassembler dans une bonne stratégie réutilisable pour réussir.

La méthode est utilisée par nombre de sociétés, et non des moindres, du monde bancaire, des finances, des assurances et des transports.

Nombre de ces entreprises sont dans des secteurs haut de gamme, comme les avions (Lockheed) et les systèmes informatiques (Hewlett-Packard, IBM). D'autres vendent des produits de gamme courante, tels que Kleenex (Kimberley-Clark) et des boissons (Coca-Cola). Tous font de la vente complexe.

Dans ce domaine, ceux qui profitent le plus immédiatement et le plus directement de nos méthodes sont les commerciaux qui traitent avec les entreprises et leurs responsables. De plus, nous avons contribué à faire progresser les commerciaux sédentaires, le personnel des services de clientèle, les chefs de produits et de nombreux cadres supérieurs dont le travail d'une façon ou d'une autre implique une performance commerciale.

Mais, pour profiter de notre méthode, il n'est pas nécessaire de travailler pour l'un de ces géants multinationaux qui font les têtes de liste de « Fortune ».

Quelle que soit la taille de votre entreprise, et quel que soit le produit ou le service dont vous vous occupez, si vous traitez des ventes complexes, telles que nous les avons définies ici, ce livre vous est destiné. Cependant, pour en tirer un bénéfice maximum, il vous faut comprendre en quoi il convient spécialement à votre environnement commercial habituel. Cet environnement, vous le savez déjà, se caractérise par des changements quasi-constants. Du fait que ces changements perturbent souvent le vendeur, avant d'exposer notre programme, nous voulons décrire très brièvement l'impact du changement constant sur le monde de la vente complexe.

La seule constante est le changement

Il y a une douzaine d'années, lorsque la première édition a été publiée, nous avions utilisé le terme à la mode à l'époque de « choc du futur » pour décrire le stress et le manque de repère causés par le changement constant. Aussi pertinente que l'analyse l'ait été alors, elle l'est encore plus cruellement aujourd'hui.

Au début des années 80, le « changement constant » était surtout ressenti dans les domaines de haute technologie tels que l'informatique, les communications etc. Aujourd'hui, on peut dire que quel que soit votre secteur, parier sur la stabilité de l'avenir revient à construire des châteaux de sable. Demandez-le aux milliers de salariés qui ont perdu leur situation « à vie » du jour au lendemain. Vous pouvez ignorer la taille exacte ou la direction de la vague qui va menacer votre château de sable mais vous pouvez être sûr de deux choses. Un, qu'il y aura des vagues et deux, que si vous voulez en réchapper, vous devez vous y préparer.

De quelles vagues parlons-nous ? Quels sont les changements qui menacent aujourd'hui la stabilité des entreprises ?

Lorsque nous posons cette question lors de nos séminaires nous obtenons rarement deux fois la même réponse. Ce n'est pas surprenant. En fait, c'est ce que nous voulons démontrer. Si vous pouviez prévoir précisément d'où viendrait le prochain changement, la constance des changements ne poserait pas de problème. C'est justement parce que vous ne savez pas à quoi vous attendre que l'instabilité professionnelle provoque ce malaise.

Vous pouvez être en train de vivre des changements sur votre marché, votre technologie, votre base de clientèle, votre gamme de produits, votre position concurrentielle, votre stratégie ou vos tactiques marketing, la structure de votre entreprise ou plusieurs de ces changements à la fois. Vous pouvez vivre le changement comme un phénomène d'érosion subtile et lente (tel que la délocalisation) ou comme un événement soudain (tel qu'un effondrement de la valeur en bourse) ou une croissance continue (comme celle que connaît actuellement le secteur informatique). Mais quels que soient l'ampleur et le rythme des changements qui modifient votre environnement, vous pouvez vous trouver nez à nez avec le choc de l'inconnu.

Il ne faut pas pour autant désespérer. Ce n'est pas le changement en soi qui entraîne une perte de repère, mais l'incertitude qui y est souvent associée. Peu importe la nature des changements qui affectent votre secteur, vous pouvez continuer à mettre au point des stratégies de vente fiables si vous apprenez à faire le tri entre les opportunités et les menaces et si vous développez sans cesse les compétences particulières nécessaires pour créer de la stabilité là où il n'y en a guère.

Ce livre est destiné à vous donner ces qualités, quel que soit votre secteur et quel que soit votre produit ou service. Vous en tirerez un bénéfice maximum si vous acceptez d'abord le fait indéniable que *le changement est devenu une constante*. De nos jours, pour conclure une vente complexe, vous devez savoir que les affaires telles qu'elles étaient traitées hier sont aujourd'hui démodées et qu'elles constituent un poids pour l'avenir.

Nous trouvons ce jugement important au point de faire de l'acceptation du changement le premier préalable à la compréhension de notre méthode et nous allons jusqu'à la mettre sous forme d'axiome ou de préambule à notre système. Nous l'exprimons de la manière suivante :

Hypothèse n° 1 de la Vente Stratégique : ce qui vous a conduit là où vous en êtes, est insuffisant pour vous y maintenir.

Cette hypothèse, nous le voyons bien, prend à contre-pied tous ceux qui travaillent « à leur façon » depuis vingt ans et sont à l'aise dans leurs schémas existants. Pourtant, accepter cette hypothèse est essentiel pour survivre dans le monde des ventes complexes. Le fait est que dans l'actuel environnement de ventes, la seule chose sur laquelle on puisse compter est l'instabilité. La personne qui refuse de modifier ses façons « bien rôdées » de faire les choses pour s'adapter à ce *fait central* sera bientôt à la traîne. Même si vous faites de la vente depuis seulement quelques années le contexte dans lequel vous avez appris à vendre n'existe plus.

La perte de repère causée par les changements constants n'est pas propre à l'environnement commercial, mais les changements spécifiques associés aux ventes complexes le sont. Notre deuxième hypothèse concerne ce fait. Elle est destinée à reconnaître l'un des plus importants changements que vous devrez faire si vous voulez continuer à réussir au siècle prochain.

Hypothèse n° 2 de la Vente Stratigique : dans une vente complexe, une bonne tactique n'a que la valeur de la stratégie qui l'y a conduite.

Le terme de « tactique » tel que nous l'utilisons dans ce livre, fait référence aux techniques que vous utilisez quand vous vous trouvez réellement face à face avec un projet ou un client au cours d'une visite de prospection. Il inclut toutes les ruses séculaires du métier que vous avez apprises dans « le manuel du parfait vendeur » telles que les techniques d'interview, les réponses aux objections, les talents de présentation, les offres d'essai, etc.

Par « stratégie », par contre, nous entendons une série de processus beaucoup moins largement reconnus, mais tout aussi repérables et renouvelables, que vous utilisez pour vous positionner par rapport au client avant même que ne commence la visite de prospection. Vous utilisez la tactique *au cours* de votre présentation de vente, la stratégie doit la précéder.

Dans l'environnement actuel de vente à des sociétés, la stratégie est un préalable nécessaire au succès tactique. Frank a découvert à sa grande consternation que la tactique ne mène nulle part si vous l'exposez à la personne qui ne convient pas, de la façon qui ne convient pas, sans renseignements suffisants, ou au moment inopportun. La bonne stratégie, comme la bonne tactique, s'apprend. En fait, le point général de convergence de la méthode que nous allons présenter dans ce livre porte sur le développement de stratégies de vente efficaces, avant la visite.

Non que la tactique soit sans importance. Nous reconnaissons la valeur des talents de présentation. En fait un des plus vieux programmes sur la vente conceptuelle est entièrement consacré aux tactiques de vente en face à face proposé par notre société : ce que vous devez faire pendant la visite. Mais c'est la deuxième étape. La première étape doit vous permettre d'abord d'avoir le rendez-vous. Dans ce livre, nous insistons sur la stratégie, car c'est l'élément le plus négligé de la vente, non seulement parmi les représentants, mais aussi parmi les directeurs et les formateurs eux-mêmes, qui sont censés leur enseigner la façon de sortir des dédales de la vente complexe. C'est en fait notre insatisfaction devant de tels programmes de formation qui nous a conduit au départ à développer notre système.

Notre troisième et dernière hypothèse concerne aussi spécifiquement l'environnement de la vente, mais est d'une portée beaucoup plus vaste que l'hypothèse n° 2. Si l'hypothèse n° 1 reconnaît la réalité du changement social général et l'hypothèse n° 2 la réalité du changement dans la vente complexe, l'hypothèse n° 3, insiste sur la nécessité d'un changement intérieur personnel pour prendre en main ce qui se passe à l'extérieur.

Hypothèse n° 3 de la Vente Stratégique : de nos jours, vous ne pouvez réussir dans la vente que si vous savez ce que vous faites et pourquoi.

Ceci peut paraître évident mais ne l'est pas – tout au moins si l'on en juge par la rareté avec laquelle les vendeurs actuels l'appliquent dans la réalité. Nous pouvons vous la démontrer en vous racontant une expérience que nous avons faite et refaite au cours des années où nous étions cadres commerciaux de grandes sociétés.

En tant que directeurs régionaux ou nationaux des ventes, nous avons mené des entretiens avec des centaines et des centaines de nos futurs vendeurs. La plupart d'entre eux avaient déjà bien réussi quand ils venaient nous voir et notre tâche consistait donc souvent à trier le très bon de l'excellent en choisissant de nouveaux membres pour nos équipes. Pour ce faire, nous avions mis au point une simple question afin de tester, non leur performance individuelle (nous savions déjà qu'elle était bonne) mais leur perception de cette performance. La question posée était la suivante : « *Pourquoi* réussissez-vous ? Qu'est-ce qui vous différencie des autres commerciaux dont les ventes sont sans cesse inférieures aux vôtres ? »

Les réponses furent surprenantes. *Moins d'un sur cent* de nos candidats fut à même d'identifier la véritable raison de son succès. Ils parlaient de chance, de relations, ou de travail acharné, comme étant des ingrédients essentiels. Seule une infime fraction comprit que c'était dans leur approche du travail – ce que nous appelons leur *méthode* ou *démarche* – que se trouvait l'indice réel de leur réussite.

C'est cette fraction que nous avons cherché à engager et, à quelques exceptions près, elle a comblé notre attente.

Ceci n'était et n'est que logique. Si vous comptez sur la chance, la connaissance ou les relations, votre travail comportera toujours une grande marge d'approximation et d'erreur. L'approximation et l'erreur ne sont tout simplement pas des clés fiables pour le succès dans un monde comme le nôtre où le changement et la concurrence pèsent si lourd. Sans une compréhension de votre propre méthode, vous serez condamné à approcher chaque vente comme une expérience entièrement nouvelle. Vous n'établirez jamais une procédure d'expérimentation vous permettant de voir ce qui marche et ce qui ne marche pas, et vous percevrez donc chaque modification de votre environnement comme un signal pour retourner à la case départ.

Aujourd'hui pour réussir vous devez développer, non ce genre d'approche au coup par coup, mais une approche *professionnelle* clairement définie. Savoir ce que vous faites et pourquoi, est fondamental pour le profil du vendeur-stratège.

Le profil du vendeur stratège

Aussi surprenant que cela puisse paraître, nombre de personnes qui vendent n'admettent qu'avec répugnance que leur profession est bien une profession. La vieille image désastreuse du vendeur comme simple joyeux drille, quelqu'un dont le seul talent consiste à « savoir parler aux gens » jouit encore d'une large audience, y compris parmi les vendeurs eux-mêmes.

Pensez aux expressions qui vous viennent à l'esprit quand vous pensez à la vente. « On naît bon vendeur, on ne le devient pas. » « La chance entre pour 90 % dans une vente. » « Le vrai vendeur, c'est le type qui réussit à vendre des réfrigérateurs aux esquimaux. »

Au-delà de ces formules il y a l'idée que c'est la personnalité et non la compréhension : le tempérament et non la formation ; la magie et non le talent qui font des meilleurs vendeurs ce qu'ils sont. Pour beaucoup, « le coup de veine » est encore le maître mot du succès. Même si cela était vrai autrefois (ce dont on peut douter), cela n'est plus valable pour le monde actuel en constant changement. La vente, tout comme l'enseignement, la médecine ou le droit, est une vocation professionnelle, et ceux qui y réussissent sont ceux qui maîtrisent leurs propres méthodes professionnelles. Ceux qui ont mis au point un système conscient et planifié d'étapes de vente qui sont *visibles*, *logiques* et *renouvelables*. La personne qui apprend notre système de Vente Stratégique et le fait fonctionner ne voit jamais le succès en terme de magie, de charisme ou de chance. Quiconque veut faire de grosses affaires dans les ventes complexes au cours du siècle prochain ne saurait compter sur ce vieux mythe. Les vendeurs de pointe de demain réussiront parce qu'ils se considéreront comme des « pros ».

Une des choses que ces « pros » auront en commun sera un type particulier de ténacité. Nous ne parlons pas de la simple ténacité du type « sonnez jusqu'à ce qu'on vous ouvre ». D'accord, c'est important, comme l'indique une enquête récente effectuée par une association nationale de vendeurs : qui conclut que 80 % des nouvelles ventes dans ce pays étaient l'œuvre de 10 % des vendeurs – et que ces ventes ne se concluaient qu'après cinq visites ou plus au client. Mais notre recherche montre qu'un autre type de ténacité est tout aussi important : celle dont font preuve les commerciaux de haut niveau qui travaillent sur leurs propres *méthodes* de vente.

Il est un fait que nous avons observé maintes et maintes fois dans des enquêtes que nous effectuons pour suivre nos « nouvelles recrues ». Si l'on veut prédire qui sera le prochain « commercial de l'année », le prochain « meilleur directeur regional » le prochain « premier directeur national financier », il faut rechercher les vendeurs qui analysent leur propre technique, ceux qui reévaluent constamment leur stratégie et leur tactique de vente, ceux qui recherchent des méthodes fiables et réutilisables pour améliorer leur compétitivité. Pour les vendeurs – leaders d'aujourd'hui (et de demain) – il est fondamental d'être attentif aux processus internes aussi bien qu'au changement extérieur.

En plus de maîtriser leurs procédés de vente et de comprendre pourquoi c'est important, tous les vendeurs stratèges ont en commun une autre caractéristique : ils ne sont *jamais satisfaits*. Ceci aide à comprendre pourquoi les commerciaux et les directeurs sont le plus enthousiasmés par nos programmes, ceux qui sont plus prompts à introduire nos stratégies dans leurs méthodes sont ceux qui réussissent *déjà* bien. Et ceci explique en partie pourquoi les sociétés pour lesquelles ils travaillent font aussi déjà de bonnes affaires.

Comme nous l'avons déjà indiqué, nos clients nous viennent des sociétés qui connaissent la plus grande réussite. Pourquoi ces entreprises, qui sont déjà en tête de classement, veulent-elles que leurs salariés travaillent avec nous ? Pourquoi beaucoup d'entre elles dépensent-elles des fortunes pour que leurs vendeurs apprennent les principes de la Vente Stratégique ? Pourquoi envoient-elles leurs vendeurs vedettes à nos séminaires ?

Pour la paradoxale mais excellente raison que ce sont les meilleurs qui veulent toujours mieux faire. Dans n'importe quelle force de vente, ce sont ces 10 % d'individus de pointe dotés de ténacité, investissant sur leurs propres talents qui apportent à l'entreprise ses plus gros dividendes. Donc, permettre à ces 10 % de repenser et d'affiner leur travail relève du bon sens économique. A la lecture de ce livre, vous comprendrez que suivre l'exemple de ces importantes sociétés relève pour vous du même bon sens.

Comment fonctionne la vente stratégique?

Qu'apprennent les stagiaires dans nos séminaires et comment l'apprendrez-vous avec ce livre?

D'abord, notre système n'est pas mis au point en laboratoire mais vient de nos expériences de vendeurs qui ont passé leur vie sur le terrain. La plupart des programmes de formation de vente commencent par une belle et pompeuse théorie qu'ils imposent par des faits. Ce n'est pas ainsi que nous procédons. Notre programme peut, ô combien, être généralisé. Nos clients peuvent en témoigner, il a été éprouvé dans le plus impitoyable univers du monde : l'économie américaine, lors de bonnes et de mauvaises époques, au cours de périodes de croissance ou de récession – et il fonctionne. Il fonctionne parce qu'il est sérieux non seulement en théorie mais aussi *en pratique.* La raison pour laquelle tant de directeurs de vente à l'échelle nationale insistent pour que leur personnel des ventes prenne part à nos séminaires, c'est qu'il correspond à votre situation quotidienne de vendeur sur le terrain.

Les leçons de ce livre ne sont pas destinées à vous exposer quelque « abstraite philosophie » de vente, à vous impressionner avec des trucs ou à vous donner une mallette remplie de phrases toutes faites à balancer lors de votre prochaine réunion. Nous maintiendrons un niveau de discussion simple et concret, parce que le but de ce livre est simple et concret : il s'agit de vous aider à trier les données compliquées associées à la vente complexe et à vous donner une méthode pour analyser ces données, pour mieux vous positionner par rapport à vos clients et pour conclure même les ventes les plus difficiles. Voici quelques-unes des choses que vous apprendrez dans ce livre :

- Comment entrer en contact avec les vrais décisionnaires et éviter ceux qui n'ont pas de pouvoir.
- Comment repérer chez le client les deux attitudes « clés » qui peuvent permettre de conclure une vente et les deux qui la font habituellement échouer.
- Comment obtenir non seulement la commande, mais aussi un client satisfait, des ventes renouvelables, des recommandations enthousiastes.
- Comment développer vos ventes chez vos clients acquis.

- Comment minimiser les incertitudes d'une visite à froid chez un nouveau client.
- Comment libérer la commande bloquée.
- Comment éviter les affaires dont vous ne voulez pas.
- Comment identifier et traiter avec les quatre parties prenantes différentes, présentes dans toute vente.
- Comment empêcher que les ventes ne soient sabotées de l'intérieur par un adversaire.
- Comment reconnaître les signaux d'alarme qui indiquent qu'une vente est en danger.
- Comment suivre la progression d'un client et prévoir les ventes futures.
- Comment éviter les mois creux en allouant sagement votre temps aux trois tâches critiques de vente.

Nous voulons que vous gardiez en mémoire que ceci n'est qu'un échantillon des sujets que nous allons traiter, et aussi que vous vous souveniez de deux différences importantes entre notre approche et celle des programmes de formation à la vente que vous avez rencontrés précédemment.

Premièrement, nous mettons l'accent sur le succès, non sur l'échec. En essayant d'éviter l'échec, beaucoup de programmes de formation de vente ne font que l'assurer, en mettant l'accent sur de longues listes de choses qui peuvent mal se passer lors de la visite du vendeur et en lui faisant porter la responsabilité. Il ne s'agit pas de vous concentrer sur vos défauts, c'est pourquoi nous portons toute notre attention non sur *vous* mais plutôt sur votre client ou futur client : notre but est de vous enseigner comment comprendre si bien ce client qu'une fois le rendez-vous obtenu vous aurez déjà maîtrisé vos incertitudes et serez libre de consacrer votre attention à valoriser votre présentation.

Deuxièmement, le travail concerne *vos* clients présents et futurs. La plupart des programmes de formation tentent de lier la théorie à la pratique et vous proposent une série de cas d'espèces en guise d'illustrations ; en travaillant sur ces cas hypothétiques, vous êtes censés développer les qualités nécessaires pour aborder vos nouveaux clients. A l'époque où nous établissions nos programmes, nous nous sommes aperçus que c'était une méthode inefficace et détournée pour vous amener à analyser votre propre situation. Nous avons donc éliminé l'approche d'étude de cas, pour tout reprendre à la base sur les problèmes propres à nos clients. Cet ouvrage, comme notre programme, a une approche pragmatique. Au lieu de cas d'école, vous disposerez d'une série d'ateliers auxquels nous avons recours lors de nos séminaires. Ce qui vous aidera à vous servir des concepts que nous exposons afin de mieux aborder vos propres clients actuels et futurs, dès maintenant.

Ceux qui ont suivi nos programmes nous disent que cette méthode directe fondée sur des cas réels est une des leçons les plus utiles et les plus durables de l'expérience. Un directeur régional l'a bien exprimé, des mois après que ses collaborateurs aient suivi notre programme de Vente Stratégique, quand il a dit : « J'ai assisté à des quantités de cours différents mais c'est de celui-là dont mes salariés se servent maintenant ». Oui, bien sûr, cela nous a fait plaisir, mais ne nous a pas vraiment étonné, parce que la Vente Stratégique est *conçue* pour servir et pour servir aussitôt. Elle est destinée à vous aider à vous occuper de *vos* commandes bloquées et de *vos* reprises difficiles. Et elle est censée vous y aider dès maintenant.

En utilisant la méthode de travail par groupes en atelier que nous avons mise au point dans nos formations, vous récolterez les bénéfices de votre propre expérience pratique, et les mettrez à profit même avant d'avoir fini le livre. Quand vous en serez à la dernière page, vous pourrez dire, comme tant de nos vendeurs professionnels.
« C'est *la façon dont je m'y prends* qui fait de moi le numéro 1 ».

2
STRATÉGIE ET TACTIQUE : DÉFINITIONS

IMAGINEZ : vous êtes l'entraîneur de l'OM, vos joueurs sont sur le pied de guerre prêts à rencontrer le Milan AC. Tout va se jouer dans une semaine, et les films des deux derniers matchs des Milanais viennent de sortir. Vos joueurs n'ont qu'une envie : voir ces films pour mettre sur pied un plan de jeu, mais vous avez une meilleure idée. « Pas de films cette fois-ci, les gars », leur annoncez-vous. « Nous allons passer la semaine à revoir les bases. Bloquer, courir, dribbler, shooter, faire des passes. Nous savons que les Milanais sont bons, mais d'ici la semaine prochaine nous serons meilleurs encore. Contentez-vous de vous concentrer sur l'offensive que vous allez leur faire subir une fois sur le terrain. Le reste se fera tout seul. »

Combien de temps croyez-vous que vous allez tenir en première division avec ce genre de comportement ? Une saison ? Peut-être deux ? Au cours de la compétition, ce serait un suicide de laisser tomber vos plans de jeu et de vous consacrer uniquement aux « bases ». Dans le monde du football professionnel, analyser à l'avance les mouvements de vos adversaires est aussi capital que les exercices de passe, et l'entraîneur qui oserait négliger de tels outils se retrouverait bientôt au chômage.

Le même principe vaut dans le monde de la vente professionnelle et pourtant, si l'on en juge d'après les réactions de nombre de vendeurs quand nous prononçons la phrase « stratégie de vente », il semblerait que « s'en tenir aux bases » constitue leur seule conception de la vente. Pour beaucoup, les seuls talents qui comptent sont ceux qui apparaissent lors de la vente proprement dite : les trucs du métier qui vous aident à traiter efficacement avec l'acheteur une fois sur le terrain.

Cette vue réductrice de la stratégie provient en partie de l'image traditionnelle du vendeur qui fait profession de serrer des mains, et en partie de l'influence pernicieuse des cours de formation de vendeurs qui se spécialisent dans les techniques de contact direct. Le vendeur d'autrefois et les formateurs qui bercent d'illusions les nouveaux du métier de la vente partagent le point de vue selon lequel un vendeur est un homme (ou une femme) d'action qui préfère mille fois être sur les routes que rester assis à son bureau, et qui donne le meilleur de lui – (ou d'elle) – même quand les enjeux sont élevés et qu'il (ou elle) se trouve directement confronté(e) à un acheteur. Nombre de ces conseillers sans cervelle considèrent la stratégie comme une perte de temps. « Allez ouste, au boulot – vous n'êtes pas payés pour rester assis dans un bureau. »

Nous n'avons rien contre « aller au charbon » et, ainsi que nous l'avons déjà dit, ce livre privilégie une approche pratique de la vente. Personne ne peut se permettre de négliger les fondements d'un face à face. Mais les tactiques utilisées lors d'une confrontation directe ne seront payantes que si vous mettez sur pied auparavant une stratégie solide.

Pourquoi la stratégie d'abord ?

Les mots « stratégie » et « tactique » sont issus du grec ancien. Pour les grecs, *taktikos* « paré à la disposition ou la manœuvre » se référait à l'art de déplacer ses forces sur le champ de bataille. *Strategos* désignait le « général ». A l'origine, par conséquent, la stratégie était l'« art du général », ou l'art de disposer ses forces *avant* le début du combat. En termes militaires ces définitions s'appliquent toujours ; en les gardant à l'esprit, vous pouvez facilement voir pourquoi la stratégie doit précéder la tactique dans un plan de bataille.

Avant de livrer bataille à Waterloo, vous devez vous rendre en Belgique. Ceci est tout aussi valable sur le terrain de la vente. La finalité d'une bonne stratégie commerciale est de vous placer au *bon endroit*, face aux *personnes adéquates, au bon moment* afin de pouvoir faire une bonne présentation tactique. Le seul moyen d'atteindre ce but est de ne rien laisser au hasard : de prendre le temps nécessaire au bureau pour vous préparer, ce qui irrite bon nombre de vendeurs, afin qu'une fois aux prises avec la vente réelle vous soyez sûr d'avoir en main tous les atouts nécessaires vous permettant de faire une présentation efficace. C'est parce que certaines cartes lui manquaient que Frank a perdu sa vente d'ordinateur au profit d'Eric. S'il avait prêté plus d'attention aux impondérables de la vente, dans le cas présent le consultant externe « caché » et la concurrence, il aurait pu emporter le marché.

Quand nous demandons aux stagiaires qui suivent notre formation, ce qui leur paraît le plus bénéfique, beaucoup répondent « cela m'a aidé à mieux organiser les informations dont je dispose ». Cette réponse n'est guère surprenante. Pensez à la masse de renseignements qu'il vous faut traiter dans n'importe quelle vente complexe. Pensez au dédale de bureaux, aux décisions directoriales qui font double emploi, au filtre des standardistes aux semaines chargées des vice-présidents, au seul poids de paperasserie nécessaire avant que vous ne puissiez conclure le marché et emporter une commission. Si vous vous lancez dans la vente proprement dite sans une méthode fiable pour trier, classer et analyser cette vaste quantité de données, sans être à même d'apprécier la situation globale par rapport à vos objectifs personnels, vous allez vous retrouver dans la même position impossible que l'entraîneur de l'OM misant sur un « on verra sur le terrain » pour lui donner la victoire sur les Milanais.

L'erreur de Frank est très courante dans le domaine de la vente complexe. Nous verrons cette erreur plus en détail dans le chapitre 5, quand nous parlerons de l'importance de distinguer entre les différentes parties prenantes concernées par toute vente complexe, et de comprendre comment les rôles joués peuvent varier d'une vente à l'autre. Frank en découvrit l'importance un peu tard. C'est ce qui arrive à n'importe quel vendeur qui se livre à des prouesses tactiques au mauvais moment ou au mauvais endroit.

Sans doute vous êtes-vous déjà trouvé dans cette situation. Vous entrez dans le bureau de Monsieur Laporte et vous lui faites un exposé classique, magistral. Il s'en montre vivement impressionné. « C'était parfait dit-il, j'aurais aimé savoir à l'avance à quel point votre produit s'adapte à nos besoins. J'aurais fait venir Madame Lagrange pour avaliser la vente. Je suis sûr qu'elle aurait donné son feu vert, mais elle est au Niger pour un mois. »

Ou pire encore. Au beau milieu de ce brillant discours vous vous apercevez de vous-même sans qu'on vous le dise, que votre interlocuteur n'est pas le bon. Vous vous rendez en outre compte que si vous essayez de le court-circuiter pour atteindre le bon interlocuteur, il vous coupera l'herbe sous le pied. Rien à faire pour sauver la vente, vous sortez du bureau en marmonnant, sain et sauf tactiquement, mais détruit stratégiquement.

Ce type de situation est toujours le résultat de plans mal établis, de la négligence du vendeur qui n'a pas recherché un renseignement capital et d'une arrivée sur le terrain nanti d'une vision idéalisée ou encore déformée de la réalité. Seule une approche stratégique peut vous fournir une méthode fiable pour *évaluer* vos impressions sur la vente en cours, à chaque étape du cycle, et donc consolider votre position avant de commencer votre présentation. Sans cette conception stratégique vous risqueriez de prendre vos *désirs* pour la réalité telle qu'elle *est* et de vous retrouver dans la situation ridicule du type qui perdit 100 francs dans un parc mais préféra les chercher en ville parce que l'éclairage y était meilleur.

Il ne s'agit pas de dire que la stratégie vaut « mieux » ou est « plus importante » que la tactique. Ce sont des éléments d'égale importance et ils sont inséparables. Il est impossible d'utiliser une tactique efficacement hors d'un plan d'action stratégique, et on ne peut établir une bonne stratégie qu'en tenant compte des nouveaux renseignements apportés par chaque nouvelle rencontre tactique. Au fur et à mesure que le temps passe, le succès des principes de Vente Stratégique aidant, vous vous apercevrez que, dans votre travail, stratégie et tactique doivent aller de pair.

Nous insistons sur la stratégie parce que, comme nous l'avons dit, cet aspect est presque toujours négligé. Or il doit toujours passer en premier.

Stratégie à long terme
Se concentrer sur le client

La tendance qu'ont les vendeurs « purs tacticiens » à ignorer toute préparation n'est qu'un des facteurs qui mènent à leur perte. Un autre réside dans leur tendance à se concentrer exclusivement sur la *vente* concernée sans tenir compte du client. Comme nous l'avons déjà fait remarquer, c'est la *vente proprement dite* qui retient l'attention de la plupart des vendeurs. Il n'est pas mauvais de soigner la vente même, qu'il s'agisse d'un coup de fil, d'une lettre d'introduction ou du rendez-vous lui-même, mais oublier la vision globale dont la vente concernée n'est qu'un aspect, peut être la source de réels problèmes.

Sur le terrain de la vente complexe, il existe des objectifs à court et à long terme.

A court terme vous voulez conclure le plus possible d'affaires, aussi vite que possible. A long terme, vous désirez maintenir de saines relations avec les clients qui ont signé le contrat, pour qu'ils soient prêts à effectuer de nouveaux achats au cours des mois et des années à venir. Le rêve serait que ces deux objectifs coïncident, mais ce n'est qu'un rêve. Nous tous, dont la profession est de vendre, avons en tête des affaires que nous souhaiterions n'avoir pas conclues, des ventes qui avaient l'air d'être de bonnes affaires et qui, à long terme, se sont avérées désastreuses.

Vous avez sans doute vu cela dans des cas où quelqu'un vend un produit à une société qui ne sait pas l'utiliser au mieux, où le produit et les besoins de l'entreprise ne correspondent pas aussi exactement que le voudrait le vendeur. Que faire en pareil cas ? A court terme, vous pouvez être tenté de passer sous silence le fait que le produit ne convient pas et ne viser qu'une seule chose : votre commission. Mais vous ne resteriez pas longtemps avec ce client, une fois que la société aura découvert qu'on lui a vendu une facture au lieu d'un produit ! Finies alors les recommandations et les contrats renouvelés. Et vous vous apercevrez très vite que votre victoire tactique s'est transformée en défaite stratégique.

L'une des décisions les plus difficiles à prendre en tant que vendeur est de *ne pas* conclure une affaire, même si la chose est faisable. Un de nos principaux clients s'est trouvé confronté à cette décision, il y a plusieurs années, alors qu'il venait de mettre au point une nouvelle chaîne de montage assistée par ordinateur. Celle-ci était si compliquée et difficile à manipuler que, si on l'avait mise sur le marché (lequel ne demandait pas mieux), notre client aurait été, en quelques semaines, submergé de demandes de réparations et d'appels de clients furieux. Les directeurs de la société avaient bien compris le problème, même si les acheteurs potentiels ne le voyaient pas, et ils firent donc un choix douloureux mais très sage : ils laissèrent une entreprise rivale se lancer sur ce marché demandeur mais incertain. Ce fut cette dernière qui dut faire face aux acheteurs déçus. Notre client profita finalement de sa propre décision d'arriver en second sur le terrain. Cette histoire démontre clairement l'importance d'opter pour une approche à long terme centrée sur le client.

Si vous vous concentrez sur la tactique, vous serez enclin à oublier le client et à aller de vente en vente comme si elles étaient un but en soi. Pour reprendre l'analogie militaire, vous aurez tendance à vous concentrer sur des victoires individuelles en oubliant la guerre dont ces batailles ne sont que de simples composantes. Notre approche stratégique de la vente est étudiée et destinée à contrebalancer cette tendance à l'autodestruction.

Un avertissement toutefois : l'emploi des termes militaires de « batailles » et de « guerre » n'implique pas que nous considérons une vente réussie comme une victoire du vendeur sur l'acheteur, bien au contraire. La métaphore militaire n'est utilisée qu'à titre de raccourci commode. Par opposition aux méthodes de formation que vous avez dû connaître auparavant, réussir une vente complexe ne doit jamais consister à remporter une victoire sur l'acheteur ou à le faire signer par la ruse. Ceci est un autre inconvénient posé par l'approche « purement tactique » et la philosophie du type « sus aux clients » proposées par bien des formateurs à la vente. Elles vous entraînent à maintenir un score, à mesurer votre succès au nombre de clients que vous avez « vaincus ».

Nous connaissons tous des commerciaux qui se vantent de « rouler le client » qui passent leur temps à se demander « comment est-ce que je peux *tromper cet acheteur ?* ». Ils finissent par se détruire eux-mêmes. La question sur laquelle nous insistons dans la Vente Stratégique est « comment puis-je mener à bien cette vente ? ». Ce n'est qu'en vous posant cette question tout au long du cycle de vente que vous éviterez cet aspect de guerre ouverte qui transforme si souvent une victoire tactique en défaite stratégique.

Quelle stratégie pour un client?
Quatre étapes vers le succès

Vous êtes maintenant à même de mettre au point votre stratégie face aux clients. Avant d'y parvenir efficacement, pourtant, il nous faut introduire un principe supplémentaire. Celui de l'approche par étapes. Nous nous sommes rendu compte que nombre de vendeurs potentiellement excellents ignorait ce principe. Ils « sautent des étapes », s'imaginent que, plus vite ils parviendront au terme de leur cycle de vente, plus vite ils empocheront leur commission. Cette approche précipitée a presque toujours pour résultat une vente perdue.

Au cours des chapitres suivants nous mettrons en avant ce que nous appelons *les six éléments clés de la stratégie commerciale.* Pour bien les comprendre et vous en servir, il vous faut garder en tête le principe de la progression par étapes. Chaque fois que nous introduirons un élément nouveau, nous vous demanderons d'en examiner l'effet sur votre clientèle selon une démarche logique et progressive. Cela peut vous sembler d'une prudence excessive, nous en sommes conscients, mais l'expérience montre que c'est la seule manière d'analyser efficacement une stratégie. Une bonne analyse stratégique repose sur une séquence logique et répétable. Celle que nous utilisons comporte quatre étapes :

1 – Analysez votre position actuelle par rapport à votre client et à vos objectifs de vente particuliers.
2 – Songez aux positions alternatives possibles.
3 – Déterminez laquelle garantira le mieux l'atteinte de vos objectifs et prévoyez un plan d'action pour y parvenir.
4 – Mettez en œuvre votre plan d'action.

Puisque, désormais, vous allez constamment décider, tester et revoir vos stratégies commerciales, vous devrez souvent vous référer à ces étapes : nous vous conseillons de vous les remémorer chaque fois que nous introduirons un nouvel élément clé de stratégie, et de les utiliser comme point de repère chaque fois que vous envisagez un changement dans votre façon d'aborder un client.

Les quatre étapes alimenteront votre réflexion à chacune de vos tentatives, en vue de faire démarrer une transaction avec un client chez qui règne pour vous le calme plat. Ce peut être une tentative en vue de vendre un produit nouveau ou en promotion à un client déjà existant, d'analyser un nouveau prospect, de pénétrer d'autres divisions à l'intérieur d'une société déjà cliente, ou de revenir à la charge après avoir laissé l'avantage à un concurrent.

Lorsque nous parlons de mise sur pied de stratégie commerciale, nous nous référons à toutes vos situations de vente, tous vos projets et vos clients passés, présents et futurs. La réflexion stratégique est importante pour tous. Deux choses à noter à propos de ces quatre étapes vers le succès.

Premièrement : prises ensemble, elles illustrent l'importance de la révision constante ou, pour utiliser une expression contemporaine, du feed-back pour la mise au point de vos plans. Révision, feed-back, réévaluation : peu importe le nom, elle est capitale pour vos plans de vente.

Deuxièmement : remarquez le nombre de fois où apparaît le mot « position » dans ce projet en quatre étapes. Le fait de comprendre votre position par rapport à un client donné est tellement capital pour la mise au point de stratégies valables que nous disons souvent que « avoir une stratégie » et « avoir une position » sont deux façons de dire la même chose. *Toute la clé de la stratégie est dans le positionnement.* Il vous indique où vous vous situez et vers où vous diriger en vue d'accroître vos chances de réussite.

Nous commençons donc par un travail personnel afin de déterminer votre position actuelle.

3
LE POINT DE DÉPART :
LE POSITIONNEMENT

POUR LE STRATÈGE MILITAIRE, la position est un élément absolument capital dans tout plan de campagne. Le général qui ne sait pas où il se situe par rapport à l'ennemi, que ce soit en termes de position géographique réelle ou en termes de connaissance des forces, des voies d'approvisionnement, de météo, ou autres facteurs mène tout bonnement ses hommes au massacre. Sur le champ de bataille, être au mauvais endroit, au mauvais moment peut s'avérer une erreur fatale. En effet, pour brillante que soit la conduite d'une armée dans un affrontement direct, celle-ci n'aura aucune chance si ses chefs ignorent où ils se trouvent, ou si elle se déplace dans la mauvaise direction.

La même chose vaut pour la vente. En stratégie commerciale, on appelle cela : le positionnement. Le vrai sens de l'expression « mettre au point une stratégie » est faire de votre mieux afin de vous placer dans la meilleure position possible pour atteindre un objectif ou plusieurs objectifs particuliers. Cela n'ira certes pas sans peine. Cela peut inclure tous les aspects de votre situation de vendeur, physiques, psychologiques, économiques, par rapport à un client donné ou à un projet et à un objet de vente donné. Le fait de bien connaître votre position présente signifie savoir quelles sont toutes vos parties prenantes à l'achat, ce qu'elles pensent de vous, de votre offre, quelles sont les questions pour lesquelles elles veulent des réponses. Cela veut dire connaître tous vos points forts et vos points faibles avant même le début de la vente proprement dite.

Mais, même si vous n'avez pas une idée très précise sur certains de ces aspects même si vous n'êtes pas sûr de votre position, vous *avez* néanmoins une position stratégique. Vous avez *toujours* une position, et par là même vous avez toujours une stratégie, que vous soyez ou non à même de la définir. Si vous ne savez pas où vous en êtes par rapport à un client donné, vous êtes ou serez bientôt perdu, et ce sera *là* votre position.

Afin d'éviter la situation peu enviable d'être en plein dans l'inconnu, la première chose à faire est de déterminer votre position actuelle par rapport à chaque client. Tout comme un général trouverait une marque sur une carte, il vous faut vous situer dans le contexte de votre position actuelle de vendeur, et ainsi votre point de départ sera clair. Vous allez le faire maintenant, en choisissant un client particulier et un objectif commercial particulier.

Il vous faut d'abord choisir le client actuel ou potentiel. Il n'est pas question d'en prendre un où tout se passe bien. Ce serait contraire au but de la recherche que vous allez entreprendre et à la Vente Stratégique même. Ce livre est destiné à vous tirer des difficultés de votre situation actuelle de vendeur, il vous faut donc choisir un client avec lequel quelque chose ne va pas. Pas forcément un où tout part à vau-l'eau, bien que si celui-là vous convienne, pourquoi pas ?

Nous nous sommes rendus compte dans nos séminaires que le meilleur type de client auquel s'attaquer est celui envers qui, même si tout semble parfait en surface, vous éprouvez un certain malaise, un élément d'incertitude ou de confusion.

Vous travaillerez avec ce client actuel ou potentiel tout au long de ce livre, alors assurez-vous que celui que vous choisissez vaut l'effort que vous allez fournir. Assurez-vous, en d'autres termes, que vous avez vraiment envie d'obtenir des réponses à son sujet. Au fur et à mesure que vous apprendrez les principes de la Vente Stratégique, vous serez finalement conduit à les appliquer à l'élaboration de stratégies pour *tous* vos clients. Mais pour ce premier tour de piste, vous vous en tiendrez à un seul. Quand vous aurez terminé ce livre vous aurez analysé tous les éléments propres à ce client et déterminé un plan d'action qui rendra votre position stratégique plus nette et plus efficace qu'elle ne l'est avec lui actuellement.

Une fois le client choisi, vous aurez besoin des outils suivants : un carnet à spirales (latérales type écolier plutôt que supérieures type sténo), des crayons, et des marqueurs fluorescents. Dans nos séminaires nous utilisons des petits drapeaux rouges autocollants en guise de repères ; vous pouvez vous servir d'autocollants du même genre ou d'un feutre fluorescent. Trouvez-vous un endroit où vous pouvez travailler sans être constamment dérangé et accordez-vous vingt ou trente minutes pour réfléchir à votre position par rapport au client. Puis procédez selon les étapes de l'atelier proposé. Son but est de repérer les causes de votre incertitude présente quant à votre client, vous aider à voir en quoi elles affectent votre objectif de vente actuel, et de vous permettre de clarifier votre position.

Atelier n° 1 : le positionnement

Cette recherche se divise en cinq étapes.

La première est destinée au repérage des changements particuliers dans votre environnement de vendeur qui peuvent rendre la connaissance et la maîtrise du client difficiles.

Etape n° 1 : repérez les changements importants

Le positionnement ne constituerait qu'un problème secondaire si vous n'aviez pas à tenir compte du changement ou plus sérieusement encore de l'incertitude que provoque souvent en nous le changement. Au cours du chapitre 1 nous avons observé que ce n'est pas le changement par lui-même qui provoque l'angoisse et l'égarement mais plutôt l'incertitude de ne pas savoir comment réagir quand nous sommes confrontés à un changement important et rapide. Vous ne pouvez sans doute pas faire grand'chose pour arrêter les changements que vous subissez en ce moment dans le monde commercial, mais le fait de les identifier avec précision est un premier pas vers une solution possible. Alors prenez votre crayon et écrivez en grand « CHANGEMENT » en haut de la page de gauche de votre carnet.

Puis listez, sans ordre particulier, tous les changements qui vous *paraissent* affecter votre façon de traiter les affaires. A côté de chacun d'eux, pour vérifier votre compréhension du changement, notez s'il s'agit d'un changement brusque, un processus plus lent d'érosion subtile, ou un cas de croissance continue. Ne vous préoccupez pas de faire un choix complet ou « correct ». Vous ne passez pas un examen ; vous essayez seulement de décrire ce qui se passe. Le meilleur critère de mesure n'est pas forcément l'éditorial du Financial Times mais vos propres sentiments quant à votre travail.

Étant donné que l'économie affecte notre façon à tous de travailler, les changements, vous en noterez certains, seront les dernières nouvelles de la journée. D'autres seront particuliers à votre entreprise, votre marché, votre situation géographique. Tout ce que *vous* considérez comme un changement significatif devrait figurer sur cette liste. Cinq minutes passées sur cette étape devraient vous suffire pour faire ressortir une dizaine de changements significatifs. Il n'est pas rare, dans nos séminaires de voir les participants en noter vingt ou plus.

Etape n° 2 : classez ces changements en menaces ou en opportunités

Reprenez votre liste et mettez un O à côté de ceux que vous ressentez surtout comme des opportunités, et un M à côté de ceux que vous percevrez avant tout comme des menaces. Si vous ressemblez à la majorité des vendeurs, vous hésiterez quelque peu. Comme nous le répètent sans arrêt nos clients, tout changement peut être perçu à la fois comme une menace et comme une opportunité : tout dépend de votre réaction. Ceci est vrai, mais nous ne sommes pas là pour juger de votre réaction possible. Nous essayons de vous donner une vision d'ensemble de votre position *actuelle* face à votre client.

Aussi en choisissant entre menaces et opportunités, partez de là où vous êtes *aujourd'hui*. Est-ce que le changement sur lequel vous vous posez des questions, à ce moment précis, est avant tout bon pour vous ou mauvais ?

La décision sera plus facile à prendre pour certains changements que pour d'autres. S'il s'avère qu'un de vos clients est en train d'opter en faveur d'un concurrent, il vous sera facile d'y reconnaître une menace. Si vos ingénieurs ont mis au point une technique nouvelle d'assemblage pouvant entraîner une réduction spectaculaire des coûts de production, cela pourrait facilement avoir pour conséquence une baisse de vos prix et des ventes accrues. Mais si un client important envisage de n'avoir plus qu'un seul fournisseur, ce changement peut être bon ou mauvais en fonction de la place de votre société sur la liste des fournisseurs préférés. Seul vous connaissez suffisamment bien votre situation pour être à même de les évaluer correctement. Assurez-vous bien de vous en tenir à la façon dont vous percevrez ces changements aujourd'hui. Accordez-vous cinq minutes de plus. Mettez la liste de côté : nous y reviendrons dans un instant.

Etape n° 3 : définissez votre unique objectif actuel de vente

Maintenant, sur la page de droite de votre carnet, notez vos objectifs de vente actuels par rapport au client choisi. Nous devons préciser ce que nous entendons par actuel. Vous avez toujours un objectif à long terme quel que soit le client concerné : satisfaire aussi longtemps que possible ceux qui prennent les décisions chez lui pour qu'ils souhaitent continuer à faire des affaires avec vous. Mais vous avez aussi à court terme des objectifs précis qui varient d'une phase de vente à l'autre, et souvent plus vite encore. Les commerciaux traditionnellement les appellent : « ventes » ou « commandes » ou « affaires ». En vente stratégique nous les appelons uniques objectifs de vente. Concentrez-vous sur l'objectif à court terme que vous vous efforcez d'atteindre en ce moment. Définissez-le brièvement mais précisément, et notez votre définition.

Pour être précis, il vous faudra inclure dans votre définition *ce que* vous essayez exactement de vendre au client, *quand* vous espérez conclure l'affaire, et si possible la *quantité* que vous pensez lui voir commander. Ne dites pas : « Réussir à vendre des canapés à la compagnie Novelto ». Précisez quels canapés, combien et quand : « Obtenir commande de Novelto, à titre d'essai, de cent canapés gamme repos pour le 1er juin ». Nous avons l'air de couper les cheveux en quatre, mais il existe une bonne raison pour vous demander d'être précis. Nos responsabilités de directeurs nous ont appris que beaucoup de vendeurs sont quelque peu incertains quant au but qu'ils sont supposés atteindre. Travaillant sur plusieurs ventes à la fois, ils ont tendance à rassembler deux ou trois objectifs de ventes. Ce qui risque de rendre leur perception confuse car deux objectifs peuvent avoir des décisionnaires très différents et la vente peut être perdue si le vendeur ne les connaît pas. Le fait de mettre votre objectif par écrit est une façon de vous forcer à le rendre clair.

Le point fondamental est celui-ci :

Chaque vente est unique en son genre. Il semble plus facile de garder ce fait capital en mémoire si vous vous souvenez que chaque objectif de vente a toujours les caractéristiques suivantes :

- Il est précis et mesurable. Il comprend les réponses aux questions : *qui, quoi et quand.*
- Il est lié à une durée. Il précise à quel moment vous pensez conclure.
- Il se concentre sur le résultat précis que vous visez chez ce client. Il répond à la question : « Qu'est-ce que j'essaie de faire chez ce client qui ne se produit pas en ce moment ? »
- Il est unique plutôt que multiple. Un objectif de vente se définit en une phrase simple plutôt que composée, à savoir non reliée par « et ». Sinon, il s'agit de deux objectifs.

Nous ne voulons pas dire que lorsque vous travaillez pour un grand compte, il est souhaitable ni même possible de mener une seule affaire à la fois. Dans la vente aux entreprises, vous poursuivez toujours de multiples ventes à la fois. Mais en établissant la stratégie, il faut mener « une bataille » à la fois parce que chaque vente complexe a une configuration qui lui est propre et que vous devez définir un positionnement spécifique pour chacune. Ventiler un compte complexe en autant d'objectifs uniques de vente que nécessaire, vous aidera à donner à chacun l'attention qu'il mérite. C'est essentiel pour que l'information soit maîtrisée et bien organisée.

Si, comme beaucoup de vendeurs, vous n'êtes pas certains de votre objectif actuel, notez-le comme étant une cause possible du malaise général entre vous et le client. Pour vous aider à définir l'objectif immédiat, notez brièvement ce que vous faites en ce moment avec ce client et ce que vous voudriez faire à la fin de la prochaine saison de vente. Pensez à d'autres objectifs possibles pour cette période-là, et à celui qui serait le plus satisfaisant pour vous, non seulement en termes de commission mais aussi en termes de bons rapports maintenus avec le client sur une longue période. Les participants à nos séminaires nous ont dit que le fait de prendre quelques minutes pour réfléchir où ils veulent en venir avec leurs clients, rend souvent la situation moins confuse : ils s'aperçoivent qu'ils possédaient sans en être conscients, certaines notions sur ce client et la façon de l'aborder. Puis ils découvrent des zones d'ombre sur lesquelles ils devraient être renseignés, mais ne le sont pas. Une fois défini votre objectif, rapprochez-le de votre liste de « changements ». En quoi chaque changement de la liste affecte-t-il votre objectif actuel ? Ceux que vous avez identifiés comme menaces font-ils obstacle à l'objectif à atteindre maintenant ? Ceux que vous avez indiqués comme opportunités vous aident-ils à l'atteindre ? Ou voyez-vous une façon de faire tourner ces changements à votre avantage, maintenant que vous les rattachez à un seul objectif ?

L'idée, ici, est de vous aider à définir avec précision les liens entre les changements généraux et votre but immédiat. Ceci sera sans effet sur l'environnement mais peut contribuer à réduire votre inquiétude en vous rendant plus conscient de ce qui se passe.

Etape n° 4 : testez votre position actuelle

La prochaine étape pour clarifier la situation est de tester votre position actuelle : évaluez votre sentiment global quant à vos projets avec ce client et vos chances de réussir cette vente. C'est ce que nous faisons dans nos cours en laissant les participants se poser une simple question. Faites-en autant. Comment est-ce que je me sens par rapport à la conclusion de cette affaire en particulier ?

Soyez réaliste et écoutez vos tripes. Vos sentiments ne sont pas tout mais c'est une amorce nécessaire.

Pour aider les participants à définir leur sentiment sur cette question, nous leur demandons de repérer leur position tout au long d'une courbe que nous appelons le continuum Euphorie-Panique. Nous la reproduisons à votre intention (p. 62). Il est possible qu'aucun des choix proposés ici ne corresponde à une description exacte de votre sentiment, auquel cas il vous faudra fournir les vôtres. Ceci n'est nullement un test à choix multiple, mais un guide vous permettant de repérer où, vous vous placez sur la ligne qui va de l'Euphorie à la Panique. Que vous utilisiez nos objectifs ou les vôtres, ce qui importe pour vous est de définir à quel point, en ce moment vous vous sentez : bien (proche de l'Euphorie) ou mal (proche de la Panique).

L'emploi du continuum Euphorie-Panique n'est guère compliqué, mais il nous paraît utile de faire quelques commentaires à ce sujet ; vous pourrez ainsi profiter au maximum de cet exercice. Premièrement : soyez honnête. C'est capital. Sauf si votre situation est absolument sans problème chez ce client (ce qui ne se rencontre qu'aux Pays des Merveilles). Évaluer votre sentiment quant à la situation, revient à repérer une douleur dans votre corps. Un sentiment de malaise ou d'inquiétude dans votre situation vous signale que quelque chose ne va pas dans votre corps. N'ignorez pas le signal et ne vous leurrez pas. Ne vous contentez pas de faire face bravement, d'adopter une attitude « positive » ou « gagnante » et d'aller de l'avant comme si de rien n'était. Si vous ne prenez pas au sérieux vos impressions concernant ce client, vous serez comme le joueur de football qui « fait taire sa souffrance pour continuer à jouer » grâce à des sédatifs et finit à l'hôpital pour ne s'être pas senti souffrir.

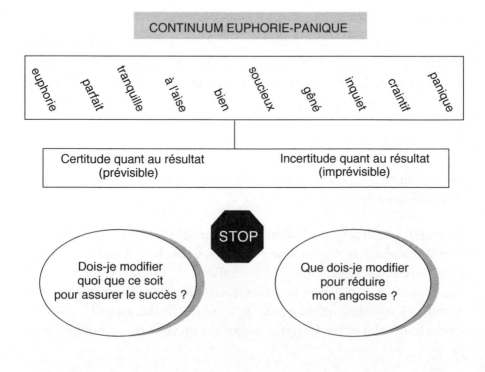

Deuxièmement : en ce qui concerne votre client l'euphorie est aussi dangereuse que la panique. Si vous vous situez à *l'une ou l'autre* extrémité du continuum, attention : il est probable que vous manquez de réalisme dans votre évaluation. Vous ne pouvez fonctionner correctement en état d'euphorie ou de panique.

Dans le premier cas, vous avez tendance à ne rien faire parce que vous pensez que tout va déjà pour le mieux. Dans le second, vous faites tout et n'importe quoi, ce qui, pour l'essentiel, demeure sans effet. Dans les deux cas, vous avez perdu contact avec la réalité.

En fait, la personne qui est en pleine euphorie et celle qui panique sont beaucoup plus proches qu'elles ne le pensent, au vu de la façon dont elles s'y prennent, semble-t-il, avec leurs clients. Nous illustrons ce point dans nos programmes en dessinant le Continuum Euphorie-Panique non en une ligne droite, mais en un cercle presque fermé. Le continuum ainsi représenté, vous permet de voir que la distance est très courte entre l'euphorie et la panique. Comme on peut le voir, un coup de fil les sépare peut être. (Voir figure ci-dessous)

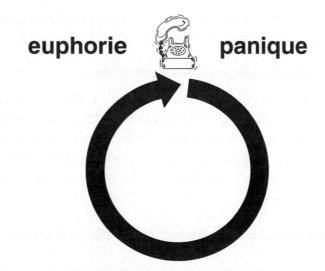

L'euphorie incontrôlée mène à l'autosatisfaction ; l'autosatisfaction conduit à l'arrogance et l'arrogance mène inévitablement à la catastrophe.

Le vendeur trop sûr de lui néglige toujours les renseignements « anodins » qui indiquent que la vente est en danger et finit souvent en état de panique.

Inversement, la distance séparant la panique de l'euphorie n'est malheureusement pas si courte. Une fois que vous avez sombré dans la panique, il vous faut refaire le chemin inverse, lentement, en remontant le long du cercle de la réalité jusqu'à ce que vous retrouviez confiance en vous. Méfiez-vous donc de l'euphorie. Comme nous l'a un jour dit un directeur régional confronté à un marché difficile en Asie : « Je veux que mon concurrent devienne euphorique. C'est là que j'ai mes meilleures chances. »

Le dernier point à noter à propos du continuum est qu'il n'est pas un outil de prédiction mais simplement de description. Son but est de vous laisser tester votre stratégie, ou position, *jusqu'à ce point-là*, en vous permettant d'évaluer vos réactions affectives face à la situation telle qu'elle se présente. Tout au long de ce livre vous ajustez votre stratégie de façon à vous déplacer vers la gauche du continuum si vous êtes actuellement loin sur la droite, et à consolider votre position présente, malgré les changements de condition, si vous êtes déjà bien placé.

Au fur et à mesure de ces changements vous aurez à réévaluer votre position bien des fois. Le continuum est destiné à vous aider à y parvenir efficacement.

Etape n° 5 : examinez les positions alternatives

Une fois que vous savez où vous situer, la prochaine étape est de savoir où aller. Au terme des quatre étapes indiquées dans le chapitre précédent vous êtes désormais parvenu au bout de la première : l'analyse de votre position actuelle. Il vous faut maintenant examiner des alternatives, pour trouver un moyen de vous positionner afin de rendre plus probable l'accomplissement de votre objectif.

Le reste du livre vous aidera à repérer et à prendre des positions alternatives.

Pour le moment, concentrez-vous sur ce que vous savez déjà, et réfléchissez à des domaines de changement possible, domaines dans lesquels *votre* action peut contrecarrer les modifications de l'environnement qui vous accablent. Vous remarquerez sur le continuum qu'un succès prévisible est plus probable si vous vous situez à gauche plutôt qu'à droite. Mais ceci n'est qu'une éventualité, d'ailleurs sujette à variation. Il est important de noter à ce stade que, quel que soit votre sentiment par rapport à votre client ou à la vente, vous ne pouvez pas négliger le changement, à savoir celui que vous provoquez.

Le signal stop sur le graphique du continuum est destiné à vous en démontrer la nécessité. Si vous vous trouvez sur la droite du continuum, vous devrez réfléchir à des changements dans votre position afin de diminuer votre angoisse. Si vous êtes sur la gauche, la même chose s'impose, pour maintenir le succès assuré. Donc, arrêtez-vous pendant quelques minutes. Posez votre crayon et regardez ce que vous avez noté. Relisez votre liste de « changements » et leur rapport avec votre objectif. Regardez l'objectif lui-même : est-il clairement défini à vos yeux? Est-ce un secteur de changement possible ? Enfin, revoyez vos sentiments vis-à-vis du client ou de l'objectif en question. Quel changement, chez le client ou dans l'environnement, pourrait améliorer les choses? Et comment agir pour y parvenir?

Pour rendre vos options plus claires, changez de page et écrivez en haut « Positions Alternatives ». Puis faites une liste de ce que vous pouvez faire pour améliorer votre situation actuelle. *Mettez cette liste de côté.* Vous la réviserez tout au long du livre. A ce stade, la liste est probablement courte. C'est très bien ainsi. Apprendre que vous ignorez les réponses est en soi un point positif.

Maintenant que vous avez passé une demi-heure à réfléchir aux effets des changements externes sur votre position, vous devriez mieux repérer vos domaines d'incertitude même si vous ne savez que faire ensuite. Vous êtes dans la situation du maçon qui voit bien que le mur sud a besoin d'être renforcé, mais qui a besoin d'un plan avant de pouvoir commencer.

Accrochez-vous à vos outils et à tous les renseignements glanés au cours de cette recherche. Gardez sur vous votre carnet et votre crayon, et conservez tout ce que vous avez noté. Vous allez vous lancer dans la stratégie, et nous allons vous indiquer la marche à suivre.

4

SURVOL DU SCHÉMA STRATÉGIQUE : LES SIX ÉLÉMENTS CLÉS DE LA VENTE STRATÉGIQUE

VOUS VENEZ DE RÉALISER un atelier destiné à clarifier votre position actuelle par rapport à votre objectif commercial du moment. Vous avez repéré des domaines d'incertitude dans cette position et dressé une liste des positions alternatives que vous jugez utiles pour accroître vos options stratégiques. Nous avons pris note du fait qu'à ce stade, la liste de positions alternatives est probablement courte. Voici maintenant le schéma directeur nécessaire à son expansion et à sa révision, si bien qu'à la fin du livre, vous en aurez fait un outil de travail essentiel à votre plan d'action stratégique.

Ce plan d'action sera le fruit non pas d'une mais de nombreuses positions alternatives. Il n'y a pas une seule stratégie « correcte » en vue d'un objectif de vente, mais toujours un choix d'options. En effet, en tant que vendeur professionnel, vous aurez couramment à adopter plusieurs stratégies, à changer de position plusieurs fois, entre le premier contact téléphonique et la conclusion de la vente. Le schéma que nous allons vous présenter vous aidera à le faire avec un minimum de difficultés et d'erreurs en ayant compris *tous* les éléments qui entrent dans vos objectifs de vente.

Au cours des nombreuses années de formation de vendeurs de haut niveau dans un large éventail d'affaires, nous nous sommes aperçus que toute stratégie de vente valable prend toujours en compte six éléments. Ces six éléments clés de vente stratégique sont les outils analytiques fondamentaux dont vous avez besoin pour passer de la position définie à toute autre position alternative meilleure. Ces six éléments sont :

1 – Les influences d'achat ou parties prenantes à l'achat.
2 – Les drapeaux rouges/les points forts.
3 – Les réactions d'achat.
4 – Les résultats-gains.
5 – Le profil du client idéal.
6 – L'entonnoir de vente.

Les chapitres ultérieurs vous montreront en détail en les illustrant comment réunir ces six éléments clés en une stratégie de vente réussie, éprouvée et pratique. Dans ce chapitre nous nous contenterons de définir les termes de base et de vous donner une vue globale de l'ensemble du schéma stratégique. Contentez-vous de le parcourir rapidement pour avoir une idée générale des outils que vous allez utiliser.

Ce faisant, n'oubliez pas une chose. Nous suivons ici le même ordre de présentation que dans nos séminaires de Vente Stratégique car il nous est apparu que le contenu est ainsi rendu accessible de façon plus progressive. N'en concluez pas que cette présentation numérotée indique l'ordre d'importance des différents éléments. Au contraire : par exemple l'élément « influences d'achat » est discuté en premier tout simplement parce que vous ne pouvez pas comprendre totalement les cinq autres sans lui. Les six éléments clés sont tous essentiels à votre réussite. La seule bonne façon de les utiliser est de les faire fonctionner en interaction, comme pour un système.

Elément clé n° 1 : les influences d'achat ou les parties prenantes à l'achat

Nous avons défini la vente complexe comme une vente où plusieurs personnes doivent donner leur accord pour qu'elle soit conclue. Identifier *toutes* ces personnes avec précision et comprendre, au cours d'une vente complexe, le rôle que joue chacune d'elles pour vous conduire au but, sont les deux principales pierres d'achoppement même pour les meilleurs vendeurs.

Nombre de directeurs commerciaux abordent le problème de l'identification de ces personnages clés en disant à leurs vendeurs de contacter « leur vieil ami

Jean Leroux » ou de trouver le nom du directeur du service. Ils se focalisent sur des individus qui ont compté, qui sont des « amis », ou dont la situation ou le titre dans le service des achats indiquent qu'ils sont les personnes à voir.

Notre approche est plus subtile. Les structures des sociétés étant en perpétuelle modification, nous disons à nos directeurs et vendeurs de ne pas rechercher a priori les personnes mais les *rôles*. Ensuite, nous leur demandons de découvrir les personnes qui tiennent ces rôles pour un objectif de vente particulier, en faisant fi de leur titre.

Dans toute vente complexe, on compte quatre rôles critiques en matière d'achat. Nous appelons ceux qui jouent ces rôles les influences d'achat ou les parties prenantes à l'achat ou tout simplement les acheteurs.

Pour parer à tout malentendu possible dès le départ, nous devons souligner que nous n'utilisons pas le mot acheteur dans son acception habituelle pour désigner l'acheteur « d'épicerie sèche » en grande surface ou quelqu'un du service achat chez un fabricant. Nous savons que le mot « acheteur » désigne généralement quelqu'un dont la mission comporte des responsabilités d'achat, mais nous l'utilisons différemment.

Quand nous parlons d'acheteur ou d'influence d'achat dans ce livre, nous faisons référence à ceux qui tiennent un des *quatre rôles en matière d'achat*. Il peut y avoir quatre, ou quatorze ou quarante personnes qui peuvent influencer une vente donnée, mais chacune d'entre elles joue au moins un de ces quatre rôles. Nous définissons ces derniers comme suit :

• *L'influence d'achat économique*

Le rôle de l'influence d'achat économique dans votre objectif de vente est de donner l'accord *final* pour l'achat. Dans tous les cas il n'existe qu'une seule personne ou qu'un groupe de personnes susceptible de jouer ce rôle dans une vente donnée. L'influence d'achat économique peut dire oui quand tous les autres ont dit non, et vice-versa.

• *L'influence d'achat utilisateur*

La fonction d'influence d'achat utilisateur consiste à émettre des jugements sur l'impact potentiel de votre produit ou service sur les performances de travail. Les influences d'achat utilisateurs se serviront, ou surveilleront l'emploi de votre produit ou service, et leur réussite personnelle est donc directement liée au succès dudit produit ou service. Plusieurs personnes peuvent occuper cette fonction lors d'une vente.

• *L'influence d'achat technique*

Son rôle est de passer au crible les éventuels fournisseurs. Il se concentre sur le produit ou service en lui-même et ses recommandations se fondent sur le degré de concordance entre le produit ou service et diverses spécifications objectives. Ces influences d'achat techniques ne peuvent pas dire un oui final, mais peuvent (et c'est souvent le cas) dire un non définitif. Tout comme pour l'acheteur utilisateur, plusieurs personnes jouent habituellement ce rôle dans une vente donnée.

• *Le coach*

Le rôle unique et très spécial d'un coach est de vous faire réussir votre vente en vous conduisant vers les autres influences d'achat et en vous donnant les renseignements nécessaires pour vous situer efficacement face à chacun d'eux. Généralement les trois autres influences d'achat se trouvent à l'intérieur de l'entreprise acheteuse. Les coaches sont différents en ceci : vous pouvez les trouver dans l'entreprise acheteuse, dans votre propre entreprise, ou à l'extérieur des deux. Votre coach veut voir réussir chaque objectif de vente. Connaître les rôles de ces quatre influences d'achat, repérer toutes les personnes qui les tiennent par rapport à votre objectif de vente, est la base même de la Vente Stratégique.

Elément clé n° 2 :
les drapeaux rouges/les points forts

L'histoire de Frank dans le premier chapitre démontrait que même des vendeurs expérimentés, comme vous, peuvent commettre des erreurs de positionnement. Quand les commerciaux ou leurs directeurs les repèrent trop tard, en identifiant mal la cause, ou omettent de les prendre au sérieux, elles peuvent s'avérer désastreuses pour la vente. Notre deuxième élément clé de stratégie vous aide à repérer vos difficultés de positionnement avec précision *avant* qu'elles ne causent votre perte.

Nous avons choisi le symbole du « drapeau rouge » pour mettre en lumière des zones stratégiques qui méritent plus d'attention. Nous utilisons ce système pour les mêmes raisons qu'une équipe de voirie : parce qu'il signifie « attention » ou « danger ». Vous devez réfléchir aux incertitudes et problèmes dans vos ventes exactement de la même façon : non comme des contrariétés d'ordre mineur mais comme des risques qui peuvent compromettre la vente. Dans notre présentation de l'élément clé n° 2, nous indiquons des situations de ventes courantes que vous devriez automatiquement considérer comme des zones « drapeau rouge ». Ces drapeaux rouges sont *positifs*, parce qu'ils vous aident à repérer les ennuis potentiels avant qu'il ne soit trop tard.

Ce système de drapeau rouge, qui vous servira tout au long de ce livre, est l'une des deux principales méthodes pour éprouver l'efficacité des positions alternatives. L'autre façon peut être vue comme le reflet du drapeau rouge. Il s'agit du principe qui consiste à opérer à partir d'une position de force. En agissant ainsi, vous utilisez les renseignements et contacts que vous possédez déjà pour éliminer les zones d'incertitude. Toute position alternative solide, soit opère à partir d'une position de force, soit élimine un drapeau rouge, ou les deux. Vous utiliserez ces deux parties du deuxième élément clé, en interaction, dans tous les autres ateliers dans ce livre.

Elément clé n° 3 : les réactions d'achat

Si le fondement de votre stratégie est de savoir qui sont les influences d'achat, il importe ensuite de connaître leur sentiment sur votre proposition. Dans la Vente Stratégique, vous le déterminez en sondant leur réceptivité actuelle au *changement*, tout spécialement au changement que vous proposez.

Au cours de l'atelier du chapitre précédent, vous avez vu que le changement pouvait être un facteur critique dans votre façon de percevoir l'environnement commercial et qu'il était toujours possible de le considérer comme positif, négatif, ou les deux à la fois. Mais vous n'êtes pas le seul à subir l'influence du changement. Le changement affecte, tout autant, chacune des influences d'achat. C'est en comprenant *leur* perception du changement que vous pourrez prédire leur réceptivité. On compte généralement quatre réactions possibles au changement lors d'une situation de vente donnée. Nous les appelons *les réactions d'achat*. Elles sont déterminées par :

1 – La perception de l'acheteur sur la marche présente des affaires.
2 – La perception de l'acheteur sur les modifications éventuelles apportées à la situation par votre offre.
3 – La perception de l'acheteur sur l'efficacité de ce changement à combler un vide, ou un écart, entre ce qu'il considère comme la réalité actuelle et les résultats nécessaires. Peu importe que votre proposition corresponde bien ou non à ces besoins « objectifs », aucun acheteur ne sera favorable au changement si l'écart lui-même n'est pas d'abord apparent.

Première réaction d'achat : l'acheteur est en *période de croissance*. Il perçoit parfaitement la différence entre l'état actuel des choses et ce qu'elles devraient être. Il a le sentiment que l'écart entre la réalité présente et les résultats souhaités ne peut être comblé que si l'on augmente la quantité, améliore la qualité ou les deux, tout de suite. Un acheteur en période de croissance vous sera donc favorable, si votre proposition permet de produire *plus* et *mieux*.

Deuxième réaction d'achat : l'acheteur est en *période difficile.* Il est également conscient de l'écart réalité-résultats, mais c'est un écart négatif. Quelque chose dans le monde des affaires a fait dévier le plan initial ; par conséquent l'acheteur a besoin d'aide et accueillera favorablement tout changement susceptible de tarir la source du problème. Vous avez là un autre bon candidat à l'achat, pourvu que vous puissiez démontrer que votre offre peut éliminer cette divergence rapidement.

Troisième réaction d'achat : en période de calme plat. Un acheteur en *période de calme plat* ne voit aucune divergence entre la réalité actuelle et les résultats escomptés. Il se trouve donc satisfait. Comme rien ne le pousse à changer, la probabilité de lui vendre est très faible. Ceux-là sont la parfaite démonstration de la véracité de la maxime « pas d'écart, pas de vente ».

La même chose vaut, mais à un degré supérieur pour l'acheteur en *période d'exaltation,* soit la quatrième réaction d'achat. Il perçoit la réalité comme bien *meilleure* que les résultats attendus. Ce genre de personne est par conséquent totalement hermétique à tout changement et l'éventualité de lui vendre est nulle.
Dans la Vente Stratégique nous insistons sur le fait que les quatre réactions d'achat ne décrivent pas une attitude générale ou une personnalité, mais plutôt la façon dont les responsables influents considèrent individuellement une situation et une proposition commerciales données à un moment précis.
Toute modification dans la marche des affaires peut faire passer très vite, l'acheteur de l'exaltation à la difficulté et le vendeur stratège doit savoir tirer parti de tels changements.

Elément clé n° 4 : les résultats-gains

Vous savez déjà que le vendeur intelligent ne considère jamais que vendre est un combat ou que le client est l'ennemi à vaincre. Il est possible d'obtenir une commande en arrachant par ruse ou pression la signature des clients, mais, ce faisant, ils sont « perdants » pour que vous puissiez être « gagnant », c'est une stratégie à très court-terme. Un client qui se sent battu, quittera le terrain, prendra sa revanche ou les deux. A brève échéance, cela peut ne pas vous importer. Mais dans la gestion de ce client sur la durée, vous vous « faites avoir » plus encore que votre client. Une commande obtenue en « battant l'acheteur » de cette façon sera probablement une commande que vous regretterez.

Dans la Vente Stratégique il faut voir plus loin que la commande individuelle. Il faut se concentrer sur le client. Ainsi vous apprendrez à développer des réseaux de ventes de qualité toujours plus vastes et à prospecter toujours plus loin. Nous partons du principe qu'en tant que vendeur professionnel vous ne vous préoccupez pas uniquement de la commande, mais aussi :

- de satisfaire les clients,
- d'établir des relations à long terme,
- de renouveler les contrats,
- et d'obtenir de bonnes recommandations.

Le seul moyen d'y parvenir, la seule façon de maintenir chacun de vos clients, actif pendant longtemps, est d'abord de considérer chaque acheteur comme un *partenaire* potentiel sur la voie de votre réussite et non comme un *adversaire* à vaincre. C'est de s'efforcer de parvenir à des issues « gagnant-gagnant ».

Il n'existe que quatre issues possibles à chaque contact acheteur/vendeur :

1- Dans le premier scénario dit gagnant-gagnant, vous gagnez et l'acheteur aussi. C'est-à-dire que la vente vous laisse à tous deux un sentiment de satisfaction, sachant qu'aucun n'a pris l'avantage sur l'autre, et que, tous les deux, vous tirez de la transaction un profit personnel et professionnel.

2 - Dans le deuxième scénario, gagnant-perdant, vous gagnez aux dépens de l'acheteur. Vous êtes content de la vente, mais lui-même cherche déjà à prendre sa revanche, ou à vous éviter, vous et votre compagnie, à l'avenir.

3 - Dans le troisième scénario, perdant-gagnant, vous laissez gagner l'acheteur à vos dépens, en « bradant l'affaire ». Vous accordez une remise spéciale ou des délais, ou d'autres services en espérant une faveur en retour, plus tard. Souvent, rien de tel ne se produit.

4 - Dans le dernier scénario, perdant-perdant, vous et l'acheteur êtes perdants. Même si vous avez réussi à vendre, vous n'êtes contents ni l'un ni l'autre.

Un seul de ces quatre scénarios peut vous conduire à la réussite à long terme que vous souhaitez. Celui du « partenariat » gagnant-gagnant. A moins de s'efforcer de les transformer en scénarios gagnant-gagnant, il est inévitable que le gagnant-perdant et le perdant-gagnant finissent par dégénérer en scénarios perdant-perdant.

Si vous voulez que toutes vos ventes s'achèvent en scénario gagnant-gagnant, il vous faut aller au-delà de l'opinion conventionnelle sur les motifs d'achat. Beaucoup de méthodes de formation de vendeurs partent du principe que les individus achètent lorsqu'on leur démontre que l'on peut satisfaire leurs besoins immédiats. Ces méthodes sont tournées vers les produits. Les formateurs qui les utilisent farcissent la tête des vendeurs de données sur les « caractéristiques » et les « avantages » du produit, puis les envoient récolter des commandes auprès de ceux qui « ne peuvent qu'être impressionnés » par les avantages du produit.

Bien entendu, une solide connaissance du produit est indispensable, mais pour un vendeur professionnel comme vous, ce n'est pas suffisant, parce que la raison qui pousse *vraiment* à l'achat n'a qu'un rapport indirect avec la performance du produit ou du service. C'est pourquoi notre méthode ne se focalise pas sur le produit. Au lieu de cela, vous apprendrez à *utiliser* votre connaissance du produit pour donner à chacune de vos parties prenantes à l'achat des raisons personnelles de l'acheter. Il ne vous suffit pas de satisfaire leurs besoins professionnels. Il vous faut également répondre à leurs besoins subjectifs et personnels. Vous y parviendrez en leur offrant ce que nous appelons des résultats-gains.

Un *résultat*, tel que nous l'entendons, est l'impact que peut avoir votre produit ou service sur le cours des affaires de l'acheteur. Le vendeur qui s'oriente uniquement vers le produit ne vend que des résultats.

Un *gain* est un facteur moins largement reconnu mais tout aussi important dans la psychologie de l'achat. Il s'agit d'un gain personnel qui satisfait l'intérêt individuel apparent d'un responsable d'achat.

Un *résultat-gain*, enfin, est un résultat qui donne un gain personnel à l'une de vos parties prenantes à l'achat. Ces résultats-gains constituent un vrai motif d'achat. Nous vous apprendrons à les déterminer, nous vous montrerons comment rédiger une déclaration pour chaque acheteur, et nous vous expliquerons pourquoi les offrir à bon escient est le seul moyen d'obtenir toujours des résultats gagnant-gagnant.

Elément clé n° 5 : le profil du client idéal

Tous les vendeurs que vous connaissez, qu'ils réussissent ou non, ont en cours à tout moment, jusqu'à 35 % de projets peu prometteurs, soit parce que l'affaire sera impossible à conclure, soit, dans le cas contraire, parce qu'elle se soldera par une perte. Ce pourcentage peut paraître étonnamment élevé, mais pensez au nombre de fois, depuis vos débuts dans ce métier, où vous avez entendu quelqu'un dire : « si j'avais pu ne jamais obtenir cette commande ». Et au nombre de fois où vous l'avez dit vous-même…

La raison de ces regrets tardifs est simple. Quelque part au cours du cycle de vente, ils se sont laissés séduire par le vieux dicton « toute vente est une bonne vente ». Ils se sont laissés aller à croire que c'est la quantité et non la qualité qui compte. Ils ont donc fini par vendre à un client qui n'était pas en adéquation avec leur produit ou service.

Comme nous venons de le voir, il est possible de vendre à un client qui ressent la vente comme une « défaite », mais vous risquez votre peau et celle du client en le faisant. Notre cinquième élément clé mène cette observation à sa conclusion logique, en introduisant le concept du *client idéal*, à la fois pour repérer vos meilleurs prospects et les séparer de ceux qui vont engendrer une perte. Vendre à tout le monde sans discrimination ne peut qu'entraîner des inadéquations et de piètres commandes. Si vous comparez vos clients existants au profil du client idéal, vous aurez un minimum de ces commandes regrettables et l'essentiel de vos ventes sera assuré d'une issue gagnant-gagnant.

Ce profil du client idéal sert à la fois à anticiper les problèmes dans votre base de clientèle actuelle et à trier puis à réduire les 35 % de prospects avec lesquels nous n'aurions pas dû, dès le départ, travailler. Vous ferez la même chose dans ce livre.

Vous créerez votre propre profil du client idéal en analysant les caractéristiques communes à vos bons clients passés et présents. Puis vous l'utiliserez pour tester vos projets de ventes actuels.

La liste obtenue à ce moment-là sera donc plus brève que celle que vous avez entre les mains. Mais cette liste écourtée sera *la bonne*. Vous pourrez vous concentrer sur les objectifs de vente accessibles avec le minimum de dégâts dans le minimum de temps. Vous obtiendrez ainsi des ventes gagnant-gagnant.

Elément clé n° 6 : l'entonnoir de vente

Avant de suivre nos séminaires, même les meilleurs participants voient leur chiffre de vente monter et descendre en dents de scie. Ils sont victimes de ce que nous appelons l'effet *montagnes russes* à savoir que la hausse du mois de janvier est suivie par une baisse en apparence inévitable en avril. Pour reprendre les propos d'un directeur régional qui nous a envoyé des centaines de ses collaborateurs « avant les séminaires ils n'ont qu'un rêve : avoir deux bons trimestres de suite ». Comme il s'en est aperçu, et comme vous le verrez vous-même, le rêve peut devenir réalité. Cet effet de montagnes russes a une raison, et il existe un moyen de l'éviter. En abordant la question du sixième élément clé, nous vous proposons une méthode de gestion valable pour *tous* vos objectifs de vente et *tous* vos clients, pour atténuer l'effet de montagnes russes et combler votre désir de commissions consistantes et régulières.

Cette méthode fait appel à un outil conceptuel que nous avons mis au point du temps où nous étions directeurs commerciaux nationaux. Elle donne d'excellents résultats dans toutes les sociétés qui utilisent nos services pour former leur personnel. Nous lui avons donné le nom d'entonnoir de vente.

Cette métaphore peut déjà vous être quelque peu familière. Beaucoup de vendeurs parlent de placer prospects et affaires potentielles dans « le col du sablier » ou dans « l'entonnoir » puis d'attendre les commandes à l'autre bout. La différence entre leur façon de faire et la nôtre est que nous, nous n'attendons pas. Nous agissons avec constance et méthode sur l'entonnoir si bien que les projets qui passent ont de bonnes chances de devenir commandes, suivant une prévision fiable.

Pour l'essentiel, l'entonnoir de vente est un outil qui vous aide à utiliser votre denrée la plus précieuse, le temps de vente, de la façon la plus sage et la plus efficace possible. Ce temps vous est toujours compté. Ce que vous ne savez peut-être pas, ou que vous ne formulez pas consciemment, c'est que toute vente réussie implique quatre types d'activités commerciales différentes. Si vous ne partagez pas efficacement votre temps entre ces quatre sortes d'exercices, vous risquez fort de perdre le peu de temps dont vous disposez. L'entonnoir vous permettra de repérer à quel type d'exercice vous livrer à un moment quelconque dans chaque objectif de vente, et à établir un équilibre entre les quatre. Il vous aidera aussi à déterminer la durée que vous devriez consacrer à chaque type d'exercice, sur une base constante, pour vous assurer des commissions régulières.

le dernier mot d'introduction

Vous ne manquerez pas de voir dans l'emploi d'un profil de client pour évaluer et juger de la qualité d'un projet, un exemple d'approche des ventes types marketing. Nous en sommes conscients et, en fait, nous encourageons ceux avec qui nous travaillons à penser en termes de marketing plutôt que de « produit avant tout ».

Dans la Vente Sratégique nous insistons sur le *client*. Vous devez réussir non seulement votre prochaine vente, mais aussi longtemps qu'ils seront vos clients. Vous y parviendrez en *vendant selon les besoins*, et pas dans le seul but de réussir la prochaine vente indépendamment de l'avenir.

Les six éléments clés du schéma stratégique ont pour but de vous aider à évaluer avec précision les besoins de vos clients, afin qu'ils retirent de la vente des résultats-gains de façon prévisible et régulière. Satisfaire ainsi leurs besoins, l'expérience le prouve, est aussi le meilleur moyen de satisfaire les vôtres.

Vous venez d'accomplir tout le travail préliminaire nécessaire à la compréhension des principes de la Vente Stratégique. Nous avons introduit le concept de la vente complexe et expliqué pourquoi vous avez besoin à la fois de la stratégie et de tactique pour la mener à bien efficacement. Vous avez effectué une première estimation de votre position actuelle par rapport à un objectif de vente particulier et commencé à réfléchir à des positions alternatives afin de rendre cet objectif plus sûr à atteindre. Enfin, nous avons présenté en guise de cadre les six éléments clés de stratégie que vous utiliserez en tant que schéma statégique pour réussir vos ventes.

Vous vous posez bien des questions à ce stade. Ah, si vous pouviez voir remplis les blancs du schéma stratégique ! Votre plus grand désir est de commencer à l'appliquer à vos objectifs de vente présents ?

Alors, en avant.

DEUXIÈME PARTIE

Bâtir sur le dur :
jeter les fondations
de l'analyse stratégique

5
ÉLÉMENT CLÉ N°1 :
LES PARTIES PRENANTES À L'ACHAT

Votre stratégie ne peut démarrer que lorsque vous connaissez les acteurs. Le premier élément clé de stratégie à mettre au point dès maintenant, sera, donc l'identification de tous les acteurs concernés par l'objectif de vente qui vous occupe. Il s'agit désormais de poursuivre le travail sur l'objectif choisi précédemment au chapitre 3. Mais la méthodologie de cet élément clé s'appliquera chaque fois à tous les objectifs commerciaux que vous aurez à l'avenir.

Le fait d'identifier les véritables acteurs peut sembler une première démarche évidente. Certes, mais elle est également mal gérée avec les conséquences que l'on peut imaginer. Etant donné que la plupart des méthodes de formation mettent plus l'accent sur les capacités tactiques que stratégiques, il arrive même à d'excellents vendeurs de voir une vente leur échapper au dernier moment, parce qu'ils n'ont pas réussi à localiser ou à contacter tous ceux qui décident vraiment.

Malheureusement, beaucoup de formateurs négligent ce travail de repérage initial. Ils partent du principe que leurs vendeurs savent déjà qui sont ceux dont l'aval est indispensable et concentrent leurs explications sur la façon de les aborder au moment de l'entretien.

Rien de semblable ici. L'expérience nous a appris que si on les laisse trouver tous seuls les personnages clés, sans méthode systématique de vérification, beaucoup de vendeurs finissent tout bonnement par parler à ceux avec lesquels ils se sentent à l'aise, qui ont approuvé leurs commandes par le passé, ou qui ont le « titre » adéquat inscrit sur leur porte. Aucune de ces « méthodes » n'est fiable ; même si l'une d'elles vous mène aux bons acteurs pour une vente donnée, elle ne peut pas vous aider à comprendre *pourquoi* ils étaient les bons et pourquoi ils l'étaient *pour cette vente seulement*. Ce ne sont pas des méthodes fiables et réutilisables pour trouver ceux dont l'approbation compte.

C'est important parce que sur le terrain actuel des ventes aux entreprises, les noms et les visages des acteurs changent en permanence. Vous pouvez très bien comprendre qui étaient les acteurs adéquats pour la commande de plusieurs millions que vous a passé la Société Outils et Matériaux Duchamp au mois de novembre. Ce n'est pas pour autant que vous saurez qui contacter pour obtenir de la même entreprise une commande équivalente ou cinq fois supérieure, au mois de mars. *Chaque vente est unique en son genre.* Vous ne pouvez donc jamais *partir du principe* que vous connaissez les personnes concernées sans avoir vérifié. Vous avez beau connaître les acteurs chez un client donné, vous aurez néanmoins besoin d'une méthode systématique pour identifier ceux qui sont concernés par votre objectif de vente immédiat, et pour déterminer s'ils sont toujours les bons lors de la prochaine transaction avec ce client.

Dans la Vente Stratégique, nous insistons non pas sur ce qui change d'une vente à l'autre, mais sur ce qui, l'expérience le prouve, est identique et constant dans toute vente complexe.

Concentrez-vous sur les rôles d'achat

Quel que soit le nombre de personnes participant à une décision d'achat, et quelle que soit la fonction officielle qu'elles occupent dans leur société, il apparaît clairement que les *quatre mêmes influences d'achat* sont présentes dans toute vente complexe. Leur nombre peut largement dépasser quatre. Ce sont les acteurs clés que nous appelons influences d'achat ou parties prenantes ou encore acheteurs.

Comme nous l'évoquions au chapitre 4 nous utilisons le mot « acheteur » de façon différente de son acceptation habituelle. Quand vous rencontrez le mot « acheteur » dans ce livre, ne le traduisez pas par « acheteur d'épicerie sèche », employé du service achat, ou qui que ce soit d'autre indiquant simplement une personne occupant un poste d'acheteur spécialisé. Nous utilisons le mot « acheteur » comme raccourci pour influence d'achat.

Dans la Vente Stratégique, une influence d'achat ou acheteur désigne *toute personne* susceptible d'influer sur votre vente, quel que soit le titre indiqué sur sa porte.

Certes, certains employés du service achat jouent un rôle d'influence d'achat dans bien des ventes. Mais, pour d'autres, il n'en est rien. Plus encore, la *plupart* des personnes en position d'acheteurs lors de vos ventes n'auront rien à voir avec le service « achat » en tant que tel. De plus dans certains cas, certains acteurs joueront plus d'un des quatre rôles d'acheteurs. Pour vous retrouver dans les méandres d'autorité qui en résultent, la première chose à faire est de vous positionner efficacement auprès de *tous* ceux qui jouent *chacun* des quatre rôles. Ce qui implique trois étapes :

1 - Bien comprendre les quatre rôles d'influences d'achat communs à *toute* vente complexe.
2 - Repérer tous les acteurs clés dans chacun de ces quatre rôles pour *votre* objectif de vente particulier.
3 - S'assurer que tous ces acteurs sont « couverts », c'est-à-dire que vous maîtrisez pleinement leurs attitudes envers votre solution et que vous les avez traités.

Pour mieux comprendre pourquoi nous insistons sur les rôles plutôt que sur les contacts passés ou les titres, prenez un exemple sportif. Au rugby, le demi d'ouverture a une position ou « titre » clairement défini. Il est là, solidement planté, un de ses rôles étant de dégager le ballon. Mais sur une touche, son rôle peut changer en celui de défenseur. Pourtant il aura toujours le poste de demi d'ouverture. Si vous jugez cette distinction purement sémantique, imaginez ce qui arriverait à un trois quart qui face à un demi d'ouverture se dirait, « je n'ai rien à craindre de ce type. Il ne fait que dégager le ballon en sortie de mêlée ».

Dans la vente complexe, tout comme au rugby, un acteur donné chez un client peut changer de rôle de façon rapide et imprévisible, même si son titre et sa fonction officielle à l'intérieur de « l'équipe » des acheteurs demeurent les mêmes. Tel responsable des achats qui a approuvé sans problème vos trois ventes précédentes peut soudain ne pas se trouver à même de le faire (hors d'état de jouer son rôle habituel) si votre quatrième vente est le double de la commande précédente, ou concerne un nouveau produit ou service. Un comptable qui ne s'est jamais, ni de près, ni de loin, mêlé de vos commandes peut soudain s'avérer une influence d'achat importante parce que les hautes instances de la société viennent de changer leur procédure d'investissement.

En vous concentrant sur les quatre rôles d'influences d'achat que l'on rencontre dans toute vente complexe, vous retrouverez mieux votre chemin à travers les labyrinthes de la société cliente jusqu'aux influences d'achat concernées par ce *seul et unique objectif de vente*.

Les quatre influences d'achat qu'il est nécessaire d'identifier et de convaincre lors de chaque vente sont l'influence d'achat économique, la ou les influences d'achat utilisateur, la ou les influences d'achat technique et le coach. Chacune d'elles perçoit l'affaire d'un point de vue professionnel différent : leurs raisons de considérer et d'apprécier votre offre ne sont pas les mêmes. Et chacune d'elles doit vous être acquise pour conclure le marché.

L'influence d'achat économique

L'influence d'achat économique est celle qui donne son accord *final* pour l'achat de votre produit ou service. Son rôle est de *débloquer l'argent nécessaire à l'achat*. Pour cette raison, nous disons parfois que l'influence d'achat économique « tient la clé du coffre ». Quiconque a cette clé dicte les règles. Cette personne peut dire oui quand tous les autres ont dit non, ou opposer son véto.

Les priorités de l'influence d'achat économique et son importance

L'influence d'achat économique se préoccupe uniquement du coût ou de l'aspect financier de la vente. Sa priorité n'est pas le prix lui-même mais *le rapport prix-performance*. Son accès direct à l'argent nécessaire et l'usage discrétionnaire des fonds permettent à ce responsable d'adapter le budget pour « trouver » ou débloquer les fonds de réserve, si votre produit ou service semble répondre aux besoins prioritaires de l'entreprise et offre un bon rapport qualité-prix. Le dernier point important, l'ultime raison professionnelle pour laquelle il achètera est l'impact positif que votre produit ou service aura sur le bénéfice de l'entreprise. Bien que l'identité de la personne qui tient le rôle d'influence d'achat économique change souvent d'une vente à l'autre, chez un même client, il n'y a jamais qu'une seule influence d'achat économique *par vente*. Une seule personne donne l'accord final, même si beaucoup d'autres offrent recommandations et conseils. Il est donc essentiel que vous sachiez qui prononce le oui final pour *votre* vente.

Une précision : le rôle d'influence d'achat économique peut être tenu par une commission, un comité de sélection, ou tout autre groupe de décision agissant comme une entité. Mais même dans ce cas, il existe toujours une personne au sein du groupe qui a préséance sur les autres et dont l'approbation finale est nécessaire. Il vous faut toujours déterminer, quand vous vendez à un tel groupe, qui a vraiment un accès direct aux fonds. Il se peut que la meilleure stratégie ne consiste pas à contacter vous-même cette personne, mais il relève toujours de votre responsabilité de « stratège en chef » de la vente d'identifier avec précision l'unique individu qui tient le rôle d'influence d'achat économique. Négliger cet aspect peut s'avérer fatal, ainsi qu'une firme américaine d'aviation s'en est récemment rendu compte, quand elle a essayé de vendre des avions à réaction à un pays du Moyen-Orient. Tout le monde, dans le pays, les appréciait et semblait d'accord : le roi, les généraux d'aviation et même les pilotes qui se serviraient un jour des appareils. Mais quand on présenta au roi le contrat établi pour qu'il le signe, il parut à la fois ravi et songeur.

« Ah oui, dit-il, tout cela est très bien. Nous n'avons plus qu'à demander à nos amis saoudiens de nous prêter l'argent nécessaire. » Et une « affaire faite » de plusieurs millions de dollars, resta soudain en suspens, à la merci de l'accord d'une influence d'achat économique jusqu'alors non identifiée.

Certes, il s'agit ici d'un exemple extrême. Rares sont ceux qui parmi nous seront impliqués dans une vente de cette envergure. Mais le même principe s'applique aux ventes complexes quelle que soit leur importance. Si vous n'identifiez pas qui détient les fonds, et ce *dès le début du cycle de vente*, vous risquez fort de donner le ballon au camp adverse.

L'encadré suivant résume les priorités et l'importance de cette première influence d'achat capitale.

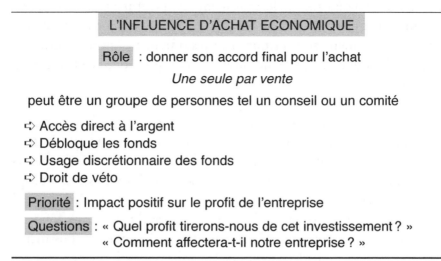

L'INFLUENCE D'ACHAT ECONOMIQUE

Rôle : donner son accord final pour l'achat

Une seule par vente

peut être un groupe de personnes tel un conseil ou un comité

⇨ Accès direct à l'argent
⇨ Débloque les fonds
⇨ Usage discrétionnaire des fonds
⇨ Droit de véto

Priorité : Impact positif sur le profit de l'entreprise

Questions : « Quel profit tirerons-nous de cet investissement ? »
« Comment affectera-t-il notre entreprise ? »

A la recherche de l'influence d'achat économique

Pour l'identifier vous devez savoir où chercher.

Presque par définition on ne rencontre pas les personnes susceptibles de donner un accord final au bas de l'échelle de l'entreprise. Ceux qui tiennent le rôle d'influence d'achat économique sont en général haut-placés.

Dans les entreprises plus petites, le directeur général ou le président lui-même peut tenir ce rôle dans beaucoup de ventes. Mais il n'est pas toujours nécessaire d'aller si loin. Comme beaucoup d'influences, celle-ci peut changer d'une vente à l'autre et la place dans la société de la personne qui le tient dépend de certaines variables.

88

Cinq sont essentielles : le coût financier de la vente, les conditions de l'affaire, l'historique de l'entreprise avec vous et votre société, son expérience de votre produit et l'impact attendu sur l'entreprise acheteuse.

1. L'investissement financier : plus il sera élevé plus l'influence d'achat économique sera haut-placée dans la hiérarchie. Toutes les sociétés, comme vous le savez certainement, ont leurs propres barrières de sécurité en-deçà et au-delà desquelles il faut passer pour obtenir l'accord final lors d'un achat. Ces barrières sont fonction du montant relatif de la vente *par rapport à la taille de l'entreprise acheteuse.* Le président d'Apex Food dont le chiffre d'affaires annuel s'élève à deux cent millions de francs peut juger qu'il doit personnellement donner son aval à tout achat de plus de vingt mille francs.

Chez Multiplex Taps dont le chiffre d'affaires atteint un demi milliard, le président ne prendra position, ne sera amené à jouer le rôle d'influence d'achat économique, que pour des achats de plus d'un demi million. Des ventes qui, dans une petite entreprise doivent recevoir l'aval du sommet, peuvent, dans une grosse entreprise, être traitées par des cadres moyens.

2. Les conditions commerciales : quand les temps sont durs, la direction se met à compter les trombones. Aussi, moins l'environnement général des affaires sera stable, plus il y a de chances pour que l'acheteur économique se situe dans les hautes sphères de la société.

Nous l'avons souvent constaté chez nos clients. L'un d'eux est une importante société d'ordinateurs qui fait un énorme chiffre d'affaires annuel. En temps « normal », l'accord du Président n'est nécessaire que pour des dépenses dépassant cinquante mille dollars. Pendant la période de récession, il joua le rôle d'acheteur économique pour des sommes dix fois inférieures. Ceci n'a rien de rare même dans les plus grosses entreprises.

3. L'historique de l'entreprise avec vous et votre société : inspirer et donner confiance dans les capacités de son entreprise, cela prend du temps, même pour les meilleurs vendeurs. Le manque de confiance fait que la société acheteuse sent certains risques et l'importance des risques pressentis fait que la décision finale concernant l'achat sera prise à un niveau plus élevé de la société. A l'inverse, plus un acheteur vous connaîtra vous et votre entreprise, à savoir plus vous serez considérés tous deux comme *crédibles*, plus il y a de chances que les instances supérieures confient le rôle d'acheteur économique à des cadres situés plus bas dans la hiérarchie.

4. L'expérience du produit ou service : même si le client a des contacts établis de longue date avec votre entreprise, ses acheteurs peuvent toutefois ne pas connaître le produit ou service que vous leur proposez. Auquel cas, l'influence d'achat économique se situera à un échelon supérieur. Il en va de même s'ils ont déjà acheté ce type de produit à quelqu'un d'autre. La décision initiale que prend une entreprise de robotiser son service de fabrication sera prise, de toute évidence, par quelqu'un de très haut placé. Cela vaut pour la décision suivante de changer de fournisseur, d'acheter le même type d'appareils à un fournisseur différent. Pourtant, une fois que l'entreprise connaîtra bien votre gamme robotique particulière, elle sera prête à confier à un cadre de moindre importance les décisions futures concernant le service après-vente et le remplacement éventuel.

5. L'impact sur l'organisation : l'acheteur économique s'intéresse avant tout à la stabilité et à la croissance à long terme, les décisions concernant un achat susceptible de les affecter plus radicalement feront donc intervenir quelqu'un de plus haut placé.

L'informatisation du service de facturation de toute une entreprise, se décidera au sommet ; les décisions ultérieures concernant le recyclage du personnel, l'entretien, ou les fournitures ne monteront pas si haut.

Il est capital de se souvenir qu'il n'y a jamais une seule influence d'achat économique par entreprise ou par client. Il n'existe personne qui soit « l'influence d'achat économique chez Apex ». Mais seulement des personnes qui remplissent cette fonction pour des *décisions individuelles d'achat*. Chez tout client, l'identité de la personne qui donne son approbation finale diffère d'une vente à l'autre, en fonction des facteurs ci-dessus.

Alors qu'ils étaient à la recherche de l'acheteur économique, nombre de nos meilleurs participants ont jugé bon de se poser la question *« A quel niveau, dans ma propre société, semblable décision devrait-elle être prise ? »* La réponse peut ne pas être l'acheteur économique concerné pour votre vente, mais elle vous orientera vers le bon niveau de l'entreprise. C'est une façon d'identifier la personne qui contrôle vraiment les fonds. L'autre est de faire appel à votre coach. Mais nous aborderons dans un instant la question de cette influence d'achat unique et essentielle.

L'influence d'achat utilisateur

Le rôle d'acheteur utilisateur est tenu par celui qui se servira réellement (ou surveillera l'emploi) de votre produit ou service. L'influence d'achat utilisateur aura *à juger* **de l'effet de ce produit ou service sur le travail à effectuer**.

Ici, le mot clé est « le travail ».

Les influences d'achat utilisateurs se préoccupent avant tout de savoir en quoi un achat affectera les tâches quotidiennes dans leurs propres secteurs ou services : leur priorité est donc économique. Ceux qui agissent en tant qu'influences d'achat utilisateurs vous questionneront sur des préoccupations immédiates et quotidiennes, telles que la fiabilité du produit, ses états de service, la formation nécessaire, le gain de temps, la facilité d'emploi, l'entretien, la sécurité et le choc potentiel sur le moral des troupes.

L'essentiel pour les influences d'achat utilisateur est de savoir en quoi un achat affecte *leur* travail, leurs réactions face aux offres de vente seront donc plutôt d'ordre subjectif. Ceci ne signifie pas qu'elles sont non fondées ou que vous pouvez les ignorer comme n'étant « pas pertinentes ». Au contraire, il vous faut absolument tenir compte de la subjectivité quand vous avez à faire à eux, parce que leur réussite personnelle dépend du succès de votre produit ou service. Les acheteurs utilisateurs veulent de bonnes performances, non seulement parce que cela rend leur personnel plus productif, mais aussi parce qu'une meilleure productivité les valorise. Vous les mettrez donc de votre côté en répondant à une simple question « Comment ce produit ou service va-t-il travailler *pour moi*? ».

Il y a toujours au moins une personne pour qui l'important est le travail à effectuer, il y a donc toujours au moins un acheteur utilisateur. Mais dans la plupart des ventes complexes, on compte plus d'une influence d'achat utilisateur. En fait dans la plupart des cas, nombre de personnes que vous contacterez tomberont dans cette catégorie. Si vous vendez des polices d'assurance collective à une grande société, les acheteurs utilisateurs peuvent inclure le directeur des affaires sociales, le chef du personnel, les syndicats et les assurés eux-mêmes. Si vous vendez des équipements de laboratoire il peut s'agir d'un responsable technique, d'un directeur du service Recherche et Développement et des techniciens de laboratoire. Si vous proposez trente nouveaux ordinateurs à une agence, il peut s'agir du directeur, du chef du service informatique, et des utilisateurs. Dans le cas déjà mentionné de la vente d'avions, les acheteurs utilisateurs étaient le personnel militaire (les pilotes et leurs officiers), qui auraient à se servir des avions. Tous ceux qui se concentrent en priorité sur le travail à effectuer.

Le rôle et la priorité des diverses influences utilisatrices sont résumés dans l'encadré suivant.

L'INFLUENCE D'ACHAT UTILISATEUR

Rôle : juger de l'effet sur la personne dans le travail

souvent plusieurs ou en grand nombre

⇨ Personnes qui se servent/surveillent l'emploi de votre produit ou service.
⇨ Personnel car l'utilisateur vivra avec votre offre.
⇨ Lien direct entre la réussite de l'utilisateur et le succès de votre produit/service.

Priorité : Le travail à accomplir

Question : « Que m'apporte ce produit/service ? »

On ne saurait ignorer les acheteurs utilisateurs

Si cette catégorie ne vous est pas acquise, vous aurez bien du mal à conclure l'affaire. La direction peut, et le fait parfois, approuver des commandes pour des produits que les acheteurs utilisateurs aimeraient autant ne pas acheter ; mais le résultat final de ces ventes est, en général, fâcheux pour toutes les parties concernées.

Vous devez donner satisfaction aux influences d'achat utilisateur parce que leur manière de se servir de votre produit a un effet direct sur la façon dont il est perçu et plus important encore, utilisé par l'ensemble du personnel de la société acheteuse. Même si vous parvenez à court-circuiter le « non » d'une influence utilisateur, il y a de fortes chances pour que les futurs commandes de ce service vous pénalisent par manque de coopération ou que vous soyez purement et simplement saboté.

Un de nos amis s'est trouvé confronté à ce type de sabotage il y a quelques années. Il avait vendu, pour plusieurs millions de francs, une méthode de formation à une importante entreprise textile. Le programme devait permettre aux mécaniciens et autres ouvriers qualifiés de procéder aux dépannages plus efficacement. Le président de la société fut tellement impressionné par ses possibilités qu'il donna son accord pour un essai dans chacune de ses douze usines. Hélas, notre ami avait omis de contacter les directeurs de ces usines acheteurs utilisateurs clés, avant de conclure la vente. Quand il arriva, après la signature du contrat, pour aider à la mise en route de la méthode, il fut considéré comme un provocateur extérieur, qui était passé par-dessus leurs têtes pour atteindre le grand patron. Comme par miracle, un mois après la mise en route de la méthode, le dépannage s'avéra beaucoup *moins* efficace qu'avant. Ce n'était pas la faute du système. Mais les directeurs utilisateurs, irrités d'avoir été ignorés, s'étaient arrangés pour qu'il ne fonctionne pas.

En conséquence, la fin de la période d'essai marqua la fin de la méthode. Notre ami tira la leçon de cette expérience. Ayant compris qu'il avait été victime de sa propre ignorance des acteurs, il jura de ne plus jamais négliger une influence d'achat utilisateur. « La prochaine fois, quiconque se servira de mes produits, nous dit-il, commencera par les vouloir ! »

Les influences d'achat technique

Les utilisateurs *peuvent* se montrer difficiles, mais les acheteurs techniques se doivent de l'être.

Un vendeur mécontent les décrit ainsi : « Des individus qui ne savent pas dire oui, mais seulement non, et qui ne s'en privent généralement pas ».

Comme les acheteurs utilisateurs, ils sont le plus souvent nombreux dans les ventes complexes.

Du fait de leur contribution si souvent négative, leur présence collective pose de réels problèmes au vendeur.

L'influence d'achat technique dans le rôle de garde-fou

Malgré leur réputation les acheteurs techniques ne disent pas non pour être désagréables. Ils vous mettent les bâtons dans les roues parce que c'est leur travail. Leur rôle est de *filtrer*. Ce sont les garde-fous. On pourrait les qualifier de Saint Pierre professionnels de la vente complexe.

Un acheteur technique, est celui qui, à l'occasion d'un mariage, se lèverait pour lancer : « Arrêtez. Je connais une raison pour empêcher le mariage de ces deux-là ! » Au football, il serait choisi comme gardien de but à l'unanimité. Il a pour tâche de limiter le champ d'action des vendeurs ; il n'est pas là pour dire qui a gagné mais pour décider qui va jouer.

Les objections de ceux qui sont en position d'influences techniques semblent parfois bien mesquines, mais ils remplissent un rôle utile. Le filtrage qu'assurent les acheteurs techniques face aux fournisseurs rend beaucoup plus improbable l'intrusion du détail technique imprévu lorsque l'affaire approche de sa conclusion. En fait, nous les appelons influences techniques parce qu'ils filtrent en fonction de considérations techniques.

Ce n'est pas la même chose que la technologie : certains acheteurs techniques s'occupent de technologie, mais beaucoup ne s'en préoccupent pas. Même ceux qui sont experts en électronique ou en mécanique des fluides en sauront souvent moins sur tel ou tel produit spécifique dans ce domaine que le vendeur. Les techniciens considèrent les aspects que l'on peut mesurer et quantifier de votre produit ou service, en jugeant à quel point il correspond à certains critères, qui peuvent être d'ordre technologique ou non. Le conseiller juridique de votre client, par exemple, peut fort bien tout ignorer de votre produit d'un point de vue technologique. Mais l'homme de loi peut néanmoins vous exclure en se fondant sur les termes et conditions (considérations légales) du contrat proposé.

Un comptable peut ne pas savoir distinguer un carburateur d'un plat de spaghetti à la carbonara, mais il peut bloquer une transaction automobile s'il pense que les conditions financières ne sont pas satisfaisantes. Parmi ceux qui jouent le plus souvent le rôle d'acheteurs techniques se trouvent les personnes du service achat. Même s'il y a une parfaite adéquation entre votre produit ou service et les besoins du prospect, ils peuvent faire rater la négociation en vous excluant sur des spécifications précises telles que le prix, le calendrier de livraison de logistique ou les références. Mais ils ne sont qu'un exemple de ces acheteurs garde-chiourmes. Un directeur du personnel peut entraver une vente parce qu'il juge qu'elle aura un effet déplorable sur le moral des employés. Un service gouvernemental peut la bloquer à cause de la législation en vigueur. Dans chacun de ces exemples et dans de nombreux autres, une influence technique, en fonction de critères d'ordre technique, peut stopper un achat que tout le monde attend et souhaite.

Quand vous repérez ces techniciens garde-fous, avant qu'ils ne vous descendent en flèche, vous devez savoir que ce qui importe le plus pour eux, la raison pour laquelle ils vous donneront leur soutien ou vous montreront la porte, *c'est le produit lui-même*. Une seule chose les intéresse vraiment : savoir comment il passe leur barrage de tests. Donc, mieux vous connaîtrez votre produit, mieux vous comprendrez les tests qu'il aura à subir, plus vous aurez de chances que les acheteurs techniques se prononcent en votre faveur.

L'encadré suivant résume les points essentiels que vous devez retenir sur ces techniciens garde-fous.

L'INFLUENCE D'ACHAT TECHNIQUE

Rôle : Filtrage

Souvent plusieurs ou en nombre important

⇨ Juge des aspects mesurables et quantifiables de votre offre.
⇨ Garde-fous.
⇨ Ne peut donner d'accord définitif.
⇨ Peut dire non sur les spécifications.

Priorité : Adéquation à leurs spécifications dans leur domaine

Question : « Correspond-il au cahier des charges ? »

L'acheteur technique caché ou camouflé

Les acheteurs techniques sont plus difficiles à identifier que les acheteurs utilisateurs ou économiques, et posent donc des problèmes particuliers au vendeur. Il peut s'avérer fatal de sous-estimer le pouvoir d'un acheteur technique ou, sous prétexte que sa situation de filtre n'est pas évidente au sein de la société cliente, de supposer que son rôle est nul et non avenu dans la vente. Une compagnie aérienne en difficultés financières l'apprit à ses dépens, quand elle tenta d'utiliser certains de ses avions bloqués au sol pour se lancer sous forme de société anonyme sur le marché des charters. Les créanciers de la compagnie, le tribunal chargé de juger la faillite, et les syndicats s'étaient tous mis d'accord, mais au dernier moment le ministère des Transports fit savoir que les précieuses allocations de temps (les ex-droits de décollage et d'atterrissage de la compagnie défunte) n'étaient plus disponibles ; ils avaient déjà été attribués à d'autres compagnies aériennes.

Si les intéressés avaient stratégiquement réfléchi aux ramifications de l'affaire, avant d'entamer les négociations, ils se seraient aperçus qu'au sein du ministère existaient des acheteurs techniques cachés, qu'il aurait été bon de contacter et de convaincre, avant de signer quoi que ce soit de définitif. Toute l'affaire est tombée à l'eau parce que cette influence clé avait été considérée comme acquise.

Si certains acheteurs techniques sont apparemment invisibles, d'autres ne sont que trop visibles. Ils sont peu commodes non seulement à cause de leur rôle de filtre technique mais aussi parce qu'ils en profitent pour empiéter sur celui de l'acheteur économique, vous rendant difficile l'approche ou même l'identification de ce dernier.

En fait le jeu préféré des acheteurs techniques est d'essayer de vous convaincre que ce sont eux les acheteurs économiques, qui donnent l'accord définitif. Si vous les croyez vous risquez fort d'avoir des ennuis avant même de commencer.

Parmi les acheteurs techniques qui se livrent à ce petit jeu, certains mentent délibérément quant à leur fonction dans la vente, mais ce n'est pas toujours le cas. Certains d'entre eux *croient vraiment* avoir le dernier mot. Bien que leur rôle consiste plutôt à dire non que oui, leur interprétation abusive peut être due aux indications confuses qui leur sont données par un acheteur économique. Ce dernier, pour gagner du temps, peut demander « une recommandation » à un acheteur technique en termes prêtant à confusion. « Nous nous remettrons à votre choix, Monique », va-t-il déclarer simplement.

Si Monique est quelqu'un de tout à fait rationnel, sans égo à défendre, elle prendra ces propos pour ce qu'ils sont « vous me donnez votre avis, et je déciderai ». Mais si elle est un être humain normal, il lui sera facile de comprendre « j'ai confiance en vous, Monique - vous décidez ». Vous pouvez donc fort bien vous trouver confronter à une influence d'achat technique consciencieuse et bien intentionnée qui se trompe sur son rôle. C'est ce qui vous arrivera aussi si vous la croyez sur parole.

Pour vous aider à ne pas commettre d'erreurs sur les personnes comme dans ce cas là, vous avez besoin de la quatrième catégorie de responsable influent : vos coaches.

Vos coaches

Le rôle du coach est de *vous guider au cours de la vente* en vous donnant les indications nécessaires pour la mener à terme, et garantir non seulement la commande mais la satisfaction des clients aussi bien que de solides références et de nouveaux contrats. Votre coach peut vous aider à identifier et à rencontrer les personnes parties prenantes pour la vente concernée, et à juger de l'état actuel des achats dans la société. Vous serez ainsi au maximum de votre efficacité, face à chaque influence. Pour conclure n'importe quelle vente complexe vous devriez avoir *au moins* un conseiller.

La recherche d'un coach diffère de la recherche des trois autres influences d'achat. Ces dernières existent déjà. Elles attendent d'être identifiées, il ne vous reste qu'à les repérer. Quant à votre coach, il ne s'agit pas seulement de le *trouver*, il faut aussi le cultiver. Les trois premières influences s'exerceront déjà quand vous les rencontrerez. Le rôle du coach, en fait, c'est vous qui le modelez.

Ce faisant, souvenez-vous que le coach désire en priorité vous voir réussir la vente particulière pour laquelle vous voulez des conseils. L'encadré suivant souligne les faits saillants concernant cette quatrième influence si particulière.

Les trois critères de choix d'un bon coach

Dans votre recherche de quelqu'un susceptible de devenir votre coach, jugez selon trois critères :

1. Vous êtes crédible aux yeux de cette personne

Ceci, en général, parce que le coach est déjà intervenu sur un marché conclu avec vous. Donc, par définition, le bon endroit pour chercher un coach sera parmi vos propres clients satisfaits. Si vous avez vendu l'an dernier, un produit à quelqu'un qui ne cesse de s'en féliciter, vous avez là un candidat idéal au titre de coach, selon le première critère. A cause de son expérience passée, la personne estime pouvoir vous *faire confiance*. C'est cela être crédible.

LES COACHES

Rôle : vous guider au cours d'une affaire

en trouver au moins un

- Fournit et intègre des renseignements sur :
  - ➪ la validité de l'unique objectif de vente
  - ➪ la situation des influences d'achat
  - ➪ les influences de chacun dans le processus d'achat
  - ➪ les autres éléments de votre analyse stratégique

- Peut se rencontrer : - - - chez le client
  - - - - dans votre propre société
  - - - - en dehors des deux.

Priorité : La réussite de votre offre actuelle

Question : « Comment mener notre affaire à son terme ? »

---

2. Le coach est crédible aux yeux des acheteurs potentiels

Une fois que vous avez trouvé quelqu'un qui vous fait confiance, il vous reste à vous assurer qu'il a, à son tour, la confiance du client. Un conseiller en puissance qui n'est pas crédible aux yeux de la société cliente fera bien mal la liaison avec le personne de ce client et ses renseignements concernant la vente pourraient s'avérer peu fiables. Il est capital qu'il soit crédible aux yeux de l'acheteur, aussi trouverez-vous souvent de bons coaches à l'intérieur même de la société-cliente. Nous avons déjà précisé qu'il était possible d'exercer plus d'un rôle d'influence d'achat dans une vente.

Un acheteur technique ou utilisateur qui est de votre côté peut être un excellent coach. Le scénario idéal consiste à faire de l'influence d'achat économique votre coach dans la société cliente.

3. Le coach veut que vous réussissiez

Cela ne signifie pas pour autant qu'il veut vous voir réussir dans la vie ou dans votre carrière de vendeur. Un bon coach peut être, un mentor ou un ami mais ce n'est pas indispensable. Par définition, le coach souhaite que vous réussissiez cette vente précise. Pour une raison quelconque, peu importe laquelle, il ou elle juge qu'il y va de son propre intérêt à ce que la société cliente accepte cette solution. Les coaches peuvent se trouver chez le client, mais dans la mesure où leur motivation est votre succès, vous pouvez tout aussi bien en trouver de valables dans votre propre société.

La palme de la nouveauté dans ce domaine est revenue récemment à un vendeur qui a réussi une percée spectaculaire chez un nouveau client en transformant son propre patron en coach. Le patron, lui-même sorti du rang, avait personnellement, de par le passé, déjà vendu à cette entreprise. Ses ventes s'étaient avérées valables et profitables pour l'acheteur comme pour le vendeur, il était donc crédible aux yeux des influences d'achat. Le vendeur étant lui-même d'un haut niveau, le patron le prenait au sérieux. Comme cette nouvelle affaire bénéficierait de toute évidence à la société vendeuse, le patron voulait que son vendeur réussisse. Bref, ce dernier avait élu un excellent coach.

Comment demander à quelqu'un de devenir votre coach

Peut-être n'aurez-vous pas toujours la chance de trouver des coaches qui répondent exactement aux trois critères. Mais si ces critères qualifient quelqu'un comme coach, testez son utilité éventuelle en lui demandant si il

ou elle veut bien devenir votre conseiller. Un vrai coach vous refusera rarement son aide. En fait, notre expérience nous montre que la plupart des
gens sont favorables à l'idée de devenir coach. Être coach, dans notre
contexte culturel, a des connotations très positives, et peu de professionnels laisseront passer l'occasion de mettre en avant leurs relations et leur
savoir. Même un coach potentiel qui n'est pas vraiment en possession des
renseignements dont vous avez besoin pour la vente, peut souvent vous
diriger vers quelqu'un qui sera à même de vous aider. A force de cultiver
et de sélectionner des coaches, vous finirez par mettre en place un réseau
d'information fiable susceptible de conduire aux acteurs clés, pour n'importe quelle vente, quel qu'en soit l'objet.

Demander l'aide d'un coach n'est pas la même chose que de demander
une recommandation ou le concours de quelqu'un pour effectuer une
vente. Vous ne voulez ni que votre conseiller fasse la vente à votre place,
ni en donner l'impression. Non seulement vous êtes le mieux placé pour
vendre votre produit ou service, mais, de plus, votre coach a suffisamment
de travail pour ne pas, en outre, se charger de vos responsabilités. Quand
vous dites « Pouvez-vous m'aider à obtenir un entretien avec Lefort ? » ou
« Puis-je compter sur votre recommandation ? » Il est facile de l'interpréter comme suit : « Je ne suis pas compétent pour cette vente. Faites le travail à ma place, s'il vous plaît. » Vous ne pouvez prétendre être crédible
auprès d'un coach qui entend ce propos et l'interprète ainsi.

Plutôt que de demander une recommandation, cherchez donc plutôt à
être orienté. Vous attendez du coach qu'il vous aide *à bien réfléchir à votre
position face aux autres influences*. En cherchant un coach plutôt qu'une
référence, vous indiquez clairement que c'est vous qui tiendrez la barre et
que vous avez seulement besoin de conseils pour le faire. Le coach doit
entendre : « J'assumerai la responsabilité de la vente, mais j'aurais besoin
de l'avis de l'expert. Je me charge de vendre si vous voulez bien m'expliquer un ou deux points de fonctionnement. » L'ironie, avec ce type d'approche, est que, le vendeur qui demande une recommandation ne l'obtient presque jamais, mais par contre celui qui demande des conseils,
obtient la recommandation en plus.

Mettre toutes les influences d'achat de son côté

Peu après la création de notre société, les cadres d'un des plus importants fabricants de produits alimentaires commencèrent à étudier nos méthodes. Ils étaient intéressés par un séminaire de formation pour des centaines de vendeurs et l'affaire s'annonçait bien. Nous avions reçu des échos très favorables sur nos exposés de la part du président de l'entreprise lui-même et nous avions commencé à discuter de dates et de lieux possibles pour les séminaires.

Mais il y avait un hic : le directeur de la formation à la vente croyait que notre méthode menaçait la sienne. Il était habitué à mener les choses à sa façon, et il avait beau dissimuler ses objections sous des expressions du genre « incompatibilité de projet » et « impasses structurelles de base », la véritable raison pour laquelle il s'opposait à nous était la peur. Dans son idée, si nous entrions dans la place, il sortait ou du moins (pensait-il) son autorité serait moindre.

Nous avons traité sa résistance quelque peu à la légère. Non seulement parce que nous savions que ses craintes étaient infondées (en fait le but du projet était de lui laisser prendre les choses en main une fois la méthode en place) mais aussi parce que le grand patron même était de notre côté. Cette attitude cavalière s'avéra une grosse erreur. Quand le président entendit parler des réticences du directeur de la formation, il retira son soutien à notre proposition. Elle lui plaisait toujours, mais il refusait de mettre en cause ses bons rapports avec un subordonné à qui il avait eu raison de faire confiance depuis des années. Du coup, il retira son soutien et une commande « sûre » s'envola.

Cette histoire illustre le principe selon lequel, dans toute vente complexe, il importe de « vendre » sa proposition non seulement à un ou deux mais aux *quatre* influences d'achat.

Acquérir à sa cause l'acheteur économique seul, comme nous avions tenté de le faire là, peut être aussi désastreux que de l'oublier ou de convaincre quelqu'un ne pouvant donner le oui final, comme le prouve la tentative du fabricant d'avions au Moyen-Orient. Nous aurions dû, dans ce cas-là, transformer notre acheteur économique, le président, en coach et le convaincre de nous aider à démontrer au directeur de la formation (qui remplissait à la fois le rôle d'acheteur utilisateur et technique) que ses craintes sur son avenir étaient sans fondements. Au lieu de cela, nous avons commis l'erreur, hélas trop commune, de considérer que, M. Gros Bonnet étant de notre côté, tout le reste irait de soi. Nous avons payé cher cette présomption.

Beaucoup de commerciaux continuent à le payer cher, pour peu qu'ils se focalisent sur ceux qui décident d'en haut (comme nous l'avions fait) ou ceux qui ont une décision intermédiaire (voir le fabricant d'avions). Il est très difficile de rompre avec la coutume, et les vendeurs traditionnels essayent de fonder leur vente aux futurs clients sur ceux avec qui ils se sentent le plus à l'aise. Les vendeurs du secteur informatique ou high tech, par exemple, sont souvent des ingénieurs, et ne sont donc pas considérés comme des vendeurs mais comme des « ingénieurs commerciaux ». Comme ils se sentent à l'aise avec d'autres ingénieurs, ils se font une spécialité de vendre leurs produits aux acheteurs utilisateurs ou techniques qui, eux aussi, sont ingénieurs. Mais parce qu'ils sont beaucoup moins à l'aise avec la direction générale, ils ignorent souvent les acheteurs économiques et perdent des ventes au profit de ceux qui, prennent en compte les quatre types d'influence d'achat.

Quand nous insistons sur ce point dans nos séminaires, il se trouve toujours quelqu'un pour objecter « Qu'en est-il des ventes où un seul type se charge de tout ? N'existe-t-il pas de cas où une personne joue les quatre rôles ? ». La réponse est presque toujours négative. Nous savons bien qu'il existe encore quelques petites entreprises où le fondateur a l'air de s'occuper de tout, et que vendre à cette entreprise donne l'impression que toutes les décisions d'achat sont prises par ce seul et unique individu. Mais avant de conclure que les quatre rôles d'influence d'achat sont tenus par le président et personne d'autre, regardez plus avant. Est-ce qu'il lit tous les documents juridiques de la firme lui-même ? Est-ce qu'il aura à utiliser personnellement chaque produit ou service que vous voulez lui vendre ? Est-ce qu'il se passe entièrement des conseils et du consentement de tous ? Ou alors, quand vous regardez la façon dont les achats sont décidés dans sa société, ne pensez-vous pas que ses collaborateurs remplissent des rôles bien plus compliqués et fondamentaux qu'il n'y paraît au premier abord ? Le véritable homme-orchestre dans une société appartient au passé, et la vente qui peut être décidée par une seule personne n'est plus, et ne sera jamais plus. Aujourd'hui dans la vente, la complexité de la décision est presque toujours la règle. Donc, si vous rencontrez une situation dans laquelle un seul acheteur semble concerné, méfiez-vous.

Nous reconnaissons que les acteurs clés peuvent tenir des rôles doubles ou multiples, mais si vous n'en rencontrez qu'un seul dans une vente concernant un important futur client, vous pouvez être pratiquement certain de mal interpréter la situation.

Le degré d'influence

Une dernière précision avant de clore ce chapitre. Lorsque nous disons que toutes les parties prenantes à l'achat doivent être couvertes, nous ne voulons pas dire pour autant qu'elles ont toutes et dans tous les cas la même importance pour l'issue de la vente. C'est en fait rarement le cas. Aussi, s'il est vrai de dire qu'il ne faut en ignorer aucune, il est également important de reconnaître que dans certaines ventes « certains sont plus égaux » et « d'autres moins égaux que d'autres ».

C'est-à-dire que certains acteurs peuvent exercer une telle influence sur l'issue de la vente que la sagesse vous recommande de leur accorder une attention particulière. D'autres peuvent avoir une influence moins directe sur l'issue que ne le laisserait supposer leur titre ronflant (Directeur Général) ou leur rôle (acheteur économique). En établissant une bonne stratégie, vous devez donc être attentif non seulement aux rôles que jouent vos parties prenantes à l'achat, mais également au degré d'influence que chacune peut exercer sur votre objectif.

Comme nous l'avons évoqué en introduction, le degré d'influence est l'un des nouveaux concepts que nous avons ajoutés à cette version enrichie de la Vente Stratégique. Nous illustrerons son importance à l'aide de quelques exemples.

Le technicien sabreur

Supposons que vous soyez en train de placer un système informatique dans une société fondée et gérée par des ingénieurs. Il s'agit d'une affaire de dizaines de millions de francs qui requiert l'approbation de la haute direction et vous pourriez imaginer que le « technicien pur » qui est concerné par l'évaluation du système sera moins important que le directeur qui va signer le contrat. Mais si le directeur a l'habitude de déléguer à l'expert technique, alors cet acteur « de deuxième zone » peut avoir un plus fort degré d'influence sur la vente et vous devrez ajuster votre stratégie pour l'intégrer. Sinon, vos chances pourraient bien être « sabrées » par cet acheteur technique.

L'opposant canard boiteux

Quand est-ce qu'une mauvaise note devient un plus ? Lorsqu'elle vient d'une influence d'achat qui n'a aucune crédibilité auprès des autres acheteurs. L'une de nos clientes s'est trouvée dans cette situation récemment lorsqu'elle essayait de placer un système de gestion de stock. Le responsable des stocks détestait sa proposition et elle le considérait comme une entrave majeure à sa vente jusqu'à ce qu'elle examine son degré d'influence. Elle s'aperçut alors qu'il était détesté par les autres influences d'achat et que la mauvaise note qu'il lui avait donnée avait en fait joué en sa faveur. Au fil de la transaction, son influence s'est réduite comme peau de chagrin, passant de minime à nulle et l'entreprise l'a finalement laisser partir. Jusqu'alors, il avait indéniablement été une influence d'achat – mais celle d'un canard boiteux avec l'influence correspondante.

L'acheteur économique tamponneur

Il n'est pas plus exact de penser que l'acheteur économique est toujours le personnage le plus important de la vente ou de dire que c'est le seul décisionnaire. En raison de la sophistication accrue de la technologie, il n'est par rare aujourd'hui qu'un acheteur économique délègue sa responsabilité à un subalterne (tel que le technicien sabreur) pour donner son accord sur un système ou un matériel complexe et se contente du coup de tampon sur la décision prise. Dans la mesure où ce tampon est indispensable à la vente, la personne qui le manie reste l'acheteur économique mais son degré d'influence en ce cas est visiblement minime. Il existe une stratégie performante pour y faire face.

Attention toutefois : même si l'acheteur économique peut choisir de déléguer - et de diminuer ainsi son degré d'influence sur une affaire spécifique, il est important de se souvenir que cette autorité peut toujours être réaffirmée, restaurant ainsi le haut degré d'influence « naturel » de l'acheteur économique. Ce petit jeu de « je donne, je reprends » peut se passer très vite. C'est pourquoi en assurant la couverture de toutes vos influences d'achat, vous devriez constamment les réévaluer. Comme tout ce qui touche à la vente, le degré d'influence est un phénomène fluctuant et dynamique. Un bon stratège doit régulièrement faire le point sur sa force et son orientation.

Dans nos ateliers, après que les participants ont identifié tous ceux qui jouent l'un des quatre rôles d'influences d'achat pour la vente en question, nous leur demandons de préciser pour chacun si leur degré d'influence est fort moyen ou faible, c'est à dire si la personne est susceptible d'exercer une influence dominante, modeste ou minime sur l'issue de la vente. Bien évidemment tenter de noter ainsi les acteurs ne relève pas d'une science exacte et nous ne sommes pas en train de dire que cette technique va vous donner une confiance inébranlable sur l'importance de vos acteurs. Mais elle permet d'offrir une nouvelle dimension à l'analyse stratégique, une nouvelle perspective pour juger comment les décisions d'achat sont réellement prises et l'importance qu'aura chaque acteur dans ce processus. Comme l'un de nos commerciaux le dit justement : « l'élément du degré d'influence vous incite à regarder la situation de plus près. C'est une vérification de plus qui vous permet d'affiner la qualité de votre information. »

Les cinq facteurs critiques

En ayant recours à cette vérification, nous vous conjurons de ne pas essayer de deviner le degré d'influence d'un individu donné, mais d'examiner l'impact des facteurs individuels ou structurels qui peuvent accroître ou diminuer cette influence. Voici les facteurs que nous avons considérés comme importants :

L'impact sur la structure

Quel est le lieu dans la société acheteuse où votre proposition risque d'avoir le plus d'impact dans l'immédiat et à long terme ? La réponse à cette question devrait vous indiquer les niveaux où se trouvent les degrés d'influence dominants. Ces niveaux de plus correspondront grosso modo aux zones d'influence des acheteurs. Si votre proposition vise à provoquer un essor immédiat de la rentabilité, par exemple, il est probable que le degré d'influence de l'acteur économique sera élevé.

Le niveau d'expertise

Laquelle de vos influences d'achat connaît le mieux le domaine d'activité de votre société ? Vers qui la société acheteuse va-t-elle se tourner pour obtenir une recommandation en interne ? Le chef du service expédition peut n'avoir que peu de poids dans la prise de décision globale de son entreprise, mais si vous êtes en train d'essayer de vendre un nouveau système de transpalette il est logique de penser que son degré d'influence va s'en trouver accru.

La localisation

Les trois choses les plus importantes dans l'immobilier, selon le vieil adage c'est la localisation, la localisation et la localisation. Nous n'irons pas jusque là en ce qui concerne le degré d'influence mais la localisation géographique des acheteurs est certainement un facteur à tenir en ligne de compte. C'est du simple bons sens. Supposons que vous soyez en négociation avec une entreprise installée à Londres et que vous ayez besoin d'obtenir l'accord de trois cadres. Si l'un d'entre eux est basé à New York il est probable qu'il aura moins d'influence que les deux autres. Bien sûr *probable* ne veut pas dire *certain* et vous pourrez être amené à découvrir par l'intermédiaire de coaches que son influence est grande. Dans ce cas, cas votre stratégie pourrait comprendre un aller-retour New York.

Les priorités personnelles

Plus votre objectif unique de vente est prioritaire pour un acheteur, plus il risque d'exercer ou du moins de tenter d'exercer une influence déterminante sur l'issue. Certes, ceci est plus évident pour les acheteurs utilisateurs car leur travail sera plus directement concerné par la proposition de vente. Mais tout acheteur peut avoir un intérêt personnel à une vente - notamment lorsqu'il y voit une occasion de défendre ou d'accroître son « fief ».

L'aspect politique

La protection de son fief est un exemple de politique interne et ces aspects politiques sont sans doute l'un des plus communs - et probablement en tant que tel des plus irritants - déterminant les degrés d'influence. Nous verrons dans le prochain chapitre comment l'identification des influences d'achat peut être rendu complexe par les changements dans la structure tels que les recrutements, les licenciements et les modifications d'organigramme. Nous prenons les devants ici simplement pour faire une mise en garde essentielle : chaque fois qu'en examinant les influences d'achat vous vous apercevez que la situation semble très politique, vous feriez mieux de réétudier la position des acheteurs et regarder de plus près l'impact potentiel de chacun sur la vente.

Mais avant de procéder à ce réexamen vous devez avoir identifié d'abord vos acheteurs. Vous pouvez le faire à présent au cours de ce deuxième atelier.

Atelier n° 2 : les influences d'achat ou parties prenantes à l'achat

Pour vous entraîner à comprendre vos propres ventes complexes, vous allez maintenant participer à un atelier au cours duquel vous allez appliquer l'élément clé des influences d'achat à l'analyse de l'objectif de vente que vous vous êtes choisi.

Etape n° 1 :
faites un tableau illustrant vos influences d'achat

Nous avons déjà défini le rôle de chacune des quatre influences d'achat que l'on rencontre lors d'une vente complexe. Afin de les revoir et de les garder constamment sous les yeux, nous vous suggérons de les inscrire sur un tableau à utiliser tout au long du livre chaque fois que vous définirez votre position en fonction de la vente concernée.

Tournez votre carnet pour le mettre à l'italienne, et écrivez en haut : « Tableau des influences d'achat ». Divisez la page en quatre cases de taille égale. En haut de chacune écrivez le nom d'une des quatre influences d'achat, et, au-dessous, le rôle joué par chacune d'elles lors de la vente complexe.

Il vous faudra écrire suffisamment petit pour pouvoir ajouter des notes à ce tableau lors de des ateliers ultérieurs. Une fois établi, il devra ressembler à peu près à l'exemple illustré.

Etape n° 2 : repérez toutes vos influences d'achat

Maintenant que vous avez en tête un *objectif commercial* déterminé, notez dans les cases le nom des personnes qui y tiennent actuellement les quatre rôles. N'oubliez pas, il n'y aura qu'un seul acheteur économique mais les trois autres cases peuvent comporter un ou plusieurs noms. Souvenez-vous aussi qu'un seul et même individu peut apparaître dans plus d'une case, s'il joue des rôles multiples.

Il y a deux façons de procéder à l'identification des acheteurs : la bonne et la mauvaise. La mauvaise consiste à simplement lister les personnes avec lesquelles vous êtes en contact, et de les caser dans les espaces que vous venez de dessiner. *Cet étiquetage,* ou classement, est un raccourci tentant mais finalement décevant. Si vous partez de vos prospects actuels, ou d'un organigramme de la société cliente et que vous collez l'étiquette acheteur économique sur Lenoir parce qu'il est président du conseil d'administration, ou une étiquette acheteur utilisateur sur Leblanc parce qu'elle est responsable de la production, vous finirez immanquablement par confondre titres et rôles. Vous allez faire entrer de force vos données dans des catégories préconçues (et probablement inadaptées).

TABLEAU DES INFLUENCES D'ACHAT	
ECONOMIQUE : l'effet débloque les fonds	UTILISATEUR : juge de sur le travail
TECHNIQUE : filtre	COACH : me guide au cours de cette vente

La bonne façon de repérer vos acheteurs, celle qui vous permettra de savoir comment seront prises les décisions par rapport à votre offre précise, est de vous *mettre immédiatement à la recherche* des personnes qui jouent les quatre rôles pour votre objectif en cours. Pour vous diriger droit sur eux, et donc sur les acteurs qui comptent, posez-vous les questions suivantes :

- Pour localiser l'unique acheteur économique : « Qui a toute autorité pour débloquer l'argent nécessaire à *cette* vente ? »
- Pour trouver vos acheteurs utilisateurs : « Qui se servira ou aura personnellement la responsabilité de superviser mon produit ou service ? »
- Pour les acheteurs techniques : « Qui émet des avis techniques sur mon produit ou service pour mieux filtrer les fournisseurs ? »
- Pour identifier ceux que vous pourriez utilement choisir comme coach : « Qui peut me guider au cours de cette vente ? »

Inscrivez le nom de vos acheteurs dans les cases qui conviennent, une seule colonne, à gauche.

Etape n° 3 : déterminez les degrés d'influence

La prochaine étape sert à déterminer les degrés d'influence pour chacun de ces acheteurs, selon que leur impact probable sur l'objectif de vente en cours sera dominant, modeste ou minime. N'oubliez pas que l'acheteur économique peut ou non exercer un influence dominante sur la vente, mais que même lorsqu'il délègue sa responsabilité, il faut malgré tout couvrir « ce préposé au tampon ». Souvenez-vous aussi qu'il est risqué de négliger l'une quelconque des influences d'achat, même celle dont l'impact sur la vente sera probablement faible.

En reprenant les cinq facteurs clés que nous avons retenus, évaluez à présent le degré d'influence de vos acteurs principaux. A coté de leur nom sur

LES COACHES	
ECONOMIQUE : débloque les fonds G Alain legrand	UTILISATEUR : juge de l'effet sur le travail G Danièle Brun F Henri Lagrange
TECHNIQUE : Filtre G Paul Dubois F Guy Petit M Henri Lagrange	COACH : me guide au cours de cette vente G Danièle Brun M André Lefort

le tableau, mettez un G si vous pensez que son influence est grande, un M si vous pensez qu'elle est moyenne et un F si vous pensez qu'elle est faible. Lorsque vous l'aurez fait, le tableau devrait ressembler à cela.

Etape n° 4 : testez votre position actuelle

Regardez maintenant chaque nom et demandez-vous où vous vous situez actuellement par rapport à cette personne.

Rappelez-vous, vous occupez toujours une position, même si vous ignorez laquelle. A ce stade de l'atelier, vous êtes en train d'estimer objectivement votre *position* actuelle par rapport à ces acteurs clés en fonction du rôle que chacun joue dans votre vente. Vous mettez en lumière votre position.
En testant votre position face à vos influences d'achat, ne manquez pas de vous poser deux questions destinées à faire ressortir les zones d'incertitude les plus courantes.

1 - Ai-je repéré toutes les personnalités clés qui jouent actuellement chacun des quatre rôles d'influence d'achat dans la vente qui m'occupe ?

2 - Ai-je procédé au marquage de chacune de ces personnes ?

La première question est évidente ; nous avons insisté sur le fait que plusieurs personnes peuvent tenir les quatre rôles, vérifiez donc tout l'organigramme du client et cherchez les acteurs clés au lieu de vous dire : « Parfait, j'en ai quatre ; je suis sur la bonne voie. »

La deuxième question se rapporte à un concept que nous expliquerons plus à fond dans un instant. Pour le moment, prenez le terme « marquage » comme un synonyme de « contacter » ou « qualifier ».

Regardez votre tableau et demandez-vous si vous avez contacté vous-même chaque acheteur repéré ou si vous avez laissé à quelqu'un d'autre le soin de le faire. Un acheteur dont vous connaissez le rôle, mais que vous n'avez pas encore contacté, est un acteur qui vous échappe.

A côté des noms de ceux dont les rôles vous sont mal connus, de ceux qui ont échappé à votre vigilance et dans toutes les cases ne comportant pas au moins un nom, collez un de vos drapeaux rouges, ou notez le nom au crayon rouge. Ceci attirera votre attention sur les incertitudes de votre position actuelle. Ne vous inquiétez pas si votre tableau comporte un ou plusieurs drapeaux rouges. Si ce n'était pas le cas, vous auriez déjà obtenu la commande. Nous verrons comment les utiliser pour améliorer votre position.

6
ÉLÉMENT CLÉ N°2 :
LES DRAPEAUX ROUGES/POINTS FORTS

AU COURS D'UN RÉCENT SÉMINAIRE de Vente Stratégique, les participants étaient plongés dans l'identification de leurs diverses influences d'achat, comme vous venez de le faire pour votre objectif de vente, quand l'un d'eux, un jeune homme énergique, par deux fois nommé meilleur vendeur de l'année dans son service, jeta son crayon sur la table et leva les yeux, d'un air d'exaltation médusée.

Sa feuille était couverte de minuscules drapeaux rouges. « Vous savez, dit-il, non sans une certaine fierté sardonique, je viens de découvrir quelque chose. Je croyais qu'il s'agissait d'un de mes meilleurs clients. Je me rends maintenant compte que ce n'est même pas un futur client. Je crois qu'il va me falloir reprendre tout à zéro. »

Sa découverte, et plus encore la conclusion qu'il en tira, nous ravirent. Il était facile de voir pourquoi il réussissait si bien. Il se servait du drapeau rouge exactement comme il le fallait : un moyen d'attirer son attention sur certains des problèmes de la vente tant qu'il était encore temps d'y remédier.

C'est une constante dans nos séminaires que les commissions les plus élevées, celles des commerciaux qui atteignent 200 % ou 300 % de leurs quotas, sont obtenues par ceux qui se retrouvent avec le *plus* de drapeaux rouges sur leurs clients quand ils commencent leur analyse stratégique. Ce sont eux qui apprécient le plus l'effet révélateur du système des drapeaux rouges, et qui réagissent en conséquence, régulièrement et de manière efficace comme ce vendeur de haut niveau, s'engageant à reconsidérer sa vente.

Comme nous l'avons évoqué précédemment, nous avons choisi le terme « drapeau rouge » parce que, dans le langage courant, il signifie « attention » ou « danger ». C'est exactement ainsi que vous devriez considérer ces secteurs incomplets ou incertains dans votre stratégie de vente. Ce ne sont pas uniquement des zones « brumeuses », mais des zones où un danger immédiat menace le succès de votre vente. Nous nous servons du symbole du drapeau rouge pour la même raison qu'un équipage où des garde-côtes l'utilisent pour vous avertir d'un risque avant qu'il ne vous tombe dessus.

Les drapeaux rouges « automatiques »

Les dangers qui menacent une vente complexe sont pratiquement innombrables. Beaucoup seront abordés dans cet ouvrage. Mais nous tenons cependant à commencer par signaler cinq points si importants et si dangereux pour les ventes, que nous les considérons comme des zones de drapeaux rouges « automatiques ».

Le renseignement manquant

Au cours de l'atelier personnel que vous venez d'effectuer pour déterminer vos influences d'achat, nous vous avons demandé de placer un autocollant rouge à côté du nom de chaque responsable dont vous ne saisissez pas bien le rôle, et aussi dans toutes les cases ne comportant pas le nom de l'acteur clé. Dans les deux cas, il s'agissait de mettre en lumière des zones où il vous *manque les renseignements* nécessaires pour comprendre pleinement la vente. Vous devriez toujours voir dans ce manque d'information le signe que *votre vente est en danger*, que ce manque de données concerne soit vos influences d'achat soit tout autre élément clé introduit ultérieurement dans cet ouvrage.

Chaque fois que vous avez une question sans réponse à propos de la vente, il est temps de revoir votre position.

L'information incertaine

Il importe tout autant de repenser votre position si la réponse est vague ou provisoire. Au cours de nos séminaires de Vente Stratégique, nous voyons clairement la différence entre des situations où les vendeurs manquent de données pertinentes, et le savent, et celles où ils ont des informations mais en saisissent mal le sens par rapport à la vente. Cette dernière situation est souvent plus risquée que la première. Au moins quand vous savez qu'il manque une pièce de puzzle, vous pouvez vous mettre en quête de la retrouver. Mais nanti d'une pièce qui « a l'air d'aller », mais ne s'adapte pas tout à fait, vous courez le risque de faire entrer de force dans votre analyse ce que vous « savez » déjà et d'ignorer ce que vous avez *besoin* de savoir.

L'incertitude face aux renseignements « connus » constitue un tel obstacle à la réussite de la vente, que nous allons vous donner le même conseil qu'aux participants à nos séminaires. Chaque fois que vous êtes « presque sûr » ou « quasi certain » ou « à 90 % convaincu » que vous comprenez un renseignement nécessaire à la conclusion de l'affaire, *réexaminez-le* et mettez-y un autocollant rouge.

Toute influence d'achat non contactée

Nous avons également mentionné cette zone de drapeau rouge au cours du dernier atelier, lorsque nous vous avons demandé de placer un autocollant à côté du nom de toute personne jouant un des rôles d'influence d'achat pour votre vente, et qui n'avait pas encore été contactée par vous-même ou par quelqu'un que vous jugiez mieux approprié. *Toute influence d'achat ignorée est une menace.* Nous appelons parfois cet acheteur un attaquant non marqué. La comparaison avec le football vous donne une idée exacte des ennuis que vous courez si vous omettez de contacter ou de marquer chaque joueur clé. Il est toujours possible de gagner un match sans de bons arrières ou un bon gardien de but, et il est toujours possible de mener à terme une vente complexe sans contacter tous les acteurs utiles. Mais cela se fera dans la plus extrême incertitude. Alors à quoi bon essayer ? Il ne s'agit pas de contacter et de convaincre chaque personne vous-même, cette stratégie n'est pas toujours la plus efficace, mais de mettre sur pied un système grâce auquel tous ceux qui occupent un des quatre rôles d'influences d'achat seront contactés par *quelqu'un.* C'est un élément capital pour vous en tant que responsable de votre vente complexe. Comme tout entraîneur d'équipe, votre rôle est de vérifier que chaque poste sur le terrain est occupé par *le joueur le mieux qualifié.*

Dans certains cas, ce sera vous, dans d'autres, ce sera un collègue, ou une des influences d'achat favorables à votre offre ou votre coach. Nombre de nos clients, Aramark, Coca-Cola, Hewlett-Packard pour ne citer qu'eux, choisissent la stratégie de la *vente* entre homologues pour quadriller tout le terrain. Ils savent bien que leurs collaborateurs se sentent en général plus à l'aise avec ceux de même rang qu'eux ; ils mettent au point un système de contacts au cours desquels un vice-président parle avec un autre vice-président, des cadres moyens à d'autres cadres moyens, des avocats à d'autres avocats, etc. Le système n'est jamais tout à fait le même, car une vente ne ressemble jamais à une autre. Toutes celles qui réussissent ont cependant un point commun : aucune influence d'achat n'est oubliée.

La nouvelle influence d'achat

De nouveaux arrivants apparaissent sur le terrain, sortez automatiquement votre drapeau rouge, surtout si vous n'avez pas encore pris contact avec eux. Même si le contact avec les nouvelles influences d'achat potentielles est établi, considérez-les néanmoins comme des menaces possibles pour la vente, jusqu'à ce que vous ayez déterminé avec précision quel rôle elles tiennent et ce qu'elles pensent de votre offre. Cela peut paraître d'une prudence excessive, mais les rôles des influences d'achat, et donc leur perception, subissent des changements si subtils et rapides dans les ventes complexes, que ce n'est que simple bon sens.

Un ami, qui vend de l'équipement hospitalier, s'aperçut, après avoir effectivement *conclu* un marché avec un grand hôpital, combien il était risqué de minimiser le risque représenté par un nouvel acteur. L'acheteur économique était un vice-président expert financier du nom de Richard. Il avait déjà passé commande quand une femme, nommée Carole Laurier devint vice-présidente. Notre ami crut, à tort, que l'affaire était bien établie, parce que l'encre était sèche. Il se dit que peu importait Laurier, et prit quelques jours de vacances. A son retour, la commande était toujours sur le quai de livraison et il rata une belle commission. Laurier, la nouvelle acheteuse économique, avait annulé la décision de Richard et pris une décision en faveur d'une offre moins coûteuse.

Ignorer ainsi une nouvelle influence d'achat est une piètre façon de mener une vente. Le bon exemple nous est proposé par un de nos clients dans une compagnie d'assurance. Il était en pleine négociation pour un contrat d'assurance de groupe avec une société de trois mille salariés, quand celle-ci fit appel à un consultant extérieur. Notre client savait que son concurrent majeur dans cette affaire, une des plus importantes compagnies d'assurance du pays, n'était pas aussi bien placé que lui auprès du client. S'il s'était reposé sur ses lauriers et avait oublié qu'il faut toujours se méfier des nouveaux acteurs, il aurait ignoré le consultant et l'aurait regretté jusqu'à la fin de ses jours. Heureusement, il connaissait le concept du drapeau rouge et repéra donc aussi la menace. Au lieu de l'ignorer, il prit contact avec lui, et réussit à le convaincre qu'il était dans l'intérêt de tous (y compris du consultant lui-même) que sa compagnie obtienne la commande. Son concurrent, qui avait pourtant une réputation plus établie, pour *avoir* ignoré le consultant, se trouva stratégiquement surclassé et notre client emporta le morceau. Exemple classique du vendeur stratège, capable de faire d'un acheteur technique, potentiellement dangereux, un précieux allié.

Les nouvelles influences d'achat ne doivent pas *rester* des menaces. Au contraire, un de vos rôles de vendeur consiste à transformer le plus possible de ces nouveaux arrivants en supporters, de votre offre. Mais ceci n'est possible que si vous les prenez tous en compte et si vous refusez de considérer aucun d'eux pour acquis à votre cause.

La réorganisation

L'arrivée d'une nouvelle influence d'achat est un signal d'alarme relativement facile à repérer. La difficulté est bien plus grande quand, chez un client donné, les visages restent les mêmes, leurs titres et fonctions présumés restent les mêmes, et pourtant leur *rôle* dans votre vente est très différent de celui qu'ils y tenaient de par le passé. L'identité des personnes en position d'influence d'achat changent constamment, même dans les sociétés les plus stables, et, par conséquent, il vous faut re-identifier vos acheteurs à chaque nouvel objectif de vente. Cette exhortation est deux fois plus importante quand l'entreprise cliente subit ou vient de subir une réorganisation interne quelconque.

De nos jours, bien sûr, ce type de changement est plutôt la règle que l'exception. En cette fin de siècle nous sommes submergés par les optimisations d'effectifs, le *reengineering* et les fusions et acquisitions. En conséquence, il y a toujours une entreprise en cours de restructuration. Un homme averti en vaut deux. Aussi dès que vous entendez parler de recrutements, de licenciements, de promotions, de fusions ou d'acquisitions et de tout ce qui peut modifier la structure organisationnelle de vos décisionnaires, vous devriez sortir vos drapeaux rouges. Quand la réorganisation se fait à grande échelle, elle est généralement assez facile à repérer. Si deux énormes sociétés fusionnent ou si la présidence d'un consortium change de mains, ce n'est pas bien sorcier de deviner que cela risque d'affecter votre vente. Le repérage de ce cinquième drapeau rouge est beaucoup plus ardu quand la réorganisation est subtile et interne. Une des plus difficiles est celle où les acteurs conservent leur titre et leurs responsabilités apparentes dans la société, mais n'ont plus la même autorité. Nous connaissions le vice-président d'un grand groupe de produits de consommation, par exemple, qui avait occupé le même bureau et exercé en gros les mêmes responsabilités pendant dix ans. Ces dernières comprenaient le fait de donner son accord à toute vente excédant cent mille francs dans sa division. Il était, pour ces ventes-là, l'acheteur économique. Puis il fut « promu ». Il garda le même bureau, avec une modeste augmentation de salaire, et pour l'observateur extérieur superficiel il paraissait jouir des mêmes privilèges et exercer les mêmes responsabilités. Mais il n'en était rien. Comme on le voit dans bien des exemples de cadres qui montent en grade d'un seul coup, il avait perdu son rôle d'influence d'achat économique en recevant un titre « supérieur ». Après sa promotion, les ventes d'un montant de cent mille francs et plus devaient recevoir l'aval d'un « jeune » responsable dans son petit bureau. Le vendeur qui, sans réfléchir, présumait que rien n'avait changé, aurait facilement pu perdre du temps, et mettre sa vente en péril, en présentant ses offres à un acheteur économique qui n'existait plus.

En ces temps de fusion à répétition et de charivari administratif, la réorganisation est très fréquente dans une société. Comme le disait un de nos stagiaires, se plaignant d'un banquier dont les paiements étaient notoirement irréguliers : « Ils payent « régulièrement » à quatre-vingt-dix jours. La réorganisation est le plus important drapeau rouge qui soit. » Un mot à qui de droit devrait suffire. Chaque fois que l'acheteur change de pédalier, procédez à un nouvel examen de la société et à une nouvelle identification des acteurs qui tiennent les quatre rôles d'influences d'achat. Les cinq zones de drapeau rouge traitées ici, et mises en lumière dans l'encadré suivant, sont les plus évidentes et les plus dangereuses pour vos ventes complexes. Mais elles ne sont que la partie visible de l'iceberg. Toute vente peut être bloquée d'innombrables façons. Par conséquent, la réussite dépend directement de la vigilance constante face aux risques. La technique du drapeau rouge pour localiser ces dernières n'est véritablement efficace que si elle est bien intégrée dans votre stratégie, et que si vous l'utilisez sans cesse au point que cette méthode devienne une seconde nature.

DRAPEAUX ROUGES

Manque d'information capitale

Information incertaine

Toute influence d'achat non contactée

Arrivée d'une ou de plusieurs nouvelles influences d'achat

Réorganisation

Contrôle et occasion favorable

Utilisée de cette façon, la technique du drapeau rouge est un moyen de « remise en cause constante », un mécanisme de contrôle qui permet au vendeur stratège de se maintenir en position de vente efficace face à n'importe quel aléa. A chaque fois, il vous montre en quoi votre position actuelle se présente mal et en quoi une alternative peut être nécessaire.

Les drapeaux rouges vous permettent de tester et de reconsidérer votre position face au changement, considérez-les donc toujours comme *positifs* et non pas comme négatifs. L'idéal est qu'ils vous servent non seulement de panneaux « attention danger », mais de signaux indiquant des opportunités qui, sans eux, auraient pu vous échapper. Les meilleurs vendeurs comprennent qu'une analyse stratégique sans drapeaux rouges est dépourvue d'opportunités. A l'instar du stagiaire qui découvrit qu'il « n'avait même pas de prospect », les drapeaux rouges *font le bonheur* des plus forts. Ils savent que, sans une étude permanente de leur position, offerte par ce système, il est facile de se bercer d'illusions.

Les risques en matière de vente, comme sur les routes, sont d'autant plus grands qu'ils sont cachés et non balisés. C'est pourquoi ceux que la peur ou l'embarras empêche de repérer ce qui ne va pas dans leur position finissent toujours par quitter la route. Ils se laissent bercer par une confiance aveugle jusqu'au moment où, voyant la vente échouer lamentablement, ils paniquent complètement.

Si vous vous souvenez du « continuum euphorie-panique » présenté au chapitre 3, vous vous rappelez que l'euphorie, tout comme la panique, signifie que vous avez perdu contact avec la réalité. Le « système d'avertissement anticipé » par drapeau rouge vous force à découvrir ce qui est caché, et donc à toujours être en contact avec la réalité.

La meilleure part de la stratégie : opérer à partir d'une position de force

Vous avez placé un drapeau rouge : comment l'éliminer ? En opérant à partir d'une *position de force*. Ce principe est en quelque sorte la « meilleure part » de la technique du drapeau rouge. Il vous permet de transformer les faiblesses mises à jour par vos drapeaux rouges en autant d'occasions d'améliorer votre position.

Avant de pouvoir utiliser ce principe de façon efficace, nous devons définir ce que nous entendons par forces. Pour beaucoup de commerciaux, une « force » recouvre n'importe laquelle des caractéristiques ou des bénéfices à propos desquelles ils peuvent gloser, n'importe quel aspect de leur produit qu'un observateur objectif pourrait considérer comme un plus. C'est une erreur. Chez Miller Heiman, nous ne pensons pas qu'un produit ou service ait des bénéfices intrinsèques, il n'a que ceux que que le client perçoit dans une situation particulière et à un moment donné. A notre avis, cela n'a aucun sens de dire qu'un produit, un service ou une solution donnée est objectivement meilleur qu'un autre. Quelle que soit votre proposition, elle n'offre d'avantage réel que si le client en est convaincu, lorsqu'il voit la valeur que vous apportez à son entreprise.

Étant donné le caractère subjectif et orienté client de cette perspective, il n'est pas étonnant que nous soyons précis, certains clients disent même « pinailleurs » sur la définition des forces stratégiques. Dans la Vente Stratégique, et chez Miller Heiman, une véritable force stratégique doit satisfaire aux critères suivants :

1. Être une force sur le plan de la différenciation

Ce qui signifie que le client ou le prospect doit percevoir une différence entre la solution que vous proposez et toutes les autres options. C'est bien de dire que le PC que vous vendez a 4 milliards de mega de RAM, mais si tous les autres PC sur le marché ont également les mêmes caractéristiques, alors votre capacité en RAM n'est pas une force telle que nous l'entendons. De plus, même si vous êtes le seul fournisseur à offrir cette performance déclarée, vous ne disposerez d'une force que si elle est importante pour le client. Si le client ne voit pas en quoi votre « différence » fait la différence pour lui, alors votre caractéristique ou votre bénéfice fantastique peut ne rien valoir du tout.

2. Une force améliore votre position

L'utilisation d'une force améliore vos chances de succès dans le cadre de l'objectif unique de vente pour lequel vous établissez une stratégie. Sinon, par définition il ne s'agit pas d'une force. Comme nous l'avons déjà dit le « positionnement » n'est qu'une variante du mot stratégie et la raison d'être de la stratégie est de vous aider à comprendre où vous êtes, de façon que vous puissiez prendre les mesures qui s'imposent pour que vous et votre société puissiez aboutir. Aussi, tout ce qui peut vous aider à mieux comprendre la situation – à condition qu'il s'agisse également d'un domaine de différenciation – peut être considéré comme une force stratégique. Tout ce qui vous empêche de le faire doit être indiqué par un drapeau rouge.

3. Une force doit avoir un rapport avec votre objectif unique de vente

Ce qui signifie qu'elle doit compter pour le client dans le cadre de l'objectif spécifique de vente que vous poursuivez en ce moment, ce que nous avons appelé votre objectif unique de vente. En établissant nos plans stratégiques, nous nous concentrons sur un seul objectif à la fois. Ces plans doivent englober les forces qui y sont adaptées. Si vous êtes un fournisseur de prêt-à-porter et que vos vestes sont largement reconnues comme étant les plus chaudes du marché, cela pourrait bien constituer une force si vous vendez aux magasins de détail en Scandinavie. Ce ne sera pas le cas si vous vous lancez sur un nouveau marché aux Caraïbes.

En évaluant vos domaines d'avantages supposés au regard de ces trois critères, vous pourrez déterminer lesquelles sont de véritables forces. Dès que vous l'aurez fait, vous serez en mesure de vous en servir comme point d'appui pour éliminer vos drapeaux rouges. (voir ci-dessous)

FORCES

⇨ Domaines de différenciation

⇨ Opportunités qui peuvent être utilisées pour améliorer votre position

⇨ Doit être en rapport avec l'objectif de la vente en cours

⇨ Minorer l'importance de la comparaison des prix

Éliminer les drapeaux rouges : ce qu'il faut faire et ne pas faire

Il est surprenant qu'un principe d'une telle efficacité en pareil domaine soit si rarement employé, même par les très bons vendeurs. Beaucoup d'entre eux, confrontés à un obstacle bien visible, soit s'acharnent à le faire bouger, soit le contournent comme s'il n'existait pas. Ces deux réactions sont des façons d'éviter l'inconnu mais ont toutes deux, un effet boomerang : elles propulsent le vendeur *dans* l'inconnu et la commande revient au concurrent. Pour comprendre que ces réactions mènent à l'échec, et la *position de force* aux succès, considérez un scénario de vente type. Supposez que vous soyez aux prises avec un client chez qui les deux acteurs principaux sont un directeur de production faisant office d'acheteur utilisateur, et un vice-président directeur financier dans le rôle d'acheteur économique. L'acheteur utilisateur est, de toute évidence, de votre côté ; il est prêt à vous passer commande. Mais l'acheteur économique refuse de signer. En outre, vous ne parvenez même pas à l'approcher. Comme bon nombre d'acheteurs économiques, celui-ci est inaccessible au vendeur et ne veut même pas vous répondre au téléphone. Considérons trois approches possibles.

Scénario n° 1 : vous acharner

Dans ce cas fort courant, vous présumez que, si vous n'avez pas réussi à rencontrer le directeur financier, c'est faute d'avoir vraiment essayé. C'est à *cause de vous* que l'acheteur économique est inaccessible. Si vous adoptez simplement une attitude plus positive et continuez à laisser des messages téléphoniques, votre obstination sera récompensée. Nous vous avons déjà dit tout le mal que nous pensions de cette « bonne attitude morale ». Mais si le destin (ou une secrétaire) vous sourit et que vous obteniez cinq minutes d'entretien avec le vice-président, il est plus qu'improbable que vous puissiez le tourner à votre avantage : vous serez toujours le même inconnu qu'avant d'entrer. Et vous risquez donc fort d'exposer vos faiblesses.

Scénario n° 2 : ignorer l'obstacle

Là, vous oubliez complètement l'influence d'achat économique. Vous acceptez le fait de ne pas la voir et concentrez votre présentation sur l'influence d'achat utilisateur qui vous est déjà favorable. Il n'y a certes rien de mal à discuter avec un acheteur utilisateur qui penche en votre faveur (en fait, si vous n'en faites rien, vous pouvez créer un nouvel obstacle). Mais, comme aucune vente ne peut se faire sans déblocage de fonds, vous serez toujours en position de faiblesse pour la conclure si vous ne parlez qu'avec l'utilisateur. Une influence d'achat économique non contactée est un drapeau rouge important dans toute vente. Compter sur vos bons rapports avec l'utilisateur acheteur pour contrebalancer cette sérieuse faiblesse revient à prétendre gagner aux cartes sans atout majeur.

Scenario n° 3 : opérer à partir d'une position de force

Pour qu'une stratégie ait les meilleures chances de réussir dans ce genre de situation, il importe d'opérer à partir d'une *position de force*.

Partant de ce principe, demandez à l'acheteur utilisateur de vous aider à entrer en contact avec l'acheteur économique. En faisant de l'utilisateur votre coach pour la vente, vous opérez à partir d'une position solide (elle veut que vous vendiez) pour éliminer un drapeau rouge (ce peu d'empressement que met le vice-président à vous rencontrer). Vous pourriez lui dire : « Cette vente est, de toute évidence bonne pour nous deux, Pauline, mais ces messieurs de la finance refusent de déserrer les cordons de la bourse. Comment leur démontrer que cet achat va accroître la productivité ? »

Pauline aura sa petite idée là-dessus.

Elle peut simplement vous proposer de vous présenter le vice-président. Elle peut vous proposer d'exposer l'affaire à votre place, ou suggérer que vous y alliez tous les deux. De toute façon, en tant que directeur de production dans la propre entreprise du vice-président, Pauline est déjà plus crédible que vous aux yeux de l'influence d'achat économique ; comme vous êtes bien perçu par Pauline et qu'elle veut que vous décrochiez la vente, elle est la candidate idéale au rôle de coach.

L'acheteur utilisateur peut ou non devenir votre coach pour cette vente. Mais l'impliquer dans votre tentative d'approche de l'acheteur économique aura au moins pour effet de consolider votre position face à elle. Le mieux serait de tirer profit de ce point fort pour améliorer votre position d'ensemble dans la vente. L'important est que « quelqu'un » s'occupe de l'influence d'achat économique-drapeau rouge ; un utilisateur amical peut vous aider à trouver la personne la plus apte à le faire.

Parlant de l'avantage mécanique d'un levier simple et d'un pivot, le mathématicien Archimède aurait dit qu'avec un levier assez long et un endroit pour placer le pivot, il pouvait soulever le monde. Cette conjecture apparemment extravagante illustre un principe important et une réalité non moins importante ; un levier nous aide, par une force indirecte, à déplacer des objets que nous ne pourrions jamais remuer avec une force directe égale, ou même plus grande.

Ce principe s'applique aussi bien à la vente qu'à la mécanique. Vous gagnerez un avantage stratégique certain en exerçant une pression indirecte plutôt que directe sur des influences d'achats récalcitrantes ou inaccessibles. Se repositionner en matière de Vente Stratégique implique essentiellement de rechercher, à l'instar d'Archimède, la place idéale pour votre « pivot ». Vous vous apercevrez invariablement qu'elle se situe à l'endroit même où vous êtes déjà solidement implanté.

Pour résumer notre deuxième élément clé de stratégie, nous pouvons dire que le double principe drapeaux rouges, opérer à partir d'une position de force comporte trois techniques consécutives :

1 – Localisation des zones de faiblesse (drapeaux rouges).

2 - Localisation des points forts.

3 - Emploi de ces points forts pour éliminer les drapeaux rouges.

Vous allez maintenant utiliser ce double principe dans un atelier personnel, afin d'évaluer votre position par rapport aux influences d'achat pour l'objectif de vente choisi.

Atelier n° 3 : drapeaux rouges - influences d'achat

Au cours de l'atelier effectué au chapitre 3, vous avez évalué vos sentiments concernant votre position face au changement rapide et constant. Maintenant que vous avez pris connaissance des deux premiers de nos six éléments clés, vous pouvez réexaminer cette position selon des critères objectifs. Reprenez votre tableau des influences d'achat (établi dans le chapitre précédent) et vos drapeaux rouges.

Etape n° 1 : repérez les drapeaux rouge et les points forts

Utilisez vos drapeaux rouges pour identifier vos incertitudes. Placez-en un dans la ou les cases du tableau d'influences d'achat pour laquelle vous n'avez pas repéré au moins un acteur. Puis, en vous souvenant des situations déjà évoquées, où s'imposaient automatiquement un drapeau rouge, mettez-en à côté du nom d'un des acteurs suivants.

1 – toute personne sur qui vos informations sont insuffisantes ; qui présente un problème non résolu.

2 – toute personne sur qui vos informations sont peu claires ou incertaines.

3 – toute fonction non couverte, toute personne non contactée.

4 – tout acteur nouveau.

5 – tout acteur inclus dans une restructuration récente ou actuelle de l'entreprise.

Une fois repérés, les obstacles mettez-vous à la recherche des points forts qui pourraient vous servir de base pour les éliminer.

Qui, parmi vos influences d'achat sont les plus enthousiastes sur votre offre ?

Leur avez-vous déjà demandé de vous aider à trouver une position plus solide ?

Lesquelles peuvent être utilisés comme coaches ?

Sur votre tableau des influences d'achat, placez une marque de point fort là où vous pensez que votre position est particulièrement solide.

Puis testez chacune de ces positions en vous posant les questions suivantes :

- Cette force nous différencie-t-elle de la concurrence sur un plan qui compte pour le client ?
- Cette force est-elle en relation directe avec mon objectif unique de vente actuel ?
- En prenant appui sur cette force, me sera-t-il possible d'améliorer ma position par rapport à cet objectif ?

A moins que vous ne puissiez répondre par l'affirmative à chacune de ces questions, il est probable que vous n'avez pas identifié la force qui vous est nécessaire. Réexaminez la situation pour voir si vous devez enlever l'une ou l'autre des forces identifiées.

En cherchant à placer votre « pivot », ne *perdez pas de vue votre grille de positionnement*. A savoir, notez si vous êtes toujours bien placé avec une certaine catégorie d'influences d'achat et hors course avec les autres. Nous avons déjà indiqué à quel point il est dangereux d'adopter, pour les ventes complexes, l'approche traditionnelle, qui consiste à bâtir la vente sur ceux que vous connaissez depuis le plus longtemps, que vous pouvez contacter le plus facilement ou avec qui vous vous sentez le plus à l'aise, tout en ignorant les autres influences capitales. Le fait de vérifier si votre grille couvre toutes les influences d'achat vous aidera à déterminer si oui ou non vous ne tombez pas dans ce piège.

Le principe fondamental est ici le suivant :

Pour conclure une vente valable, il vous faut couvrir *tous* les acteurs clés tenant les *quatre* rôles d'influences d'achats.

Accordez-vous cinq ou dix minutes pour analyser l'ensemble de votre tableau des influences d'achat.

Réfléchisscz à chaque drapeau rouge, chacun à son tour, en considérant ce qu'il vous offre pour améliorer votre position. Et pour chacun d'eux, localisez un point fort possible à partir duquel travailler.

Etape n° 2 : révisez votre liste de positions alternatives

Vous possédez désormais sur votre client des renseignements beaucoup plus complets que lorsque vous avez dressé la liste de positions alternatives (voir chapitre 3). A partir de maintenant vous allez engager un processus qui se poursuivra tout au long des autres ateliers du livre. Vous allez vous servir des renseignements que vous venez d'acquérir pour réviser et allonger cette liste ; ainsi, parvenus à la sixième partie du livre, où vous rédigez un plan d'action pour l'objectif de vente choisi, vous aurez travaillé plusieurs fois sur votre liste de positions alternatives, et vous aurez fait le schéma de base de votre plan d'action.

Étant donné que vous poursuivrez ce processus de réexamen permanent tout au long du livre, nous vous proposons ici quelques indications de base pour améliorer votre efficacité. Au fur et à mesure que vous reprenez la liste point par point, gardez *une vue d'ensemble*, soyez précis, et *testez* vos positions alternatives.

Par vue *d'ensemble*, nous voulons dire que vous ne devez pas vous inquiéter à ce stade si chacune de vos positions alternatives n'est pas idéale dans la situation actuelle. Les éléments clés de stratégie non encore indiqués vous aideront à affiner la liste jusqu'à ce qu'il ne reste que les meilleures options. Mais pour le moment n'en jetez pas trop. Il est encore trop tôt pour mettre tous vos œufs dans le même panier.

Soyez précis parce qu'il ne s'agit pas d'établir une liste de principes théoriques de vente; vous mettez au point un schéma de base pour votre objectif de vente donné. En faisant la liste des alternatives, il ne suffit pas de vous remonter le moral et de décider qu'avec Alain Legrand « tout ira mieux ». S'il est l'acheteur économique pour la vente mais ne vous laisse pas franchir sa porte, parvenir jusqu'à lui n'est pas une position alternative efficace. Il vaut mieux noter quelque chose comme : « Convaincre Danièle Brun (mon utilisateur enthousiaste) de démontrer à Legrand comment nous pouvons accroître leur productivité de 15 % ».

Certes, l'aide amicale de Brun pour parvenir jusqu'au patron ne conclura pas la vente à votre place. Elle ne fera que vous débarrasser d'un drapeau rouge. Une fois face à Legrand, de nouveaux drapeaux rouges peuvent apparaître (peut-être a-t-il eu, par le passé, des expériences fâcheuses avec votre entreprise, ou alors la productivité n'est pas une priorité essentielle en ce moment) et vous devrez alors réexaminer votre position. Avancez pas à pas et servez-vous sans cesse du principe du levier tout en progressant vers votre but.

Enfin, testez chaque position alternative. Ne concluez pas rapidement qu'en cas de mauvaise position, un *quelconque* changement ne peut être qu'en votre faveur. Toute position alternative sur votre liste devrait avoir un de ces deux effets :

1 - Tirer profit d'un point fort.
2 - Éliminer un drapeau rouge, ou au moins en réduire les effets.

Bien entendu, les meilleurs positions alternatives font les *deux*. Dans l'exemple précédent, convaincre Danièle Brun d'aller voir Alain Legrand tire profit d'un point fort (un utilisateur bien disposé) et en même temps vous débarrasser d'un drapeau rouge (la réticence d'un acheteur économique à vous rencontrer). Ne prenez pas la peine d'inscrire les positions alternatives qui n'atteignent pas *au moins* un de ces deux objectifs.

Nous introduisons le principe du drapeau rouge – point fort au début de notre méthode, pour que nos participants l'utilisent dans leur analyse de tous les éléments clés qui suivent. Le mécanisme de vérification que vous avez appliqué ici à votre objectif actuel, vous sera utile tout au long du cycle de vente. Nous y reviendrons périodiquement au cours du livre. Mettez de côté votre tableau des influences d'achat et votre liste de positions alternatives, mais gardez-les à portée de main. Vous aurez bientôt à les compléter.

7

LE NIVEAU DE RÉCEPTIVITÉ
DE L'ACHETEUR

J USQU'À PRÉSENT vous avez porté vos efforts sur votre façon de percevoir
la situation commerciale pour éclairer votre position par rapport à votre
objectif actuel et mettre en lumière les zones d'incertitude dans votre stratégie. Vous allez maintenant vous attacher à la perception des différentes
influences d'achat concernées par votre vente.

Comme nous l'avons évoqué, après avoir identifié tous ces acheteurs, la
prochaine étape consiste à découvrir quels sont les sentiments de chacun
d'eux par rapport à ce que vous essayez de réussir dans leur société.

Le troisième élément clé de stratégie - les réactions d'achat – clarifiera la
perception qu'ils ont, de votre offre et vous permettra de trouver une position plus efficace face à chacun d'eux.

Vous devez être capable de juger de la réceptivité de l'acheteur à votre offre,
car, si vous ne le comprenez pas, vous risquez fort d'en arriver à essayer de
convaincre un responsable qui n'est pas vraiment au courant, quelqu'un dont
la perception de la réalité est si différente de la vôtre qu'il est absolument incapable de comprendre pourquoi la vente interviendrait de toute façon.

Les vendeurs qui négligent la réceptivité de l'acheteur tombent fréquemment dans un de ces trois pièges fatals :

    1 - Ils prennent leur *propre* perception de la réalité comme élément
        central de la vente.

2- Ils partent du principe que leur perception de la réalité est la *même* que celle de l'influence d'achat.

3 - Ils admettent que la perception de l'influence d'achat diffère de la leur, mais en concluent qu'elle est *erronée* et *non pertinente*.

Notre troisième élément clé de stratégie a pour but de vous aider à éviter ces fréquentes erreurs de jugement en vous concentrant sur ce qui compte vraiment dans la vente : comment l'influence d'achat risque-t-elle de réagir au *changement* apporté par votre offre.

Le changement : le facteur inconnu

Au cours de l'atelier du chapitre 3, vous avez fait une liste des changements causés par votre environnement commercial actuel. Vous avez analysé les sentiments qu'ils vous inspiraient par rapport à l'objectif de vente déterminé. Vous vous souvenez que certains changements apparaissaient avant tout comme positifs, alors que d'autres constituaient surtout des menaces. De même, quels que soient les « faits » extérieurs de votre environnement, la plupart des changements peuvent être perçus tantôt comme des menaces, tantôt comme des opportunités, en fonction de votre réaction.

Ceci s'applique également aux personnes qui ont un rôle d'influence d'achat dans votre vente. Les changements, dont vous avez fait la liste, influent aussi sur leur environnement professionnel, et, comme vous, elles peuvent réagir à ces éléments de façon très diverse. Mais, en outre, elles doivent faire face à *un* changement particulier, que, par définition, vous percevrez comme une opportunité mais qui peut leur apparaître facilement comme une menace. C'est *votre offre de vente elle-même.*

Il ne vous plaît sans doute guère de penser à vos offres comme à des menaces, mais les influences d'achat peuvent, et c'est souvent le cas, les voir précisément de cette façon. Le vendeur stratège comprend que *chaque fois que vous demandez à quelqu'un d'acheter quelque chose, vous lui demandez de procéder à un changement.*

Il se peut que ni le vendeur ni l'influence d'achat n'identifie consciemment l'offre de vente comme une offre de changement, mais le changement est néanmoins *un facteur clé dissimulé dans chaque vente.* Les réactions des individus diffèrent, et pratiquement tout changement peut être perçu comme une menace ou comme une opportunité. Il est toujours possible qu'un responsable juge votre offre comme une menace, même s'il est « évident » pour vous que c'est faux.

Le vendeur qui n'est pas stratège ignore souvent le facteur caché du changement. Ébloui par l'élégance de votre propre présentation ou impressionné par la « parfaite concordance » entre votre produit et les besoins réels d'acheteur, vous pouvez négliger la possibilité que celle-ci perçoive l'offre comme un changement menaçant ou peu souhaitable, et présumer qu'il y répondra de la seule façon « évidente » et sensée : à savoir par l'affirmative.

L'expérience nous a maintes fois prouvé, ainsi qu'à nos clients, que cette approche à courte vue est dangereuse.

Pour excellentes que soient les « données » d'une vente, elles n'en paraîtront pas moins inquiétantes à votre influence d'achat. Si tel est le cas, ce sont elles et non la façon dont elle les perçoit qui sont inopportunes à la vente. En tant qu'acheteur. C'est en comprenant précisément la perception qu'a l'acheteur de la réalité que vous pourrez prévoir sa réaction à votre offre.

La perception qu'a l'acheteur de la réalité

La « perception de la réalité » ne signifie pas ici le point de vue général sur la vie, la philosophie ou une conception globale des affaires de l'acheteur. Nous voulons parler de sa perception d'une situation professionnelle concrète et de son opinion sur ce qui se produira si le changement que vous proposez est accepté. Une influence d'achat peut avoir quatre façons différentes d'appréhender une situation commerciale. Nous parlons de réactions d'achat. Chaque réaction résulte d'une perception différente de la réalité professionnelle concrète. Et chacune mène à un degré différent de réceptivité chez l'acheteur face aux offres de vente qui lui parviennent.

Ces quatre façons d'appréhender la réalité conduisent chacune à une réaction d'achat différente, et chaque réaction d'achat mène à un degré différent de réceptivité. Aussi le vendeur stratège doit-il mettre au point *une approche différente pour chacune des quatre perceptions.* Nous allons vous montrer comment, en présentant les quatre réactions d'achat.

Nous insistons cependant sur le fait que ces réactions d'achat ne décrivent *nullement* une attitude ou une personnalité. Ce ne sont pas des catégories de personnes mais des descriptions de la façon dont les responsables influents perçoivent une situation concrète et déterminée. Elles vous indiquent où en est votre interlocuteur par rapport au changement précis que vous proposez. C'est tout. On peut parler de telle influence d'achat réagissant de telle façon face à une situation professionnelle donnée. Mais il est absurde de dire que quelqu'un réagit *toujours* ainsi.

Il s'agit là d'un point capital, parce que dans bon nombre de cas, vous allez vendre à quelqu'un de décidé, préoccupé de croissance, et qui, au moment où vous l'abordez, ne voit que perturbation dans votre objectif de vente. Si vous vous concentrez sur l'aspect désagréable de sa personnalité, vous risquez à tort d'en conclure que jamais vous ne franchirez sa porte. Mais si vous utilisez l'élément clé des réactions d'achat pour comprendre sa position, vous vous rendrez peut-être compte que c'est le moment choisi qui n'est pas le bon. Un changement de timing peut faire de cette influence d'achat votre plus ardent supporter : comme nous allons le voir maintenant, la perception qu'a l'influence d'achat de la réalité, comme presque tout ce qui touche à la vente complexe, est souvent éminemment fluctuante. En comprenant ce troisième élément clé de stratégie, vous pouvez le tourner à votre avantage.

8
ÉLÉMENT CLÉ N°3 :
LES QUATRE RÉACTIONS D'ACHAT

V OUS N'ÊTES PAS SANS SAVOIR que prévoir ce comportement, c'est-à-dire prévoir le moment adéquat pour contacter les influences d'achat, est une des grandes inconnues dans la plupart des ventes ; savoir quand contacter un client est souvent aussi important, mais généralement plus imprévisible, dans vos prospections que connaître les besoins du client. Vous pouvez proposer un produit qui s'adapte à merveille à ses besoins, mais si vous arrivez au mauvais moment du mois, ou de la semaine ou du cycle commercial, vous risquez, sans y être pour rien, de vous heurter à un mur.

Dans ce chapitre nous tentons de dissiper l'incertitude qui entoure la connaissance du moment opportun.
Voici une règle empirique qui rendra moins incertain le moment de contacter un acheteur :

Une personne achète quand il existe un écart entre la perception de la réalité et les résultats qu'il ou elle espère.

Malgré les nombreux facteurs susceptibles de jouer sur une décision d'achat, cette règle est vraie dans toutes les situations d'achat. La comprendre peut vous être plus utile que lire des documents sur la psychologie de l'acheteur parce que l'écart de perception est la clé de la réceptivité de l'acheteur.

Nous avons déjà indiqué qu'il en existait toujours quatre types possibles pour un acheteur dans une situation commerciale donnée. La première est la plus favorable des quatre est celle que nous avons appelé *la croissance*.

Première réaction type : la croissance

La perception de l'influence d'achat en réaction de croissance est exposée dans le tableau suivant.

La ligne inférieure montre ici la façon dont l'acheteur perçoit la *réalité* de la marche actuelle de ses affaires. La ligne supérieure indique où il voudrait qu'elle soit : les *résultats* souhaités. L'espace entre les deux lignes est l'*écart* entre la réalité et les résultats attendus. C'est à cause de cet écart que la probabilité que l'acheteur réagisse – y compris en acceptant votre proposition – est élevée.

Nous le précisions en haut du tableau et pour le faire bien comprendre nous avons utilisé le petit symbole de Miller Heiman pour indiquer la force.

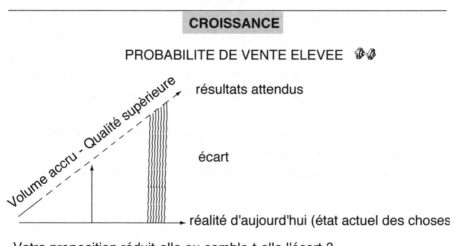

CROISSANCE

PROBABILITE DE VENTE ELEVEE

Volume accru - Qualité supèrieure

résultats attendus

écart

réalité d'aujourd'hui (état actuel des choses

Votre proposition réduit-elle ou comble-t-elle l'écart ?

Un acheteur en réaction de croissance, est, par définition, prêt à dire oui à l'offre de *quelqu'un*, mais pas forcément à la vôtre. Il perçoit l'écart important et, vu son état d'esprit, il croit que le seul moyen de le combler est par des résultats plus importants ou meilleurs et plus rapides. Peut-être y a-t-il des quotas de production en hausse à tenir, plus de commandes à satisfaire que de produits disponibles, ou une note de service récente concernant l'augmentation des contrôles de qualité. Quelle que soit ses raisons personnelles pour vouloir faire *plus* et/ou *mieux*, vous avez de bonnes chances d'obtenir un engagement de sa part, *pourvu que votre offre soit perçue comme le changement susceptible de combler cet écart.*

Les acheteurs en réaction de croissance se servant des mots-déclics comme « plus », « mieux », « plus vite », « amélioré » indiquent qu'ils sont réceptifs au changement. C'est souvent à eux qu'il est plus facile de vendre.

Aussi les vendeurs sont-ils souvent obnubilés par la croissance, et, prêts à accourir dès qu'un acheteur est dans cet état d'esprit.

Mais ce n'est pas sans danger. Il ne faut pas confondre la croissance d'une entreprise et la préoccupation très *personnelle* de croissance d'une influence d'achat. Par réactions d'achat, nous entendons les réactions individuelles, personnelles des personnes en position d'influences d'achat, concernées par vos propositions commerciales, et non les « courbes de croissance » des sociétés. Le fait de devoir adopter une approche individuelle face à chacune d'entre-elles peut vous mettre sérieusement en difficulté si vous présumez que toutes les influences d'achat d'une entreprise, de toute évidence en pleine expansion, sont elles-mêmes mues par la croissance. Ce ne sera pas forcément le cas.

Vous vous souvenez du vendeur, décrit chapitre 5, à qui échappa le renouvellement d'un contrat important, pour avoir vendu au président d'une entreprise textile une méthode de dépannage, sans en avoir aussi référé aux directeurs d'usines qui allaient être les responsables utilisateurs de la méthode. Il n'avait pas seulement ignoré ces influences clés. Il s'était imaginé à tort que, puisque l'ensemble de l'entreprise se développait, toutes les influences d'achat voulaient faire plus et/ou mieux elles aussi. En fait les acheteurs utilisateurs concernés ne voulaient pas entendre parler de la croissance qu'il leur proposait ; ils voulaient que rien ne change. C'est essentiellement parce que le vendeur avait omis ce fait, que l'affaire ne se fit pas. Quel que soit le statut économique actuel d'une entreprise, lui vendre implique toujours la prise en compte des perceptions *individuelles* des influences d'achat dans la vente concernée, et *non pas* la « perception » de l'entreprise dans son ensemble. Dans la Vente Stratégique la perception à l'échelle d'une société n'existe pas.

Seuls les individus peuvent avoir des perceptions, et aucune ne doit être négligée si l'on veut réussir une vente de qualité.

Deuxième réaction type : la difficulté

En cas de difficulté, la probabilité de vendre est également élevée. Ne soyez pas rebuté par ce mot. Comme l'indique le symbole, lorsque vous rencontrez un acheteur en situation difficile, vous avez une opportunité de vente qui constitue une force potentielle. C'est l'acheteur qui est en période difficile, pas vous.

Le tableau, ci-dessous vous montre pourquoi.

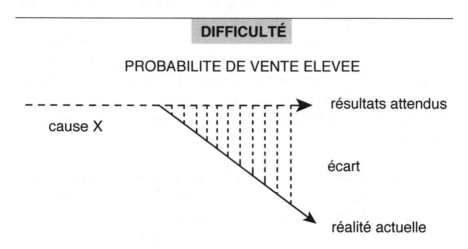

DIFFICULTÉ

PROBABILITE DE VENTE ELEVEE

cause X

résultats attendus

écart

réalité actuelle

Votre offre reduit-elle ou met-elle fin aux difficultés ?

Une fois encore, la ligne du bas indique la perception qu'a l'acheteur et celle du haut sa conception des résultats dont il a besoin pour « gagner ». A nouveau apparaît l'écart séparant la réalité des résultats. Ceci montre que l'influence d'achat est réceptive au changement.

Cependant, l'écart est ici l'inverse de celui perçu par l'influence d'achat en réaction de croissance. Le précédent fait bon accueil au changement comme un moyen d'améliorer une situation déjà favorable. Le responsable en période difficile exige un changement immédiat qui lui permette d'enrayer une défaite. Les choses allaient bon train, mais une crise est survenue. Elle a créé l'écart entre la réalité attendue et la réalité actuelle. L'influence d'achat ne veut qu'une seule chose : réparer ce qui ne va pas et ramener les choses à la normale.

Ceci signifie qu'un acheteur dans cette situation est prêt, et même impatient d'acheter, *mais pas forcément à vous*. L'offre retenue ne sera pas la mieux présentée, ou la moins chère, ou la plus sophistiquée sur le plan technique. Ce sera celle qui résoudra *au plus vite* la cause du problème perçu par l'acheteur.

L'urgence des problèmes

Beaucoup de gens l'oublient. Nous rencontrons sans cesse de bons vendeurs qui sont tellement obnubilés par la croissance et les « améliorations » qu'ils ont des difficultés à vendre à un acheteur qui a un problème et à comprendre ses véritables besoins. Ceci est particulièrement courant dans les secteurs de haute technologie, où les derniers développements d'un produit de pointe constituent un élément majeur de la panoplie de vente.

Cette dévotion exagérée aux améliorations techniques est typique des ventes centrées sur le produit, qui, comme nous l'avons déjà fait remarquer, ne présente qu'un intérêt limité dans la Vente Stratégique. Le vendeur qui choisit cette approche insiste sans cesse sur les plus récentes caractéristiques du produit ou service, les dernières améliorations techniques en date, tous les « gadgets » qui donnent à la gamme de produits proposée par son entreprise trois jours d'avance sur celle du concurrent. Voilà qui est parfait pour les influences d'achat en période de croissance, mais vendre des progrès techniques à des influences d'achat en période difficile est presque toujours une erreur.

Ces acheteurs-là souffrent. Ils ont atteint le point de panique sur le « continuum euphorie-panique ». Ceux qui se débattent parmi les crocodiles n'ont aucune envie d'entendre parler du dernier système de pompage que vous utiliserez pour assécher le marécage. Ils veulent s'en sortir, et vite. Vous n'expliquerez pas à un acheteur en période difficile comment un produit va améliorer sa façon de vivre. Vous vendez de la survie point final. La morale ici peut se résumer par cet adage :

La difficulté prend toujours le pas sur la croissance.

Ceci ne signifie pas que la croissance n'ait pas d'importance, mais seulement que, pour une influence qui se sent mal (souvenez-vous, c'est la *perception* qui compte), faire plus et/ou mieux, peut attendre : il faut d'abord soigner la cause du mal. Vendre de la croissance à un acheteur en période difficile revient à vendre un toit neuf à un fermier dont la grange vient de brûler. Même s'il a besoin d'un toit neuf, il n'en a certainement pas besoin *maintenant*.

Quand la croissance ressemble fort à une difficulté

La vérité contenue dans l'adage « la difficulté prend toujours le pas sur la croissance » prend tout son sens quand vous êtes confronté à une influence d'achat qui veut de toute urgence un « plus », avec une frénésie qui relève davantage de la difficulté que de la croissance.

Bien que les influences d'achat aient toujours, à un moment donné, une réaction d'achat dominante, leurs sentiments par rapport à leur situation fluctuent constamment. Il vous faut donc fréquemment vendre à des responsables qui passent d'une réaction d'achat à une autre. Un exemple courant est le cas de la personne qui vient de recevoir des instructions pour accroître la production ou la qualité, mais sans une augmentation immédiate des moyens pour y parvenir.

Le directeur de production d'une usine de pièces détachées se trouva confronté à cette situation. La direction commerciale venait d'obtenir d'une maison de vente par correspondance, une commande qui l'obligerait, en quelques mois, à augmenter sa production de 30 %. L'entreprise était de toute évidence en pleine expansion, mais notre ami, lui, n'y était pas du tout. « J'ai besoin de tout pour hier » nous dit-il. « Nous allons si vite que si je n'ai pas les pièces nécessaires dès la semaine prochaine, on est tous fichus. »

Il y a deux façons d'interpréter ce genre de propos. Soit comme une pure déclaration de croissance « j'ai besoin d'en faire *plus* tout de suite », soit comme l'appel désespéré de quelqu'un en difficulté « j'ai besoin d'en faire plus *tout de suite* ! ». La différence de ton est capitale. Si vous essayez de vendre seulement de la croissance à quelqu'un dans cette situation (si vous insistez sur les aspects haute technologie de votre produit ou service sans traiter le problème du client) la commande risque fort de revenir à un concurrent qui aura compris que la première chose à faire est de sortir l'individu du bassin à crocodiles. Les réactions de type « période difficile » se produisent, nous l'avons dit, parce qu'il est arrivé quelque chose à l'acheteur : cet événement change la réalité en quelque chose de pire. La cause de la difficulté n'est pas forcément mauvaise en elle-même.

Que reprocher à une augmentation de 30 % des commandes ? Mais ce fait devient source de difficulté quand il est perçu par un des responsables comme un problème personnel. Dans le cas qui nous occupe, notre ami *avait* perçu cette augmentation comme un problème qui le mettait donc, par définition en difficulté.

Personne, bien entendu, ne vous dira jamais carrément « je connais une période difficile » ou « tout va comme sur des roulettes ». Il vous faut donc être attentif aux nuances chaque fois que vous vous demandez si telle influence d'achat se sent en difficulté ou en pleine croissance. Si votre produit ou service convient aux deux situations, tout va bien.

Mais vous devez quand même prévoir l'approche de chaque acheteur en fonction de la réaction d'achat qu'il aura au moment précis où vous présenterez votre offre. Comme toujours, l'essentiel pour vous est d'insister sur les aspects de votre produit ou service qui correspondent à *la perception de la réalité immédiate* propre à l'acheteur concerné.

Troisième réaction type : le calme plat

Les deux premières réactions d'achat offrent des possibilités de vente relativement aisées. Rien de tel pour les deux suivantes.

En réaction de calme plat, vos chances de vendre sont faibles parce que l'influence d'achat ne perçoit pas l'écart entre la réalité actuelle et les résultats souhaités. En fait, la probabilité que l'acheteur en calme plat réagisse est faible, c'est pourquoi nous y avons mis un drapeau rouge. La perception de l'influence d'achat en réaction de calme plat peut être représentée par le tableau ci-après.

CALME PLAT

Probabilité de vente : Faible

- - - - - - - - - - - - - - - - → RESULTATS attendus

───────────────────────── → RESULTATS actuels

Pourquoi faire des vagues maintenant ?

Ici, la ligne du haut, représentant les résultats et la ligne du bas, la réalité telle que l'acheteur la perçoit, coïncident. (Pour des raisons de clarté, nous avons dessiné deux lignes séparées. Vous devriez les considérer comme le responsable : confondues ou identiques). Il n'y a donc pas de fossé que votre offre pourrait combler et par conséquent pas de réceptivité au changement. En cas de calme plat, les acheteurs illustrent parfaitement la maxime : « *Pas d'écart, pas de vente* ».

En outre, ils auront tendance à considérer votre offre comme une menace. Puisque les résultats et la réalité coïncident déjà, ils ne peuvent que voir dans le changement que vous proposez la fin possible de cette harmonie. L'acheteur dans cet état d'esprit se méfie par définition de *tous* les changements. Ce qu'il pense habituellement, et ce qu'il vous dira souvent, c'est : « Allez-vous-en – Pas de vagues »

Accroître la probabilité de vente

Quand un acheteur est fermement installé dans cette attitude de calme plat, trois éléments seulement peuvent augmenter la probabilité de réussite de votre vente. Il peut voir venir la croissance ou une difficulté, il peut subir des pressions d'un autre acheteur déjà en difficulté ou en réaction de croissance, ou vous pouvez lui démontrer qu'il n'avait pas vu l'écart qui existait.

L'acheteur voit venir la croissance ou une difficulté

Les acheteurs utilisateurs de l'usine textile déjà mentionnés étaient nettement plongés dans le calme plat. Ils voyaient dans les méthodes de dépannage que notre ami avait vendu sans leur accord, un changement inutile et déstabilisant qui allait perturber un statu quo confortable. Pour rendre leur consentement plus probable, notre ami aurait dû les convaincre soit que sa proposition offrait de larges possibilités de croissance, soit que, sans sa méthode, ils allaient bientôt se retrouver en difficulté.

En général, il est moins risqué de vendre des possibilités de croissance que des « remèdes contre les difficultés ». La règle ici serait d'essayer de tirer le responsable de son calme plat vers la croissance. Mais lui vendre de la croissance ou des remèdes contre les difficultés ne s'excluent pas mutuellement ; un remède contre les difficultés peut être perçu comme sorte de croissance. En vendant à ce type d'acheteur une solution susceptible d'empêcher les difficultés à *venir*, vous dites : « Je sais que tout va bien pour vous en ce moment. J'ai un moyen pour que ça continue. »

Vous y serez d'autant mieux préparé si vous voyez venir la difficulté. C'est pourquoi vous devez vous tenir informé des besoins objectifs de votre futur client, c'est aussi important quand aucune vente n'est en vue, que quand la signature va se faire incessamment. Si vous savez en quoi votre produit peut aider un acheteur, vous savez aussi quels problèmes son absence va tôt ou tard causer. De la sorte, vous pouvez préparer votre « je vais vous tirer de là » pendant que le responsable est toujours en réaction de calme plat. Il vous suppliera de le livrer quand la réalité reprendra le dessus.

Utiliser la pression exercée par une autre influence d'achat

Les acheteurs en plein calme plat écoutent avec beaucoup plus d'attention les opinions de leurs supérieurs que les « avertissements » d'un vendeur.

Le plus souvent, une façon indirecte et efficace de faire réviser sa position à un acheteur en plein calme plat est d'obtenir d'un autre responsable (de préférence son supérieur) qu'il fasse pression sur le récalcitrant afin qu'il reconsidère la situation.

Les mieux placés pour exercer ce genre de pression sont les acheteurs économiques, car ils sont eux-mêmes beaucoup plus prompts que les autres acheteurs à repérer la difficulté qui se pointe.

En raison de leur relative étroitesse de vue, les acheteurs techniques et utilisateurs sont fréquemment connus pour leur lenteur à reconnaître les signes avant-coureurs de la tempête. Souvent ils ne veulent tout simplement pas savoir que, d'ici six semaines, leur bateau aura coulé. Les économiques, eux (étant payés pour prévoir l'avenir) sont très au fait des tempêtes prochaines et bien plus prompts à réagir, et lorsqu'ils sentent venir le vent, ils sont généralement plus enclins que d'autres à prendre des mesures draconiennes (et ils ont l'autorité pour le faire). Par conséquent, la meilleure stratégie peut être de vendre de la croissance ou des remèdes contre les difficultés à l'acheteur économique et de le laisser convertir l'acheteur en plein calme plat. C'est une façon de venir à bout de la résistance en opérant à partir d'une position de force. Les acheteurs en plein calme plat sortent souvent de leur position confortable à la suite de cette pression, même quand un vendeur n'est pas en cause. Tout ce que vous pouvez faire pour intensifier cette pression, sans vous aliéner l'acheteur concerné, tournera à votre avantage.

Si c'est l'acheteur économique qui est en plein calme plat, alors la probabilité de vendre à court terme est faible. Ne comptez pas recevoir rapidement de commande dans cette situation.

Comment démontrer l'existence d'un écart

Les acheteurs n'achèteront pas s'ils ne perçoivent pas un écart entre la réalité et les résultats attendus. Une troisième façon d'augmenter la probabilité de vendre à des influences d'achats en plein calme plat, c'est de leur faire voir des écarts qui leur avaient échappé jusque-là.

Ceci peut se faire de deux manières :

Leur montrer que la réalité n'est pas réellement aussi satisfaisante qu'ils le croient en ce moment ; ou leur expliquer que les résultats sur lesquels ils misent sont bien loin de ceux auxquels ils pourraient prétendre. Dans les deux cas, si vous parvenez à démontrer que la réalité présente et les résultats possibles ne coïncident en fait *pas*, vous aurez créé l'écart qui est le préalable à toute vente.

Le directeur d'une chaîne de production, par exemple, habitué à sortir 500 unités par jour et qui en est à 510 ne percevra pas facilement la difficulté ;

il sera plutôt en plein calme plat. Mais si vous lui démontrez qu'une entreprise rivale, grâce à l'équipement que vous lui avez vendu, sort 700 unités par jour d'un produit équivalent, le directeur ne manquera pas de comprendre que les résultats rendus nécessaires par la concurrence excèdent la production actuelle. Et la réceptivité au changement suivra.

Ces trois stratégies s'avèrent souvent efficaces mais elles comportent aussi des risques, qui viennent du fait que les responsables en plein calme plat, trouvent leur position *confortable* et ne veulent pas perdre leurs illusions. Cette position de confort est difficile à ébranler. La stratégie la plus sage est donc de jouer avec l'attente en restant sur le qui-vive. Souvenez-vous que même si votre produit ou service ne répond pas aux besoins actuels perçus par l'acheteur, il pourrait y répondre demain.

Quatrième réaction type : l'exaltation

Le même principe s'applique aux responsables en réaction d'exaltation. Ils sont les plus difficiles à convaincre. En fait, la probabilité de leur vendre est, en tout état de cause, nulle. Le tableau suivant explique pourquoi l'exaltation est un énorme drapeau rouge.

Quand un acheteur est en réaction d'exaltation, il existe une nette différence entre la réalité et les résultats perçus, mais dans ce cas, l'écart joue contre plutôt qu'en faveur du vendeur. L'acheteur, ici, considère que la réalité dépasse largement les résultats souhaités. Comme il réussit déjà beaucoup *mieux* que prévu, rien ne le pousse à changer. Comme l'acheteur en plein calme plat, celui-ci non plus ne veut pas de vagues. D'ailleurs son bateau, croit-il, n'est pas seulement insubmersible mais en train de gagner l'America's Cup.

Quand vous suggérez un changement, on vous prend pour un fou. « Les choses n'ont jamais si bien marché pour moi, va-t-il énoncer fièrement. C'est trop beau pour être vrai. Et vous voulez me vendre quelque chose qui va changer ça ? Allez-vous-en ! »

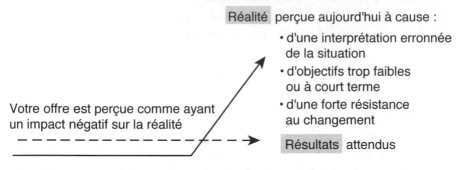

EXALTATION

Probabilité de vente : nulle

Réalité perçue aujourd'hui à cause :

- d'une interprétation erronnée de la situation
- d'objectifs trop faibles ou à court terme
- d'une forte résistance au changement

Votre offre est perçue comme ayant un impact négatif sur la réalité

Résultats attendus

« Qui a besoin de votre solution ? Les choses n'ont jamais si bien marché »

Ce dont ces acheteurs exaltés ne se rendent pas compte, c'est que *c'est* trop beau pour être vrai. Deux raisons expliquent habituellement leur vision déformée de la réalité :

- Ils méconnaissent la situation, par ignorance, ou aveuglément délibérément.
- Leurs objectifs ont été fixés si bas que leur performance semble bonne.

Ces deux raisons sont les causes premières de leur exaltation et elles vont généralement de pair. Dans ce cas, vous rencontrerez une résistance farouche au changement – à tout changement – et essayer de leur ouvrir les yeux est presque toujours une perte de temps. En état d'exaltation, les acheteurs se montrent suffisants et prétentieux. Face aux vendeurs ils se montreront secs et même arrogants.

Nous avons tous vu les dangers de l'exaltation dans le monde des affaires. Bien des exemples de cette façon de s'illusionner sont fournis par l'histoire récente. Pensez aux nombreuses célébrités déchues ou aux pertes colossales de fabricants « invulnérables » au profit de jeunes entreprises. Tout ceci est l'illustration des risques qu'il y a à tabler sur des « paris sûrs » et à l'impuissance de la pensée positive.

Tous nous rappellent combien l'euphorie est proche de la panique sur le « continuum » euphorie-panique, et tous nous montrent qu'avec le temps, *l'exaltation tourne toujours à la difficulté.*

146

Tuer le messager

L'exaltation, en dépit de la satisfaction que l'on en éprouve est en fait une sorte de handicap de perception. C'est une maladie dont le seul remède, comme nous l'a sans cesse prouvé notre expérience, est l'injection de doses massives de réalité. Mais ainsi que nous en avertissons constamment nos collaborateurs, pour un acheteur exalté, tout comme pour un acheteur en plein calme plat, vous êtes peut-être le moins bien placé au monde pour proposer ce traitement. Les premiers sont encore plus difficiles à remuer que les seconds. Fermement enracinés dans leurs illusions, ils ne sauraient admettre qu'ils se trompent sur la situation. Vous courez donc le risque, en essayant de « changer » l'état d'esprit de cet acheteur d'être considéré non comme une aide mais comme un intrus.

Dans la Grèce antique, selon la légende, le messager qui apportait de mauvaises nouvelles était parfois mis à mort pour avoir encouru le déplaisir du prince. En tant que porteur d'une réalité non-désirée à un responsable exalté, vous risquez un déplaisir similaire, à défaut d'un sort identique. Vous pensez, nous en sommes certains, à bien des situations dans lesquelles un vendeur trop ardent et tout bardé d'honnêteté a ruiné toutes ses chances de refaire des affaires en bousculant un acheteur peu coopératif pour qu'il « regarde les faits en face avant qu'il ne soit trop tard ».

Attendre la réalité

Il est si difficile d'essayer de sortir les responsables exaltés de leur vision déformée, qu'à notre avis, il est préférable de ne pas essayer. Ceux de nos clients qui réussissent le mieux nous disent que, face à un acheteur dans cet état d'esprit, le plus sage pour le vendeur est simplement de garder un profil bas et d'attendre l'arrivée de la réalité. Le vendeur doit maintenir la ligne de communication ouverte, éviter la pression, et quand l'acheteur se retrouve inévitablement en difficulté, être en place pour résoudre le problème.

Une cliente, appartenant à une société informatique a récemment utilisé cette stratégie à son avantage, en réussissant une importante vente de logiciels. L'entreprise cliente, qui fabriquait une gamme de standards téléphoniques, voyait soudain ses commandes augmenter.

Elle ne produisait que cinquante standards par jour, et à cause de la demande accrue voulait passer à cinq cents. Cependant le contrôle de qualité posait quelques problèmes à ce rythme-là, et c'est ainsi que notre cliente s'est trouvée sur l'affaire : c'était une spécialiste de systèmes de contrôle de qualité.

Elle savait que le programme déjà en service ne convenait pas parfaitement. Il était à peine capable de détecter efficacement les erreurs sur une gamme de 50 unités par jour, au rythme de 500, il deviendrait pratiquement inutile. Elle l'expliqua au superviseur chargé du contrôle (qui combinait les rôles de technicien et d'utilisateur) et son explication fut accueillie avec incrédulité. « Vous exagérez le problème, Monique, lui dit le responsable d'un ton peu amical, le système fonctionne parfaitement - on pourrait aller sans problème jusqu'à mille par jour. »

L'attitude suffisante du superviseur est un exemple classique d'exaltation ; notre cliente opta donc pour une stratégie d'attente, ainsi que le recommande notre méthode.

Pendant trois mois elle attendit son heure, restant discrètement en contact avec le superviseur, lui faisant savoir que, en cas de nécessité, elle était disposée à apporter son aide. Puis la faiblesse du système commença à se faire sentir et bientôt à craquer, des standards défectueux passaient au travers, et les réclamations pleuvaient. Soudain, le superviseur se trouva en difficulté. « J'ai un taux de retour de 27 % sur ces satanés standards, se plaignit-il – Quand pouvez-vous m'obtenir un meilleur système ? » « Tout de suite » répondit notre cliente.

Elle se mit alors à lui vendre le système nécessaire depuis le début.
La morale de cette histoire est simple :

Ne perdez pas votre précieux temps de vendeur à vous acharner sur un acheteur exalté. Cet état d'esprit est de la plus haute instabilité. Il se termine toujours par une période difficile. Contentez-vous de prévoir d'être là à ce moment-là.

Entente et mésentente

L'idéal, pour un vendeur en ce qui concerne la réceptivité des acheteurs, est qu'ils soient tous dans la même réaction, soit de croissance soit de difficulté. Quand tous vous disent : « Je veux faire plus maintenant », ou « J'ai besoin de meilleurs résultats », ils sont, de toute évidence, mûrs pour une vente. De même, quand tous sont en train de souffrir, vous bénéficiez là aussi d'une occasion en or, si vous arrivez à les convaincre que votre offre résoudra leurs problèmes. Chaque fois qu'il y a identité de vue entre vos influences d'achat en période de croissance ou en difficulté, la probabilité de vendre est plus élevée qu'en cas de mésentente.

Pourtant, compte tenu de l'instabilité des situations commerciales et des réactions personnelles pouvant influencer la perception de chaque responsable, vous ne risquez guère de tomber très souvent sur pareils terrains d'entente. Vous serez plus fréquemment confronté à des terrains de mésentente totale ou partielle, ou, par exemple, quatre acheteurs différents ont quatre visions distinctes de la même « réalité » professionnelle.

Le vendeur non stratège se tire souvent mal de cette situation. Nous l'avons dit, les vendeurs, qui aiment suivre leur instinct, ont naturellement tendance à se concentrer sur les acheteurs qu'ils apprécient, et réciproquement, plutôt que de s'assurer que tout le terrain est quadrillé.

On voit souvent cela par rapport aux réactions d'achat. Un vendeur qui voit des possibilités de croissance contacte la compagnie XY avec une offre destinée à donner un coup de pouce à la production. Il ne rencontre qu'un seul et unique utilisateur qui partage ses vues ; tous les autres sont en difficulté, absorbés par un problème « secondaire ». Mais parce qu'il est d'accord avec l'utilisateur, le vendeur se concentre sur lui, et perd rapidement la commande au profit d'un concurrent qui traite la difficulté éprouvée par les autres acheteurs.

Le même vendeur peut revenir à la charge auprès de la même entreprise six mois plus tard, porteur d'un remède infaillible contre l'absentéisme, problème révélé par un technicien chargé du personnel. Il se trouve alors que tous les autres acheteurs sont maintenant en plein calme plat. Ils sont prêts à accepter le temps perdu, parce que la productivité n'a jamais été si élevée et qu'ils refusent de mettre en jeu leurs acquis.

Dans ce genre de situation, crier à la difficulté pourrait rapprocher le vendeur du directeur du personnel, mais lui aliénerait tous les autres.

Pour éviter de tomber dans le piège de l'acheteur unique, comme on le voit ici, il faut quadriller le terrain.

Le vendeur stratège ne se contente pas de se serrer les coudes avec le responsable dont il partage l'opinion. Il fait sien le principe que la vérité comme la beauté dépend de celui qui regarde. Il adopte une stratégie de vente qui couvre le terrain et qui prend également au sérieux la perception particulière de toutes les influences d'achat mêlées à la vente.

Quadriller de nouveau le terrain

Une des erreurs les plus graves que vous puissiez commettre en matière de vente complexe est d'ignorer ou de laisser de côté une influence d'achat clé, parce que sa perception de la réalité actuelle ne s'accorde pas avec la vôtre. Il n'est pas nécessaire d'être à cent pour cent du même avis que vos interlocuteurs acheteurs.

Mais vous devez absolument respecter la perception de chacun d'eux, puisque c'est à cette perception que vous vendez.

Nous avons insisté sur l'importance qu'il y a à n'oublier aucune influence d'achat concernée par votre objectif de vente et à organiser les contacts avec les acteurs clés de telle sorte que chacun rencontre la personne la mieux qualifiée pour le faire. Il est également essentiel que les personnes chargées de ces contacts comprennent bien que c'est la perception qu'a l'acheteur de la réalité, et non la leur, qui détermine le choix de l'approche. Le point de départ est toujours le même ; comment l'acheteur *ressent-il* la situation actuelle ?

Ces sentiments varient presque toujours d'un acheteur à l'autre sans parler des vôtres, même quand les « faits » vous paraissent évidents. Il est fréquent qu'une situation jugée difficile par l'un ne fasse que renforcer l'attitude exaltée d'un autre, dans la même entreprise. Il vous faut donc planifier chaque vente selon le principe, il est vrai peu conventionnel, que la réalité n'existe pas, qu'il n'y a que des perceptions individuelles de la réalité. Et vous devez vous assurer que chaque contact est aux mains d'une personne prête à considérer les sentiments de l'acheteur concernant la situation comme point de départ valable de discussion.

Vous, qui dirigez la vente, ou comme nous l'appelons le coordinateur stratégique, devez surveiller l'ensemble du terrain et des acteurs, et pousser à l'entente chaque fois que cela est possible. En général, la meilleure façon d'y parvenir (la façon la plus efficace d'opérer à partir d'une position de force) consiste à contacter d'abord les acheteurs se trouvant en période de croissance ou de difficulté puis d'obtenir qu'ils vous aident à convaincre leurs collègues en plein calme plat et les exaltés.

En résumé, il est possible de vendre une solution à des influences d'achat aux vues divergentes, mais à la condition expresse d'employer les principes de bases des réactions d'achat.

1 - Le point de départ pour aborder chaque acheteur est de s'informer de sa perception actuelle de la situation professionnelle et de l'écart qu'il perçoit entre la réalité et les résultats.

2 - Chaque acheteur doit être contacté par quelqu'un qui accepte ce fait comme point de départ et qui est le mieux qualifié pour rencontrer le dit acheteur.

3 - Utilisez toujours le principe de l'opération à partir d'une position de force pour parvenir à harmoniser des réactions divergentes.

Vous allez maintenant mettre ces principes en pratique dans l'atelier suivant.

Atelier n°4 : Réactions d'achat

Etape n°1 : identifiez la réaction propre à chaque influence d'achat

Reprenez le tableau des influences d'achat commencé au chapitre 5 et concentrez-vous sur la façon dont chacune à son tour ressent la situation *dans l'immédiat,* par rapport au changement que *vous* proposez d'introduire dans ses affaires, à savoir votre offre de vente.

Demandez-vous en quoi cette proposition affecte l'environnement et si oui ou non elle peut combler un fossé (écart) perçu entre la réalité et les résultats. Puis, sur votre tableau, écrivez C pour croissance, D pour difficulté, CP pour calme plat et E pour exalté, selon la vision que chaque acheteur a de la situation. Votre tableau devrait maintenant ressembler à celui de la page suivante.

Peut-être vous rendrez-vous compte, c'est même presque certain, que les réactions de vos acheteurs ne constituent pas un processus parfaitement simple. Inévitablement, vous allez tomber sur un acheteur que vous n'arrivez pas à classer, ou sur un qui est à cheval entre croissance et calme plat. C'est bien. Les acheteurs peuvent se montrer changeants dans leurs visions et donc dans leurs réactions, aussi serait-il déraisonnable de s'attendre à ce qu'ils rentrent parfaitement dans des cases.

Il serait également irréaliste de s'imaginer qu'ils vont y rester tout au long du processus de vente. En fait, les réactions de vente apparaissent souvent comme des permutations et des combinaisons hors « normes ». Elles sont *dynamiques* et non statiques.

C'est pourquoi nous mettons l'accent sur la nécessité de réexaminer constamment la situation.

TABLEAU DES INFLUENCES D'ACHAT

Influence économique :		**Influence utilisatrice :**	
Débloque les fonds		Juge l'impact sur le travail	
Alain Legrand	E C	Danièle Brun	E C
		Henri Lagrange	F CP

Influence technique :		**Coach(es) :** Me guide	
Filtrage		au long de *cette* vente	
Paul Dubois	M. D	Danièle Brun	E C
Guy Petit	E Ex	André Lefort	M D
Henri Lagrange	F CP		

Mais il vous est toujours possible de repérer où en sont vos acheteurs à ce moment précis, par rapport à votre offre actuelle. L'accent porte sur *ce moment-ci*. N'oubliez pas que les quatre réponses d'achats sont des *perceptions d'une situation*. Tout ce que vous avez à faire est de repérer les réactions de chaque influence d'achat *aujourd'hui* face au changement que vous proposez. Demandez-vous quels propos elles tiennent à ce stade de développement de la vente :

- Si Alain Legrand demande des livraisons plus rapides ou des commandes plus importantes, il est en pleine période de croissance par définition.
- Si Paul Dubois a un problème d'inventaire, il est par définition dans une période difficile, même s'il est souvent préoccupé par la croissance.
- Si Henri Lagrange dit : « je tiens à ce que les choses en restent là », il est en plein calme plat ; s'il est plein d'assurance à propos de l'état actuel de la situation, il est probablement exalté.

Si au bout de cinq minutes de ce travail vous ne parvenez toujours pas à déterminer la réaction d'achat actuelle d'un acheteur, placez un drapeau rouge à côté de son nom. Puis passez à l'étape suivante.

Etape n°2 : notez vos acheteurs

Maintenant que vous avez identifié et inscrit sur le tableau d'influences d'achat tous les acteurs jouant un des quatre rôles dans votre vente ainsi que la réaction d'achat de chacun, voyez où vous en êtes avec eux en vous posant une question clé :

Qu'éprouve chacune de ces personnes à cet instant précis par rapport à ma proposition de vente présente ?

Remarquez que vous ne cherchez pas à connaître les sentiments des influences d'achat par rapport à vous en tant que personne, ou à votre *entreprise*, mais ce qu'ils pensent de votre objectif de vente actuel.

Les participants à nos séminaires doivent noter leurs acheteurs selon une échelle de − 5 à + 5. Faites de même. Chacune de vos influences d'achat se situera quelque part sur cette échelle : débordant d'enthousiasme à propos de votre offre, violemment contre ou entre les deux.

A côté des noms des supporters enthousiastes inscrivez + 5 sur votre tableau d'influences d'achat. A côté de ceux qui sont absolument opposés ou ne veulent même pas vous recevoir, marquez - 5. Pour les influences d'achat qui se situent entre les deux, mettez la note appropriée (+ 1, - 2, + 4) à côté de leur nom.

Ce type de notation n'est pas une science exacte, et n'est d'ailleurs pas censé l'être. En fait, vous vous efforcez de déterminer où en est le quadrillage du terrain, en vous basant sur votre vision des sentiments de l'acheteur face à votre action.

Faire confiance à vos réactions instinctives a ici la même importance que dans votre étude de position, alors que vous vous concentriez sur vos propres sentiments concernant la vente.
Ces sentiments, pour n'être pas infaillibles, demeurent un guide nécessaire pour estimer quels acheteurs vous sont déjà acquis et lesquels sont susceptibles de poser les problèmes.

Etape n°3 : testez ces notations

Dans nos séminaires, nous utilisons l'échelle informelle ci-dessous pour tester la façon dont nos participants évaluent les sentiments respectifs de leurs influences d'achat.
Comparez les notes de vos influences d'achat à cette échelle. Regardez les chiffres placés à côté de leurs noms, puis posez-vous les questions suivantes :

- Si j'ai noté cet acheteur + 5, est-il vraiment un supporter enthousiaste de ma proposition ?
- Si j'ai noté quelqu'un + 1, cette personne suivra-t-elle vraiment au moins le mouvement ?
- A - 1, cet acheteur va-t-il au moins rester en dehors de l'affaire ? Toute résistance sera-t-elle légère ?
- A - 5, cette influence d'achat constitue-t-elle une opposition majeure à la proposition ? Va-t-elle tout mettre en œuvre pour bloquer la vente ?

Posez-vous les mêmes questions au sujet des influences qui se situent ailleurs sur l'échelle. Et notez deux points importants :
1) Un acheteur ne peut être neutre qu'en théorie face à une offre. Vous voyez qu'il n'existe pas de zéro sur notre échelle de notation. C'est que, d'après

154

notre expérience, les influences d'achats sont toujours légèrement favorables ou défavorables aux propositions de vente. Si l'un de vos acheteurs paraît solidement neutre, vous interprétez sans doute mal ses sentiments.

NOTATIONS

+ 5 supporter enthousiaste

+ 4 très favorable

+ 3 favorable

+ 2 intéressé

+ 1 suivra le mouvement

– 1 n'opposera probablement pas de résistance

– 2 pas intéressé

– 3 légèrement contre

– 4 très défavorable

– 5 anti-supporter militant

2) La même chose vaut pour les acheteurs que vous n'avez pas encore contactés. Rappelez-vous, l'exercice consiste ici à tester votre quadrillage du terrain. Une influence d'achat non contactée est par définition une surface non quadrillée. N'essayez pas de deviner ce qu'éprouvent ces acheteurs. Jusqu'à ce que vous connaissiez leurs sentiments avec certitude, considérez chacun d'eux comme un drapeau rouge. Ils peuvent ne pas s'avérer de farouches opposants ; mais *au vu de votre position actuelle*, considérez-les comme tels.

Après avoir noté vos acheteurs et comparé votre notation à l'échelle, votre tableau d'influences d'achat devrait ressembler à l'exemple suivant :

TABLEAU DES INFLUENCES D'ACHAT

Influence économique :		Influence utilisatrice :	
Débloque les fonds		Juge l'impact sur le travail	
Alain Legrand	E C + 2	Danièle Brun	E C + 3
		Henri Lagrange	F CP – 2
Influence technique :		**Coach(es) :**	
Filtrage		Me guide au long de *cette* vente	
Paul Dubois	M.D – 4	Danièle Brun	E C + 3
Guy Petit	E E – 4	André Lefort	M D + 4
Henri Lagrange	F CP – 2		

Etape n° 4 : analysez les renseignements

Vos influences d'achat sont maintenant doublement évaluées : une fois en termes de réaction, une fois en termes de sentiments généraux au sujet de votre offre. Comparez les deux estimations. A partir de la réaction et de la note attribuées à chaque acheteur, déterminez vos points forts et vos points faibles (zones de drapeaux rouges), en vous fondant sur le tableau qui en découle. Voyez tout simplement les incohérences. Si vous avez un acheteur exalté, par exemple, que vous notez + 3, quelque chose ne va pas sur un plan logique dans votre analyse. Soit cet acheteur est exalté, soit il a un + 3, pas les deux.

Plantez un drapeau rouge sur ce genre d'incohérences : il vous faut en savoir plus sur cet acheteur pour mettre au point une stratégie efficace.

De même, si votre coach n'est pas *très* favorable à votre proposition, vérifiez vos données. Les meilleurs coaches sont généralement en période de croissance, mais pour être vraiment efficaces (pour vous aider pleinement à vendre), ils doivent être en période soit de croissance soit de difficulté. Si vous avez marqué cette personne CP ou E, ou si sa note est inférieure à + 3, alors ce n'est pas un vrai coach. « Renvoyez-le » et trouvez quelqu'un d'autre.

Enfin, en comparant les deux évaluations, souvenez-vous que les acheteurs notés « plus » doivent toujours être en période de croissance ou de difficulté. Toutefois les acheteurs en période de croissance ou de difficulté peuvent obtenir des moins : ils peuvent, par exemple, préférer la proposition d'un concurrent à la vôtre. Les acheteurs en plein calme plat ou exaltés sont par définition négatifs : il n'existe pas de + 3 pour un acheteur en plein calme plat.

N'oubliez pas les ententes : celles qui existent déjà et celles que vous pourriez favoriser.

Ne pensez pas seulement aux influences d'achat comme ayant des relations individuelles avec vous, mais aussi comme faisant partie intégrante d'une réaction collective à votre offre.

Quels acheteurs sont en même période de croissance ou de difficulté ? Ils sont vos points forts. Comment les utiliser pour changer le peu de réceptivité au changement dont font preuve les acheteurs en plein calme plat ou exaltés ?

Etape n° 5 : révisez votre liste de positions alternatives

Vous pouvez maintenant vous faire une idée claire du degré de réceptivité de chacun de vos acteurs clés concerné par votre proposition de vente. Reprenez votre liste de positions alternatives et révisez-la à l'aide des informations découvertes au cours des deux derniers chapitres. Considérez chaque option sur la liste et posez-vous la question suivante :

En quoi le degré de réceptivité de chacune de mes influences d'achat affecte-t-il la viabilité de cette option ?

Puis laissez tomber les options qui ne paraissent plus valables. Modifiez celles qui devraient l'être. Ajoutez-en de nouvelles tirées des leçons de ces deux chapitres.

Nous vous renouvelons ici les mêmes conseils que lors de l'atelier précédent :

- Ne négligez rien, notez les options les moins favorables aussi bien que celles que vous jugez être en plein dans le mille. Vous n'êtes pas encore à même de repérer une position alternative parfaite.
- Continuez à être *précis*. Assurez-vous que toutes les positions alternatives sur votre liste sont liées à votre proposition commerciale précise, telle qu'elle se présente en ce moment.
- Continuez à *tester* vos positions alternatives en vérifiant que chacune s'appuie sur un point fort, élimine ou réduit l'impact d'un drapeau rouge ou les deux.

Nous mettons actuellement l'accent sur les réactions d'achat, vous devrez donc prêter une attention particulière à cet élément clé dans l'évaluation de votre liste. Prenez par exemple la suggestion que nous vous faisions pour arriver jusqu'à l'hypothétique Alain Legrand : obtenir que votre utilisateur favorable, Danièle Brun, lui démontre comment vous pourriez accroître sa productivité de 15 %. En n'oubliant pas que cette option doit être complète, précise et vérifiable, vous pourriez juger de son intérêt actuel pour votre stratégie en vous demandant :

- Est-ce que l'augmentation de la productivité est une priorité essentielle pour Legrand en ce moment? Je l'ai noté comme en phase de croissance modérée, + 2; dois-je réévaluer cette note?
- La réticence de Legrand à me rencontrer est-elle la preuve qu'il n'est pas du tout en période de croissance? Peut-être même est-il en période de calme plat et donc nullement intéressé par les aspects de croissance de ma vente?
- Danièle Brun possède-t-elle tous les renseignements dont *elle* a besoin pour « vendre » cette augmentation de 15 % à Legrand?
- S'il est moins préoccupé de croissance qu'il n'en a l'air, puis-je lui démontrer qu'ignorer mon offre finira par le mettre en difficulté? Puis-je lui vendre mon offre de croissance comme un moyen d'éviter la difficulté?
- Comment m'assurer que Brun est la personne qu'il faut pour convaincre Legrand? Est-*elle* aussi enthousiaste au sujet de mon offre que je le souhaite et que j'en ai besoin?

Ces questions ne sont, bien sûr, que des exemples. Mais elles devraient vous donner une idée générale de ce qui est important. *Toute stratégie de vente ne vaut que par sa plus récente réévaluation.* Notre but, en vous demandant de vérifier ainsi tous les éléments de votre liste de positions alternatives, est d'obtenir l'assurance que cette liste, vitale pour votre plan d'action futur, est toujours à jour.

En un sens, toute la première moitié de ce livre peut être perçue comme un instrument analytique destiné à obtenir un seul produit méticuleusement contrôlé. Ce produit n'est autre que votre liste de positions alternatives. Sans doute avez-vous déjà commencé à découvrir quelques-unes des failles de sa conception. Rangez-le pour l'instant. Vous le contrôlerez à nouveau très bientôt.

9
DE L'IMPORTANCE
DE GAGNER

Nous avons débuté ce livre en analysant votre objectif de vente du point de vue de vos besoins. Dans l'atelier du chapitre 3 vous aviez eu à juger vos sentiments sur votre position actuelle face à cet objectif et à réfléchir aux positions alternatives destinées à assurer un meilleur résultat.

Au cours des derniers chapitres, nous nous sommes intéressés aux points de vue et aux besoins des influences d'achat. Nous avons proposé un cadre pour analyser *leurs* sentiments et prévoir le succès éventuel de votre proposition de vente en vous fondant sur ces sentiments.

Nous allons maintenant réunir ces deux approches en considérant la vente comme un moyen de satisfaire à la fois vos *propres* besoins et *ceux* de l'influence d'achat. La vente type exposée ici fera de la *satisfaction mutuelle* le fondement du succès à long terme.

L'important, c'est l'expression « à long terme ». Grâce au modèle « gagnant-gagnant » présenté dans ce chapitre, vous serez à même d'accroître votre réussite de façon prévisible à longue échéanche.

C'est important car, comme tout commercial le sait, réussir une seule et unique affaire peut être une tâche relativement facile, si vous ne visez qu'un contrat. Le professionnel qui fait carrière dans la vente complexe, lui, ne se contente pas de conclure des affaires ponctuelles, d'empocher une commission immédiate.

Comme nos clients performants, vous savez que la commande est necessaire mais pas suffisante et vous voulez aussi :

- des clients satisfaits,
- des relations à long terme,
- des contrats qui se renouvellent,
- de solides recommandations.

En tant que professionnel de la Vente Stratégique, vous voulez que chaque réussite commerciale, grande ou petite, soit une étape contribuant à la réalisation de tous ces objectifs.

La clé de ce résultat réside dans la compréhension de la notion de *gain*.

Gagner : la clé du succès à long terme

On a écrit bien des sottises à propos du succès, certaines fatales au vendeur. Si vous croyez par exemple, que gagner consiste à intimider vos influences d'achat, le choc sera rude quand vous chercherez de nouvelles affaires ou des recommandations. Si vous supposez que vous gagnez à chaque fois que vous concluez une affaire (comme on dit abusivement que vous gagnez une affaire) alors vous êtes victime d'une mauvaise interprétation. Ou si vous pensez qu'un gain se mesure en simples termes financiers, vous allez frustrer vos clients, et au fond, vous-même aussi.

Notre définition de « gagner » diffère de celles que vous avez déjà rencontrées. La notion d'intérêt personnel est au cœur de sa conception. Nous avons dit que dans une rencontre acheteur/vendeur, vous gagnez quand vous vous sentez bien à l'issue de la vente. *Parce que* vous percevez que ce contact sert votre intérêt personnel.

Nombre de personnes bien intentionnées comprennent mal et critiquent cette notion.

Beaucoup de vendeurs, même s'ils s'échinent à gagner, répugnent à en admettre l'importance dans leur vie, et certains se sentent même coupables à cette idée. Ils confondent l'intérêt personnel avec l'égoïsme et en concluent que rechercher son intérêt personnel est moralement répréhensible.

160

Ce qui résulte en une tension interne que les psychologues ont baptisé *dissonance cognitive* qui vient de la confusion entre l'intérêt personnel et l'égocentrisme ou simplement l'égoïsme.

A part quelques farouches partisans de Darwin, peu d'entre nous sommes prêts à encenser l'égoïsme. Mais confondre égoïsme et intérêt personnel c'est se tromper. L'égoïsme est une forme de pathologie sociale : c'est ce qui se produit lorsque quelqu'un ne pense qu'à lui - quelles qu'en soient les conséquences à long terme pour les autres. L'intérêt personnel par contre est une nécessité sociale : c'est ce que vous privilégiez lorsque vous analysez judicieusement vos propres besoins dans le contexte dynamique des besoins contradictoires.
En réalité, l'intérêt personnel est un instinct naturel, absolument indispensable et à long terme très bénéfique.

C'est simple : tous les êtres vivants doivent servir leur intérêt personnel ou mourir.

Les êtres humains dans toutes les positions agissent dans leur propre intérêt, en obtenant ce qu'ils considèrent comme des *gains* personnels. En matière de vente, ils le font en approuvant des transactions commerciales qu'ils espèrent voir tourner à leur avantage *personnel.*

Vous savez que les ventes qui vous laissent un sentiment de satisfaction sont celles où vous avez *gagné*, parce qu'un des aspects de votre intérêt personnel (financier, privé, social) a été satisfait par la transaction. Et vous savez que les occasions où vous vous êtes senti « volé » - où vous avez senti que vous aviez perdu - étaient celles où votre intérêt personnel a été violé ou ignoré.

La même chose s'applique à vos acheteurs. Ils viennent à la rencontre acheteur-vendeur en espérant *gagner* eux aussi. Et ils repartent satisfaits si, et seulement si, ils ont l'impression qu'elle a servi leur intérêt personnel.

Les quatre sections du losange gagnant-gagnant

Même si vous et votre acheteur arrivez aux rendez-vous en espérant gagner, les choses ne se passent pas toujours ainsi. Toute rencontre acheteur/vendeur a une issue sur les quatre possibles. Ces quatre issues sont représentées sur les sections de ce que nous appelons le losange gagnant-gagnant, ci-dessous.

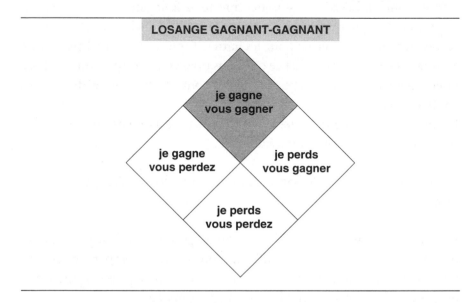

Vous vous retrouverez sur l'une de ces sections à la fin de toute entrevue acheteur/vendeur.

Tout au long de l'exposé, gardez à l'esprit deux points étroitement imbriqués :

Premièrement : chaque section du losange décrit une relation entre vous et *chacun* de vos acheteurs, et non pas entre vous et « le client futur » ou « la vente » comme un tout. Vous ne pouvez pas mettre au point une vente qui fasse gagner n'importe quelle entreprise-cliente. Vous pouvez et devez, mettre en place chaque objectif de vente de telle sorte que chaque influence d'achat concernée par cette finalité voit dans la vente une possibilité gagnant-gagnant. Votre but ici est de parvenir à la satisfaction mutuelle, la vôtre et celle de *tous* vos acheteur ; si un seul d'entre eux a le sentiment d'avoir perdu, vous compromettez sérieusement vos chances de maintenir de bons rapports avec lui et donc, à la longue, avec le client.

Deuxièmement : Le losange ne décrit pas seulement votre position *actuelle* face à chaque acheteur (au cours du processus de vente), mais aussi comment vous vous situez par rapport à chacun d'eux *après la conclusion de la vente*.

On présume, *pour chaque section du losange*, que vous avez mené ou mènerez l'affaire à son terme. Mais ce n'est pas assez. Toute vente conclue peut être une *perte* autant qu'un *gain*, aussi bien pour vous que pour vos acheteurs. Le terme de losange gagnant-gagnant est donc destiné à décrire l'issue *à long terme* d'une vente, en partant du principe que la commande est passée.

Pour des résultats optimums à longue échéance, vous devez vous efforcer de diriger chaque objectif de vente vers la même section de ce losange, la section « gagnant-gagnant » ou de l'« aventure conjointe ».

Je gagne - vous gagnez : la section de « l'aventure conjointe »

Littré définit l'aventure comme « une entreprise, une action hasardeuse ». L'explorateur Shackleson nuance cette définition lorsqu'il appelle l'une de ses aventures « le résultat d'une mauvaise préparation ». Le vendeur naïf est souvent favorable à l'aventure. En effet, il perçoit l'influence d'achat comme un ennemi, la commande comme une récompense et le processus de vente comme un combat fascinant et imprévisible avec le client. Cette façon aventureuse d'aborder une vente est souvent source d'ennuis, car elle accentue l'incertitude, l'élément même que le bon stratège comme le bon explorateur veut éliminer. Nous disons à nos participants qu'au lieu de rechercher l'aventure *solitaire*, ils devraient mettre toute leur ardeur au service d'aventures *conjointes*, dans lesquelles les influences d'achat ne sont pas considérées comme des menaces venues de l'extérieur, mais comme des membres de leur propre équipe. Ceux d'entre nous qui ont réussi grâce à la Vente Stratégique, savent qu'une vente valable n'est jamais une lutte où lorsque le client perd, nous gagnons d'autant, mais une affaire dans laquelle lorsque l'acheteur perd, nous perdons aussi et où les gains servent toujours nos propres intérêts aussi bien que les leurs.

Il est clair que c'est seulement en enrôlant nos acheteurs comme *partenaires* dans des aventures conjointes où l'on s'accorde un soutien mutuel que l'on peut espérer parvenir à une satisfaction mutuelle durable.

Une dépendance mutuelle

Ceci n'est certes pas vrai dans toute situation. Il existe des rencontres qu'une inimitié inhérente empêche de traiter comme des aventures conjointes. Dans un match de football ou un procès, par exemple, vous ne pouvez guère vous attendre à ce que la partie adverse coopère. Mais dans toute situation où la *dépendance mutuelle* est essentielle, vous devez apprendre à vous serrer les coudes ou, alors, comme le disait Benjamin Franklin à propos des colonies américaines incapables de s'entendre, vous serez pendus séparément. Ce n'est que récemment (et tardivement) que les Occidentaux se sont décidés à appliquer ce principe aux relations employés-direction modifiant ainsi l'ambiance d'amertume qui régnait dans leurs négociations collectives.

Comment cela fonctionne-t-il sur le plan personnel? Pour y répondre, pensez à vos ventes les plus réussies : celles qui vous ont apporté le plus de satisfactions personnelles et financières. Pensez à une vente au cours de laquelle vous avez satisfait a) *votre* intérêt personnel ; b) celui des acheteurs ; c) et où ces derniers étaient au courant de ces deux faits. Il s'agissait là, par définition, d'une vente de type gagnant-gagnant.

Rien ne réjouit plus un vendeur professionnel que d'amener une vente difficile jusqu'à la section gagnant-gagnant du losange. Tout(e) vrai(e) vendeur(euse) professionnel(le) veut que toutes ses ventes en arrivent là.

Pourquoi? N'y voyez aucun altruisme. Nous ne conseillons pas de choisir une approche du type « aventure conjointe » pour des raisons de politesse ou de morale, mais par simple pragmatisme. Quand vos acheteurs gagnent, vous gagnez, parce que vous obtiendrez de nouveaux contrats en retour ainsi que les affaires nouvelles que vous recherchez.

Donc, servir les intérêts propres de l'acheteur est en définitive la meilleure façon de servir les vôtres.

Je gagne – vous perdez : vaincre l'acheteur

Les non-initiés semblent s'imaginer que dans une vente chacun cherche à pousser le futur client vers cette section du losange gagnant-perdant. Les exemples de scénarios je gagne – vous perdez abondent dans les histoires populaires : du vendeur de voitures d'occasion qui trafique le compteur kilométrique au commerçant en électroménager qui revient sur sa garantie, en passant par le service de messagerie qui livre votre colis avec deux jours de retard, à la société de vente par correspondance, qui ne le livre pas du tout.

Le service des fraudes et la Poste passent leur temps à rechercher et à emprisonner ces amoureux du " je gagne – vous perdez " qui ont enfreint la loi. On peut, par exemple, s'adonner à cette pratique dans les circonstances suivantes :

1 - En vendant quelque chose à un prix exhorbitant à un moment où la personne en a un si urgent besoin qu'elle ne peut le refuser.
2 - En faisant une description irréaliste des services après-vente de votre entreprise, amenant le client à croire que vous résoudrez instantanément tout problème posé par votre produit.
3 - En plaçant chez l'acheteur un modèle plus (ou moins) sophistiqué que celui désiré.

Dans chacun de ces scénarios aventureux et antagonistes, vous dressez l'acheteur contre vous en échange d'une commission rapide. En dépit de ce que l'on fait croire au public, cette façon « courante » et « traditionnelle » de vendre n'est ni courante, ni traditionnelle, au moins parmi les vendeurs heureux en affaires. Les meilleures entreprises et les meilleurs vendeurs savent depuis toujours que le renouvellement des contrats est essentiel partout et que la politique du « je gagne – vous perdez » ne peut être que désastreuse. Son seul effet positif est de vous faire obtenir un premier contrat. Ceci vous donne aussi ce que ne recherche jamais un vendeur : un client en quête de revanche.

La revanche de l'acheteur

Mieux vaut éviter de s'adonner au jeu du « je gagne – vous perdez » : il est de courte durée et instable ; avec le temps, il s'achève toujours en perdant-perdant. Il n'est donc pas dans *votre* intérêt de le pratiquer avec quelqu'un avec qui vous espérez effectuer de nouvelles transactions. Tôt ou tard, ceux que vous avez fait perdre découvriront que vous les avez trompés. Pour reprendre les exemples précédents, ils vont s'apercevoir :

1 – que votre concurrent vendait le même produit 35 % moins cher.

2 – que vous n'avez pas répondu comme vous l'aviez promis aux demandes d'entretien.

3 – que votre produit, quelles que soient ses qualités techniques. ne correspond pas aux besoins précis de l'entreprise.

Tout cela peut ne pas se produire dans l'immédiat, mais si vous avez vraiment négligé l'intérêt personnel de l'acheteur, il finira par s'en rendre compte. Auquel cas, *le mieux* que vous puissiez espérer, est qu'il laisse tomber et vous oublie. Mais il est plus probable qu'il va contre-attaquer en faisant courir le bruit qu'on ne peut pas vous faire confiance. C'est la revanche de l'acheteur. Elle peut vous être fatale même des années plus tard. Parfois la réaction est immédiate. Nous avons déjà raconté l'exemple classique de revanche d'une influence d'achat : la vente, à une entreprise textile, d'une méthode de dépannage qui ne dépassera jamais la période d'essai, parce que le vendeur avait négligé les acheteurs utilisateurs. En l'occurrence cela revenait à dire : « Je me moque de votre intérêt personnel. Je peux gagner ici, même si vous perdez. » La revanche de l'acheteur a été immédiate : les utilisateurs se sont simplement arrangés pour que la méthode proposée par le vendeur ne fonctionne pas.

Et le résultat de la vente est devenu tout de suite un perdant-perdant.

Parfois la revanche de l'acheteur peut prendre un peu plus de temps. Il y a environ quinze ans de cela, un ami écrivain avait co-rédigé un ouvrage avec un aspirant acteur. Le livre a fait un flop en grande partie parce que l'éditeur, qui poursuivait des objectifs bien plus importants à l'époque, ne l'inscrivit qu'au bas de sa liste de priorités dans son budget publicitaire. Notre ami n'a jamais oublié sa mauvais gestion de ce projet. Et il y a un an, lorsque l'acteur, à présent une étoile montante des *sitcoms*, lui demanda de faire un deuxième livre, il tenait sa revanche. L'éditeur, bien sûr voulait avoir la vedette de télévision sous contrat, mais notre ami dit à son coauteur : « Pas question. Je veux bien faire ce livre avec vous, mais pas avec cet éditeur ». Aussi portèrent-ils le livre à un autre éditeur en le proclamant haut et fort.

Nous savons que notre ami n'était pas un acheteur au sens technique du terme. Mais il était, à coup sûr, l'une des influences d'achat. En jouant gagnant-perdant avec cet « acheteur » il y a plus de quinze ans de cela, l'éditeur s'est fermé une opportunité qu'il n'imaginait même pas. La leçon est évidente. Ne pas tenir compte de l'intérêt personnel de chaque influence d'achat est à long terme une position suicidaire. Ou pour paraphraser l'un des plus grands psychologues de la littérature anglaise, William Shakespeare : « Il n'y a guère de pire furie qu'un acheteur méprisé. »

Je perds - vous gagnez : faire une « faveur » à l'acheteur

Tous les professionnels savent qu'il est beaucoup moins courant de jouer à je gagne – vous perdez qu'à je perds vous – gagnez. Là, le vendeur joue au martyr et « favorise » l'acheteur au détriment de sa propre entreprise. « Je vais perdre délibérément, dit en substance le vendeur, pour que vous, cher client, puissiez gagner. » Situation que vous avez fréquemment rencontrée dans votre travail. Un de nos participants se plaignait que cette attitude était si courante dans son entreprise que c'était devenu « pratiquement la politique de la société ». Chaque fois qu'un vendeur obtient une première commande en vendant à un prix ridiculement bas, chaque fois qu'une réduction extraordinaire est consentie pour une vente en gros, qu'un service gratuit, des échantillons gratuits et autres avantages annexes sont accordés en même temps que la commande, le jeu est « je perds - vous gagnez ».

Le raisonnement ici veut que le client soit impressionné par la générosité du vendeur et lui rende la pareille à l'avenir.

« Je vous fais une faveur maintenant », sous-entend le vendeur, « vous me renverrez l'ascenseur dans quelque temps. » Malheureusement, ce n'est pas toujours le cas.

Il s'agit en fait d'un problème de perception.

Quand vous jouez à je perds-vous gagnez, vous donnez à l'acheteur *une fausse vision de la réalité*, vision qui ne peut être maintenue indéfiniment, mais est présentée comme normale. Quand vous « achetez le contrat », en bradant votre produit, vos services ou votre temps, vous vous placez en position de perdant dans l'avenir, car vous donnez à espérer à l'acheteur de façon irréaliste.

Aucune société ne va éternellement faire cadeau de ses produits ou services. Quand la vôtre décide qu'il est temps que le diable ait son dû, vous aurez à transmettre un fort désagréable message à votre client « gagnant » : « Maintenant, à vous de perdre ». Comme par hasard, à peine vous a-t-il entendu que l'acheteur oublie toutes vos faveurs passées. Il vous voit jouant avec lui à je gagne-vous perdez maintenant, et se prépare à prendre sa revanche. Et qu'arrive-t-il : vous perdez tous les deux - tout comme si vous aviez joué au gagnant-perdant.

En dernier ressort, la section je perds-vous gagnez est aussi *instable* que le « je gagne-vous perdez », elle aussi *dégénère* en perdant-perdant, et n'est donc pas dans votre propre intérêt.

Quand - et comment - jouer à je perds-vous gagnez

Il n'est pas question de ne *jamais* jouer à je perds-vous gagnez. Dans certaines circonstances, cela peut être une stratégie utile à *court-terme*. Rien ne vaut une remise de première commande, par exemple, pour intéresser un acheteur à un nouveau produit. Mais si vous jouez à je perds-vous gagnez, *faites-le-lui savoir*. Et assurez-vous qu'il est également bien entendu que le soi-disant repas offert est un cadeau strictement ponctuel.

Aujourd'hui, cette pratique est extrêmement courante sur le marché des produits de consommation. Là, inutile pour les fabricants qui l'utilisent de s'en expliquer auprès de leurs clients, parce que c'est l'usage.

Quand votre supermarché cesse de vendre tel aliment pour chien à un prix sacrifié, pour revenir au prix normal, personne ne proteste qu'« ils essayent de nous rouler ».

Quand un fabricant de lessive met l'échantillon d'un nouveau produit dans votre boîte à lettres en janvier, vous ne les appelez pas le mois suivant pour réclamer l'échantillon du mois de février. Dans le domaine des produits de consommation, il est généralement entendu que jouer à je perds-vous gagnez au moyen d'échantillons ou de prix sacrifiés n'est qu'une spéculation à court-terme.

Peut-être n'en est-il pas ainsi dans votre secteur professionnel. Ne présumez jamais que vos acheteurs le comprennent. L'erreur la plus grave que vous puissiez commettre en jouant à je perds-vous gagnez, est *d'omettre de leur préciser qu'ils bénéficient d'une offre spéciale.* Ceci conduit chez eux à des malentendus et rancunes : ils pensaient que : spécial = normal, et donc réagissent, quand l'offre normale leur parvient, comme si elle était exagérée ou injuste. Pour éviter ce genre de désagrément, jouez cartes sur table. Autre conseil : mettez-le également par écrit. Ne comptez pas sur « l'amitié » pour maintenir les choses sur une base saine. Vous savez qu'à un moment ou à un autre, vous devrez remettre votre acheteur le plus favorisé face à la réalité. Sauf si la spécificité du scénario je perds-vous gagnez est stipulée par écrit, dans le contrat, ou sur une facture, ou dans une lettre d'accord séparée, il sera extrêmement facile à l'acheteur de s'opposer à vos conditions à venir.

Même si vous jouez « correctement », ce n'est cependant qu'une stratégie à court-terme. Votre but final est de rester, avec toutes vos influences d'achat, dans la section gagnant-gagnant.

Je perds-vous perdez : la section fourre-tout

Nous avons dit que chaque section décrit à la fois une situation pendant le processus de vente et après la prise de commande.

Si nous donnons ce surnom à cette section, c'est qu'elle contient toutes les ventes que vous n'amenez pas consciemment et activement jusqu'à l'issue gagnant-gagnant. Ceci est vrai dans les situations je gagne-vous perdez et je perds-vous gagnez, pour les raisons déjà évoquées. Cela vaut également pour un très petit nombre de ventes, qui, à un stade quelconque du processus, s'engagent sur la voie du perdant-perdant.

Par exemple, un client qui a désespérément besoin d'un produit qu'il juge trop cher, insistera pour avoir des délais de livraison ultra-rapides. A cause des délais le vendeur pourrait avoir la sensation d'être perdant *lui-même*, alors que le prix élevé donnera au client l'impression de perdre également.

Pareils scénarios sont cependant rares. Seule une infime proportion de vendeurs *s'embarque* sur la voie du perdant-perdant. Hormis quelques masochistes et farfelus, chacun, dans le monde des ventes, comprend en général que personne n'a rien à gagner d'une destruction mutuelle.

Vos influences d'achat le savent aussi, c'est pourquoi, en cas de situation perdant-perdant évidente, il est préférable de leur faire savoir que cela ne vous plaît pas plus qu'à eux. Une fois que les acheteurs ont compris que vous ne cherchiez pas à les vaincre, ils seront le plus souvent prêts à coopérer *avec* vous, pour que personne ne soit perdant.

Votre position actuelle gagnant-gagnant

Les meilleurs vendeurs professionnels comprennent intuitivement l'importance de la dynamique gagnant-gagnant. Nous connaissons tous des personnes qui semblent avoir le don de provoquer les événements : qui sont toujours au *bon* endroit au *bon* moment, qui connaissent toujours les personnes *qu'il faut* contacter pour un objectif donné, et dont les revenus reflètent cette chance mystérieuse et persistante. Pourtant, quand vous examinez leur manière de procéder, vous vous apercevez que leur succès ne doit rien à la chance. Ils réussissent parce qu'ils comprennent la loi fondamentale bio-logique et psychologique selon laquelle *chacun(e) doit servir son intérêt personnel*. Ils la mettent en pratique en s'efforçant constamment d'agir dans leur propre intérêt *et* dans celui des acheteurs. Ils s'assurent en outre que chaque influence d'achat est au courant de la situation. Chaque fois que vous servez l'intérêt personnel d'une influence d'achat, vous enrôlez cette dernière dans une équipe qui fait cause commune dans le but de parvenir à une satis-faction mutuelle. Quand vous et vos acheteurs travaillez de la sorte en équipe, il vous est d'autant plus facile de tous gagner ensemble.

Après une première expérience, vous connaissez et comprenez les espé-rances et conditions nécessaires pour renouveler vos ventes dans le futur.

C'est un processus permanent. Votre position dans la section gagnant-gagnant doit être constamment réévaluée au cours du cycle de vente pour être sûr que, au fur et à mesure que les affaires et les acteurs clés évoluent, vous continuez à avancer vers des conclusions de type gagnant-gagnant avec toutes vos influences d'achat.

Vous pouvez, dès à présent, commencer votre estimation, en faisant une enquête préliminaire sur les influences d'achat concernées par votre pro-position de vente. Comme nous l'avons dit, c'est en agissant dans l'inté-rêt personnel de chaque acheteur que vous servez le mieux votre propre intérêt. Vérifiez qu'il en est ainsi en les étudiant chacun à leur tour. Commencez, par exemple par l'acheteur économique (Alain Legrand dans votre tableau d'influence type) et posez-vous les questions suivantes :

- Est-ce que j'agis sincèrement et sérieusement dans l'intérêt de Legrand dans cette vente ? A savoir, est-ce que je *veux* vraiment qu'il gagne ?
- Lui-même comprend-il que j'essaie de servir son propre intérêt ? C'est-à-dire, *sait-il* que je veux le voir gagnant ?

Puis faites de même à propos des autres acheteurs inscrits sur votre tableau.

Si les réponses sont négatives, ou si vous n'êtes pas *sûr* de vous, notez cela comme un élément de risque (une zone de drapeau rouge), dans la vente.

Peut-être n'avez-vous pas encore atteint la section gagnant-gagnant avec cet acheteur, et avez-vous besoin *d'orienter* vos rapports avec lui vers une issue gagnant-gagnant.

Là où vos réponses sont claires et positives, vous pouvez y voir une force stratégique.

Même dans ces cas, souvenez-vous pourtant que votre position actuelle de type gagnant-gagnant est provisoire. Il faut vous y *maintenir* vous et vos acheteurs pour y être encore à la fin du cycle de vente et au-delà.

Vous pouvez le faire en utilisant un élément clé de stratégie que nous allons maintenant vous présenter : le concept des résultats-gains.

10

ÉLÉMENT CLÉ N°4 :
LES RÉSULTATS-GAINS

NOMBRE DE NOS PLUS GROS CLIENTS comme Coca-Cola, Hewlett Packard et Price Waterhouse trouvent notre concept du gagnant-gagnant si utile qu'ils l'incorporent à leur propre culture d'entreprise. L'objectif du gagnant-gagnant est devenu pour eux, comme pour nous, non seulement une technique ou une méthode mais le cœur même de leur politique. Certaines sociétés vont jusqu'à adopter le losange lui-même dans leurs présentations de vente. Un cadre commercial de l'une d'entre elles nous a dit récemment : « Nous avons fait de votre losange un support visuel de base dans nos présentations ; c'est l'outil idéal pour montrer aux clients que nous sommes avec eux. »

Pour utiliser ce concept avec autant d'efficacité que ces entreprises géantes, il vous faut avoir les mêmes engagements philosophiques, avec quelque chose en plus. Nous allons maintenant vous présenter une méthode éprouvée et pratique de mise en œuvre de cette notion dans la réalité.

Mettre en œuvre cette philosophie du gagnant-gagnant signifie « vendre » cette section *opérationnelle* à chacune de vos influences d'achat sans exception ; en d'autres termes permettre à chacune d'elles de se rendre compte qu'elle a gagné. Comment, dans la pratique, parvenez-vous à ce résultat ?

En donnant à chaque influence d'achat quelque chose lui démontrant que vous servez son intérêt personnel. Ce quelque chose s'appelle les *résultats-gains*.

Qu'est-ce que les résultats-gains ?

Nous avons forgé ce terme dès le début de la mise au point de nos méthodes de Vente Stratégique.

Au fil des années passées à exposer nos méthodes, nous nous sommes aperçus que le concept de *résultats-gains* donne toujours lieu à plus de discussions, de confusion que les autres concepts avant d'aboutir à l'illumination finale. On en saisira plus rapidement le contenu si nous débutons par quelques définitions.

Ce concept repose sur les notions suivantes :

- *Vendre :* exercice professionnel consistant à montrer à toutes vos influences d'achat en quoi votre produit ou service sert leur intérêt personnel.
- *Produit :* un produit est destiné à améliorer ou à remettre en ordre la marche des affaires de votre client. Dans la Vente Stratégique, « produit » désigne aussi bien un produit qu'un service, en fait ce que *vous* vendez.
- *Processus :* activité ou série d'activités qui transforme(nt) ce qui existe en ce moment en autre chose. Exemples : transport, facturation, production, recherche et expansion, contrôle de qualité.
- *Résultat :* impact d'un produit sur le fonctionnement d'un ou plusieurs des services du client. Les résultats sont objectifs et collectifs, c'est-à-dire qu'ils affectent généralement beaucoup de personnes en même temps, même si ce n'est pas de la même *façon*.
- *Gain :* accomplissement de la promesse subjective et personnelle que l'on s'est fait à soi-même de servir son propre intérêt d'une manière particulière. Les gains sont toujours *différents* selon les individus.
- *Résultat-gain :* résultat objectif d'une transaction qui assure à une ou plusieurs de vos influences d'achat un gain personnel et subjectif.

Le seul moyen de vous placer sur la section gagnant-gagnant du losange étant de fournir des résultats-gains, il est essentiel pour vous de comprendre les deux volets du concept résultats-gains. Vous ne pouvez pas ignorer les résultats parce qu'ils doivent se produire *avant* que l'acheteur n'en retire un gain ; c'est la *condition préalable* à tout gain. D'un autre côté vous ne pouvez pas non plus négliger les gains de vos acheteurs. En vous concentrant *uniquement* sur les résultats vous risquez tôt ou tard d'en offrir un sans intérêt pour l'un de vos acheteurs, ou pire encore, un qui puisse être interprété comme une perte personnelle.

Ceci se produit *constamment* dans la vente complexe. Voici un exemple simple démontrant les problèmes que cela peut créer.

Un de nos participants nous raconta récemment qu'il ne voyait vraiment pas pourquoi il n'arrivait pas à faire aboutir une certaine vente. Il s'agissait d'une opportunité « idéale », mais pour des raisons mystérieuses, elle était bloquée par le président de la société cliente. « Le produit convient parfaitement à leurs besoins, nous dit-il, nos délais de paiement sont solides et approuvés. Notre tarif est même le plus bas. Si j'étais lui, j'aurais signé depuis trois mois. Mais il refuse de bouger d'un pouce. »

Nous : « Parlez-nous du président ? A quoi ressemble-t-il ? »

Le participant : « Vous voulez dire en tant que personne ? »

Nous : « C'est cela. En tant que personne. »

Il nous fit alors la description d'un travailleur acharné qui, parti de rien, avait créé son entreprise, l'avait dirigée de main de maître pendant trente ans, et qui, dans deux mois, allait prendre une retraite longtemps retardée. Tandis qu'il parlait, se dessinait sous nos yeux le portrait d'un cadre fatigué, préoccupé, qui devait se forcer à venir au bureau tous les matins. Petit à petit, il devint clair que, pour excellents que soient les résultats que lui proposait notre participant, ils n'auraient sans doute aucun effet sur cet homme, parce que, en un sens, il avait déjà abdiqué. On dirait que la seule chose qu'il désire est qu'on le laisse tranquille. Est-ce qu'il y a un gain pour lui dans cette vente ?

Non, se rendit soudain compte notre participant. « Dès qu'il s'en fut aperçu, il opta pour une stratégie, qui, compte tenu de l'intransigeance du président », était la seule raisonnable. Il décida d'attendre le départ du vieil homme. Dans trois mois, le vendeur le savait, la société aurait un nouveau président, et la vente une nouvelle influence d'achat économique. Le vendeur attendit son heure, adoptant la stratégie recommandée « d'attente vigilante », et maintint des contacts réguliers et discrets avec la société cliente. Quand arriva le nouveau président, sa patience porta ses fruits. Le président, fort désireux de débuter sur un succès, fut ravi d'approuver et de conclure une affaire si adaptée et à un tarif si intéressant. Cet accord valut à son entreprise non seulement le résultat qu'il escomptait, mais servit aussi son intérêt personnel, d'une façon qui aurait été inutile à l'ancien président : il apparut aussitôt comme un homme providentiel.

A résultat identique, gains différents. La leçon est évidente.

Même si un résultat donné peut avoir un impact unique et clairement défini sur une situation commerciale, il aura toujours des effets différents sur les influences d'achat concernées. Et l'impact personnel peut être négatif même si le résultat est positif.

On peut tirer un principe de cette leçon : *les entreprises obtiennent des résultats, mais ce sont les individus qui gagnent.*

Le but fondamental de votre vente étant de montrer à chacune de vos influences d'achat en quoi votre produit ou service sert son intérêt personnel, n'offrir que des résultats est évidemment insuffisant. Il vous faut comprendre comment chacune d'elles, *personnellement* gagne et ainsi parvenir à la section gagnant-gagnant.

Pour rendre la différence entre résultats et gains plus nettes le tableau suivant présente les caractéristiques fondamentales de chacun.

Prenant ce tableau comme toile de fond, nous expliquerons les deux volets du concept résultats-gains de manière plus approfondie. Nous commençons par les résultats puisqu'ils doivent se produire *avant* que l'acheteur ne perçoive un gain.

176

Résultats	Gains
1 - Impact d'un produit sur un processus.	1 - Accomplissement d'une promesse faite à soi-même.
2 - Tangibles, mesurables, quantifiables.	2 - Intangibles, non mesurables, non quantifiables.
3 - Collectifs.	3 - Personnels.

Les caractéristiques des résultats

1. Un résultat est l'impact qu'a votre produit ou service sur le fonctionnement de l'entreprise de votre client

Il faut que l'effet modifie le processus du client, car c'est la raison ultime de tout événement. Le processus est ce qui *transforme* un état de fait en un autre. Comme le processus de cuisson fait de la viande crue et des pommes de terre un steak-frites de premier ordre, ou l'exercice physique qui change la graisse en muscles, de même le processus de fonctionnement de vos clients est destiné à transformer une situation en une autre.

Des activités telles que le transport, la facturation et le contrôle de qualité peuvent, nous l'avons dit, être considérées comme faisant partie du processus général. En fait, pratiquement toute activité dans les affaires, du balayage d'un entrepôt aux débats du conseil d'administration au plus haut niveau, peut être perçue de cette façon : destinée à transformer une « matière première » en quelque chose d'utilisable.

Bien entendu, tous ceux qui participent à la transformation voudrait que ce quelque chose d'utilisable soit aussi quelque chose de mieux. C'est là que vous intervenez. *Vous comptez aux yeux des influences d'achat quand, et seulement quand, votre produit ou service à un impact positif sur le fonctionnement d'un ou plusieurs services.* Il y a deux façons d'y parvenir.
• En *améliorant* un fonctionnement déjà valable.
• En *réparant* ce qui ne va plus ou pourrait aller mal.

Ceci nous ramène à la discussion sur les réactions d'achat du chapitre 8. Il y était dit que les acheteurs sont réceptifs au changement, et donc prêts à acheter, quand ils sont en réaction de croissance ou de difficulté. Dans les deux cas, ils recherchent un impact positif sur leurs services. S'il y a croissance, ils souhaitent *améliorer* les choses. S'il y a difficulté, ils veulent que vous répariez quelque chose. Dans les deux cas, vous leur êtes précieux parce que votre produit ou service a un effet positif sur le fonctionnement de leur entreprise.

2. Un résultat est tangible, mesurable, quantifiable

Si vous vendez à Danièle Brun un système de contrôle d'inventaire pour réduire le nombre d'heures supplémentaires de 16 %, vous n'avez pas besoin de savoir quoi que ce soit sur elle, ou sur sa perception de la réalité, pour déterminer le résultat offert. Par définition, il sera ici de 16 % de réduction d'heures supplémentaires.

Peut-être cette personne n'en veut-elle pas ; auquel cas vous auriez tort de lui offrir ce résultat-là. Mais pour des raisons de définition objective, ses *impressions* du résultat sont sans importance. Les résultats sont impersonnels et gratuits ; ils existent « quelque part », objectivement.

3. Un résultat est collectif

Par « collectif » nous ne voulons pas dire qu'il affecte la collectivité de l'entreprise (bien que ce soit souvent le cas), mais simplement qu'il concerne plusieurs personnes dans cette entreprise.

Les services étant interdépendants dans l'entreprise moderne, et par conséquent dans la vente complexe, tout résultat risque d'en influencer un ou plus en même temps. Mais si un seul est affecté (disons, le contrôle d'inventaire de Brun), *beaucoup* seront néanmoins concernés (tout son service) et tous vont bénéficier du résultat dont vous êtes responsable.

Les caractéristiques des gains

1. Un gain est l'accomplissement d'une promesse faite à soi-même

Quand quelqu'un a *l'impression* d'avoir gagné, c'est qu'il a accompli la promesse consciente ou non qu'il s'était faite à lui-même de servir son propre intérêt.

Mais ces promesses faites à soi-même ne viennent pas de nulle part. Elles sont, pour chacune, le fruit de la *culture* générale et des nombreuses *sous-cultures* particulières dans lesquelles grandit l'individu ; les rêves et projets que nous faisons sont le reflet de nos *valeurs et comportements* de base face à la vie, qui sont eux-mêmes, en grande partie, déterminés culturellement. Vous n'attendez pas d'un montagnard laotien, qui vit essentiellement à un niveau de subsistance, qu'il considère le don d'un lave-vaisselle ou d'une carte de bibliothèque comme un gain ni d'un mormon qu'il considère une caisse de whisky comme un gain. Nos gains sont tous fonction de notre environnement culturel propre.

De plus, ces promesses *varient* avec les valeurs et les comportements, et dans certains cas deviennent obsolètes avant même d'être accomplies. Ceci est particulièrement vrai dans notre milieu culturel où le changement est constamment présent. L'homme de quarante ans qui, dans sa jeunesse, s'était promis d'avoir une villa sur la Côte-d'Azur et une Mercedes, peut s'apercevoir, au moment où il a les moyens de les acquérir, qu'ils ont cessé de compter pour lui : il ne les considère plus comme des gains. Vous devez donc, quand vous estimez les gains, toujours prêter attention à la perception *actuelle* de l'éventuel gagnant concerné.

2. Un gain est intangible, non mesurable, et non qualifiable

Pour la plupart des êtres humains, les choses qui comptent le plus dans la vie sont des récompenses subjectives telles que le sentiment familial, une sensation de sécurité et le plaisir de savoir que l'on a fait de son mieux. Satisfaire et enrichir ces sentiments sont les gains ultimes.

Les psychologues ne cessent de le « découvrir » chez les vendeurs. Vous avez dû voir ces études de comportement que ces sociologues distribuent aux membres de notre profession. Dans toutes celles que nous avons vues les chercheurs parviennent à la même conclusion « surprenante » : ce qui excite vraiment les bons vendeurs ce ne sont pas les commissions faramineuses mais la satisfaction dans le travail, la considération et le défi. La croyance populaire selon laquelle les vendeurs ne font ça que pour l'argent, est une erreur de jugement. Comme le montre les évaluations sur les « facteurs motivants dans une vente », les vendeurs mettent l'argent très loin derrière une série de récompenses moins tangibles et moins concrètes.

Ceci vaut également pour ceux qui sont de « l'autre côté » de la barrière achat/vente. Vos acheteurs, comme vous, restent dans leur profession en grande partie non pas seulement parce qu'il y reçoivent des salaires élevés (bien que cela aide), mais parce qu'elle leur permet d'obtenir la considération et les satisfactions dont ils ont besoin pour gagner. Il est donc indispensable à quiconque veut proposer des solutions aux clients de s'attacher à ces récompenses qui n'ont pas de prix.

Les récompenses intangibles qui peuvent servir de gains aux individus sont extrêmement variées.

La liste suivante offre un échantillon de leur étendue et de leur diversité. Bien entendu, ce ne sont que des exemples.

Types de gains	
• garder le pouvoir	• passer plus de temps en famille
• parvenir à contrôler les autres	• acquérir davantage de pouvoir
• avoir plus de loisirs	• satisfaire son amour-propre
• rester en un lieu donné	• être plus souple
• accroître et développer ses capacités	• se sentir plus en sûreté et en sécurité
• augmenter sa productivité personnelle	• réaliser une performance de qualité
• être un facteur de changement	• être considéré comme un leader
• être considéré comme celui qui résout les problèmes	• proposer quelque chose d'unique en son genre
• apporter sa contribution à la société	• s'acquitter d'une dette
• développer ses facultés mentales	• accroître ses responsabilités et son autorité
• être bien considéré	• s'assurer un style de vie
• augmenter son potentiel de développement	• être plus libre.
• améliorer son statut social	

Il existe d'innombrables façons de gagner. Une de vos missions en tant que coordinateur stratégique de vos objectifs de vente est de déterminer quels sont les types de gains propres à chacun de vos acheteurs.

3. Un gain est personnel

Comme nous l'avons dit, les résultats sont collectifs ou partagés. Nous avons pris comme exemple le service du contrôle d'inventaire de Danièle Brun pour montrer comment un seul résultat peut profiter à beaucoup de salariés. Mais quelle que soit l'importance du résultat tous *n'en bénéficieront pas de la même manière.*

Voilà peut-être la différence la plus importante entre gains et résultats. Même si un résultat objectif peut engendrer des gains pour beaucoup, aucun de ces gains ne sera identique pour chacun d'eux. Chacun d'eux sera lié aux perceptions *personnelles* d'un acheteur spécifique.

Prenez le résultat supposé offert au service de Brun : 16 % de réduction des heures supplémentaires. Brun elle-même verra un gain dans ce résultat qui va lui permettre de tenir plus fermement la barre et donc satisfaire un besoin de contrôle. Un salarié de son service peut considérer ce même résultat comme un gain pour une raison totalement différente : pour lui, la réduction des heures supplémentaires peut constituer un gain parce qu'elle lui permet de passer plus de temps en famille. A mêmes résultats, gains différents. D'autre part, un autre peut ne pas y voir de gain du tout. Une employée qui *a besoin* de ces heures supplémentaires pour payer ses factures ne trouvera pas que ces 16 % de réduction servent son intérêt personnel ; pour elle, ce résultat formidable se soldera par une perte.

Cette distinction fondamentale entre résultats collectifs et gains personnels met en relief une des leçons primordiales de la Ventre Stratégique : *il ne suffit pas de vendre des résultats seuls.* Pour amener toute vente complexe jusqu'à la section gagnant-gagnant avec chaque acheteur. *vous* devez déterminer comment chacun d'eux perçoit le *gain*.

Déterminer les perceptions de gains de vos acheteurs

Pour rendre opérationnelle la section gagnant-gagnant du losange, deux choses sont indispensables : noter le(s) résultat(s) que chacune de vos influences d'achat espère obtenir à partir de votre proposition de vente, puis démontrer à chacune d'elles le gain personnel qu'elle peut en retirer.

En accomplissant ces deux tâches, vous vendez des résultats-gains.

Ce n'est pas toujours chose facile que de comprendre et de satisfaire ainsi les besoins subjectifs de vos acheteurs. Mais déterminer leurs résultats-gains n'est pas nécessairement affaire de flair. Des années passées à travailler aux côtés de vendeurs dans divers domaines nous ont appris qu'il existe trois méthodes fiables pour les repérer :

1. Vous pouvez imaginer les gains de chaque acheteur soit à partir des résultats qu'ils sont susceptibles de désirer, soit à partir de ce que vous savez de leur comportement et de leur style de vie.
2. Vous pouvez leur *demander* directement ce qu'ils attendent de la vente.
3. Vous pouvez prendre un *coach*.

Imaginer le gain

Même si chaque influence d'achat gagne de façon individuelle, des *catégories* d'acheteurs ont tendance à rechercher des résultats identiques pour leurs entreprises. Savoir cela vous aidera à estimer si oui ou non tel acheteur est susceptible de gagner avec un résultat précis.

Certes, se contenter de déterminer les seuls résultats n'est jamais suffisant. Mais si vous commencez par les résultats qu'Henri Lagrange attend d'une situation donnée, vous serez mieux placé pour *déduire* les différents gains que chacun de ces résultats peut lui apporter.

Le tableau suivant, qui offre un échantillon de résultats, a été utile à nombre de nos participants qui se sont ainsi fait une idée des résultats types produisant des gains pour ceux situés dans chaque catégorie d'influence d'achat.

Remarquez que, dans chaque cas, les résultats sont en rapport direct avec les préoccupations professionnelles de l'acheteur soulignées au chapitre 5 (influences d'achats). Les acheteurs économiques, par exemple, recherchent des résultats tournés vers la stabilité de l'entreprise et un effet durable tel que le retour sur investissement.

182

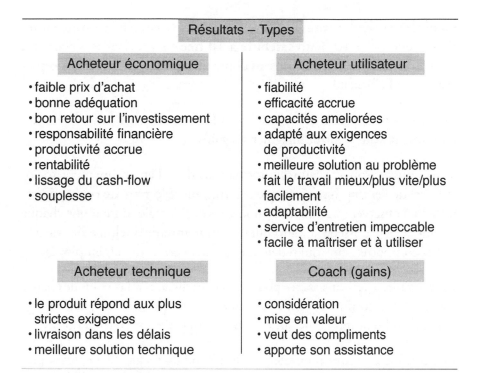

Les acheteurs utilisateurs se concentrent sur la performance dans le travail et les résultats qu'ils veulent habituellement comme gains mettent en valeur cette performance. Les acheteurs techniques, eux, se préoccupent de voir si le produit passe leurs tests de contrôle ; ils sont susceptibles de gagner si vous leur proposez des résultats d'un niveau égal ou supérieur à ces tests.

Notez également que les coaches n'obtiennent pas de résultats propres, seulement des gains. C'est *votre réussite dans la vente* qui constituera le gain de votre coach.

Il y a un élément de spéculation dans le fait d'imaginer les gains à partir des résultats ; vous devrez donc re-vérifier votre déduction en la recoupant avec d'autres informations. Si vous avez rencontré Legrand trois fois, vous savez déjà un certain nombre de choses à son sujet. Si son bureau est surchargé de trophées de golf, c'est qu'il doit éprouver un grand besoin de réussite et de considération. Si les murs sont couverts de photos de ses enfants, la clé peut se situer dans la sécurité et l'approbation familiale. Si ses heures de rendez-vous sont des modèles de ponctualité (si votre entretien prévu pour 10 heures débute à 10 heures précises et s'achève à 11 heures juste) alors il attache sans doute une grande importance à la précision et à l'efficacité.

Plus vous en saurez sur le style de vie et le comportement de votre acheteur, mieux vous pourrez imaginer ses gains.

Vous pouvez trouver d'autres informations dans l'environnement socioculturel de l'entreprise dans laquelle il travaille. Nombre de ceux qui s'attachent à observer les entreprises modernes occidentales notent que chaque grande société possède aujourd'hui sa culture interne, incluant des valeurs et des comportements qui reflètent et influencent ceux des employés.

Par exemple, la reconnaissance pour service rendu au public a plus de chance d'être perçue comme un gain dans une société qui veut projeter l'image d'une grande communauté que dans une entreprise qui préfère l'isolement.

Etre considéré comme innovateur ou indépendant risque d'être plus apprécié comme un gain dans une entreprise qui se considère comme le leader incontesté d'une industrie que dans une société qui poursuit son petit bonhomme de chemin dans les affaires depuis cinquante ans.

Il ne s'agit pas de dire que les valeurs propres à chaque acheteur ne sont jamais que le *simple* reflet de celles de leur entreprise. Mais les valeurs culturelles d'une société sont quand même un étalon valable pour vérifier ce que vous pensez être les gains d'une influence d'achat donnée.

Attention : n'oubliez pas que déduire n'est qu'une façon sophistiquée de deviner. Vous devriez toujours vérifier vos déductions en demandant à l'acheteur directement, et/ou par l'intermédiaire du coach.

Questionner directement l'acheteur

Le deuxième moyen de découvrir les gains de votre influence d'achat est tout simplement de lui poser la question. Cela ne veut pas dire faire asseoir le secret M. Leverger et lâcher : « Quels sont vos gains dans cette vente ? » Non, vous poserez des questions d'attitude plutôt que des questions objectives.

184

Une question *objective* cherche à savoir ce que veut l'acheteur ou ce dont il a besoin. La plupart des vendeurs insistent sur les questions objectives ou, pire encore, essayent de deviner les gains de l'acheteur sous prétexte de ne pas se « monter indiscrets », de s'en tenir aux faits, ou parce qu'ils n'ont aucune envie d'entendre la réponse qu'ils s'attendent à recevoir s'ils posent une question d'attitude. Quelles que soient leurs raisons de se limiter aux questions objectives, ils en retirent exactement ce qu'ils y ont investi : les faits. Lesquels ne suffisent jamais pour mener à terme une vente complexe acceptable.

Les questions sur l'attitude, par contre s'efforcent de connaître le *sentiment* de l'influence d'achat sur la situation : « Quelle est votre opinion sur ce système ? » ou plus directement encore : « Que pensez-vous de cette proposition ? ». Ces questions-là sont presque toujours appropriées, mais également essentielles. Parce qu'elles vous permettent de sonder au-delà du produit jusqu'aux gains propres à chaque acheteur, elles peuvent vous aider à vérifier vos propres réactions face aux changements dans la situation commerciale, et aussi à suivre l'évolution des besoins de vos influences d'achat. Elles peuvent par exemple être un moyen valable de contrôle des notes chiffrées que vous avez octroyées à vos acheteurs (chapitre 8). Si vous avez mis à Danièle Brun + 3 en tant qu'utilisateur et que, par la suite, une question sur son opinion révèle que quelque chose « la gêne » dans la vente en cours, il apparaît clairement qu'elle ne mérite pas un + 3. Ces questions sont d'une extrême utilité pour le contrôle permanent des « ventes internes » que vous devez effectuer avant toute signature d'accord.

Beaucoup de vendeurs sont gênés de poser des questions d'opinion parce qu'ils se rendent compte qu'il n'est pas toujours aisé d'obtenir des réponses honnêtes.

Le bon stratège sait traiter ces difficultés et ne cherche pas à les éviter. Un des principaux points fort de la Vente Stratégique (et tout spécialement de notre système de mise en évidence par drapeaux rouges) est de *dévoiler* des difficultés tout au long du cycle de vente afin que vous puissiez les résoudre. Les questions d'attitude sont un moyen d'y parvenir.

Nous ne voulons pas minimiser la difficulté ici. Il est évident que lorsque vous questionnez les acheteurs au sujet de leurs gains, l'*ignorance* et la *dis-*

simulation seront souvent des obstacles. Certaines personnes aimeraient vous expliquer comment elles apprécient les gains mais elles n'en savent rien elles-mêmes. Et d'autres ne veulent pas que *vous* le sachiez : elles veulent bien parler des résultats, mais estiment que leurs sentiments *personnels* sur la vente ne vous regardent absolument pas.

Il est possible en pareil cas d'interpréter les résultats visibles en lisant entre les lignes pour trouver le gain caché. Par exemple : un ami venait d'acquérir une nouvelle Porsche. Quand on lui demandait, pourquoi il l'avait achetée, il ne cessait de répéter que c'était un excellent investissement ; il était, disait-il, particulièrement impressionné par les enquêtes de satisfaction auprès des clients et le prix élevé des Porsche à l'argus. Tout ceci, vous le voyez, étaient des résultats. Ces facteurs avaient peut-être compté dans la vente, mais certainement moins que le fait, moins mesurable et tangible, qu'il se prenait pour Alain Prost au volant de sa voiture. Il suffisait de le voir la conduire pour s'apercevoir que c'était là son gain, et la raison décisive de son achat.

Ou alors prenez l'exemple de l'acheteur économique qui a besoin de jouer la sécurité, mais veut que sa timidité soit interprétée comme de la prudence. Nous connaissons ainsi quelqu'un qui, dans ce domaine, achète régulièrement tout ce dont il a besoin au meilleur vendeur. Ce vendeur est souvent un peu plus cher que le concurrent, mais l'acheteur économique a l'impression que s'il s'en tient au numéro un, il ne peut pas avoir de problèmes et que la sécurité est une de ces priorités. Si on lui demande pourquoi il accepte le prix-plafond, il ne dit pas : « J'ai peur de changer. Mon gain, c'est la sécurité. »

Il vous explique à quel point les services après-vente du numéro un sont fiables, et affirme qu'il n'aura jamais la même chose ailleurs. Dans un cas semblable, vous pouvez imaginer ses gains d'après ce qu'il dit des résultats. Comme les acheteurs cachent souvent ainsi leurs gains, nous conseillons aux participants de *se méfier* et de *comparer*, chaque fois qu'ils demandent à l'un d'eux ce qu'il pense d'une vente. *Méfiez-vous des réponses qui ne se concentrent que sur les résultats. Comparez* ce qu'on vous dit avec ce que vous savez par ailleurs des besoins de l'individu, besoins personnels aussi bien que professionnels. Et, en lisant entre les lignes pour parvenir aux gains, attention à ne pas jouer aux devinettes.

Demander conseil

Une façon d'éviter de jouer aux devinettes (ou tout au moins de passer en revue vos spéculations) est d'avoir recours à un réseau de coaches fiables. Étant donné qu'un bon coach est par définition crédible aux yeux des acheteurs, ils peuvent lui confier des renseignements objectifs et subjectifs qu'ils ne vous confieraient pas. Donc si un acheteur est secret, votre coach, ou plusieurs coaches peuvent vous fournir la solution.

Souvenez-vous, le but fondamental de votre vente devrait être de servir l'intérêt personnel conscient de chaque influence d'achat. Voyez cette question de près en demandant à votre coach « *sur quels résultats devrai-je insister pour montrer à Alain Legrand le profit qu'il peut tirer de cette vente?* »

Nous parlerons plus en détail au chapitre 12 de votre coach et nous expliquerons quelques-uns des moyens par lesquels cette influence d'achat essentielle et unique, peut rendre moins hasardeuse votre conduite de la vente complexe. Un des moyens les plus importants est de vous aider à trouver comment chaque influence d'achat va gagner.

Deux méthodes à éviter pour déterminer les gains

Les trois méthodes de détermination des gains que nous venons de décrire (déduction, question, conseil) ont été utilisées avec succès par des milliers de vendeurs et de directeurs commerciaux, dans d'innombrables transactions. Les deux autres méthodes « courantes » ne sont *pas* fiables, et il serait bon que vous les évitiez. Il s'agit :

- d'interpréter les résultats comme étant des gains.
- de présumer que votre propre gain est le même que celui de votre influence d'achat.

Interpréter les résultats comme étant des gains

Examinez d'abord les résultats, certes. Il ne saurait y avoir de gain sans résultat. Mais il ne s'ensuit pas qu'un bon résultat égale un gain ; c'est une condition préalable et *non* un équivalent.

Vous vous souvenez de l'histoire du vendeur qui avait tant de mal à convaincre un président vieillissant d'acheter. Le vendeur avait toute une série de bons résultats. Son produit ferait réaliser des économies à l'entreprise, il augmenterait la productivité, il était, selon lui, « parfaitement adapté à ses besoins ». Mais le président ne voulait toujours rien entendre, parce qu'il n'avait pas réussi à lui démontrer qu'il était dans *son* propre intérêt d'acheter.

La leçon est claire. Toujours commencer par les résultats, mais ne *jamais s'en tenir* là.

A moins de comprendre les raisons personnelles qu'a chacun d'acheter, vous risquez fort de vous retrouver, même après avoir vendu maintes fois à un acheteur, en train de proposer un super résultat dans une situation où l'acheteur ne voit qu'une perte personnelle.

Confondre vos gains et ceux de l'acheteur

Quand ce même vendeur nous a raconté ses déboires, une phrase nous est restée en mémoire : « Si *j'étais cet homme*, dit-il *j'aurais signé depuis des mois.* »

Vrai, peut-être, mais hors de propos. Et bien pire encore. En se rendant compte que lui-même aurait signé depuis longtemps, le vendeur commettait ce qui est sans doute l'erreur la plus fréquente chez ceux qui commencent tout juste à utiliser le concept résultats-gains.
Elle consiste à *projeter leurs propres gains sur leurs acheteurs*, en partant du principe que la façon dont l'acheteur va gagner est identique à celle dont le vendeur gagnerait dans une même situation. Ce genre d'idée préconçue vous amène presque toujours à vous tromper sur les gains de vos influences d'achat.

A ce genre de mauvais calcul, il y a une raison tout à fait logique. Les vendeurs confondent leur intérêt personnel avec celui de l'acheteur et se demandent, en toute sincérité « comment gagnerais-je si j'étais Danièle Brun ». Mais l'empathie ne vous donne pas la réponse nécessaire en pareille situation. Cela ne vous donnera qu'une nouvelle version de vos propres souhaits - l'idée de ce que penserait Danièle Brun si elle était à votre place.

Comme elle ne l'est pas, cela ne sert à rien. Par conséquent vous devez toujours vous concentrer *d'abord* sur les résultats puis vous demander « que peut y gagner cet acheteur, compte tenu des résultats que je propose » ?

Atelier n° 5 : les résultats-gains

En appliquant l'élément clé des résultats-gains à votre objectif, nous vous conseillons d'établir d'abord une liste de résultats collectifs dont vous pouvez vous servir pour attribuer un gain à chaque acheteur, puis d'utiliser ces résultats pour identifier les gains de chacun.

Etape n° 1 : repérez les résultats selon votre type d'activité

Le but, ici, est de vous donner des indications sur le concept de résultats tel qu'il fonctionne généralement dans votre secteur. Pour y parvenir, reprenez la liste des résultats types notée plus tôt dans le chapitre, établissez votre propre tableau, en vous inspirant de l'autre.

Ouvrez votre carnet en grand, de façon à avoir deux pages blanches sous les yeux. Commencez par celle de gauche et inscrivez en haut le titre « Résultats ». Puis partagez-la en trois rubriques : « Acheteur économique », « Acheteur technique », « Acheteur utilisateur ». Dans chacune, notez le plus grand nombre possible de résultats que ces influences d'achat recherchent spécifiquement dans votre *secteur*.

N'oubliez pas, tout en identifiant ces résultats, que les acheteurs économiques se préoccupent surtout de la durabilité et la stabilité de l'entreprise, que les acheteurs utilisateurs veulent savoir comment vous allez améliorer leur performance dans le travail et que les acheteurs techniques s'intéressent avant tout au produit en lui-même. Inutile d'avoir une colonne coach, celui-ci, comme nous l'avons déjà noté, n'a pas de résultats propres.

Si vous êtes comme nos stagiaires, bon nombre des résultats que vous indiquerez seront identiques à nos résultats types. Commencez par notre tableau, mais allez au-delà. Ajoutez à la liste tout résultat que vous pensez être propre à *votre* secteur ou gamme de produits. Vous devez ici parvenir à une liste de résultats pouvant être spécifiques aux influences d'achat de *votre* secteur commercial. Au bout de cinq ou dix minutes vous devriez aboutir à au moins six ou huit résultats appropriés à chacune des trois catégories d'influences d'achat.

Etape n° 2 : testez ces résultats

L'étape suivante consiste à tester objectivement cette liste. Pour cela, posez-vous les questions suivantes sur chaque point.

- Ce résultat est-il mesurable, tangible et quantifiable?
- Est-il collectif, à savoir peut-il être commun à plus d'une influence d'achat?
- Quel rapport avec les affaires? C'est-à-dire a-t-il un effet positif sur le fonctionnement de l'entreprise de mon client?

Si vous ne pouvez répondre par l'affirmative à ces trois questions, il se peut alors que vous soyez en train d'examiner « une caractéristique » ou un « bénéfice » plutôt qu'un résultat. Si tel est le cas, revoyez la situation en creusant l'impact que vous pouvez avoir sur le fonctionnement de l'entreprise de votre client. Si vous ne trouvez pas cet impact, c'est que vous n'avez peut-être pas de vente.

Etape n° 3 : identifiez les résultats pour votre objectif actuel de vente

Vous connaissez maintenant les résultats que chacune des trois catégories d'influences d'achat attend dans votre secteur. Vous allez désormais devoir préciser et établir une liste de résultats que les influences d'achat veulent ou dont elles ont besoin par rapport à *l'objectif de vente particulier* sur lequel vous travaillez.

Servez-vous pour cette liste de la page de droite du carnet. En haut écrivez « Tableau de résultats-gains » puis divisez-la en trois rubriques « Acheteur » « Résultats » et « Gains ». Prenez votre tableau d'influences d'achat et recopiez leurs noms sur la colonne de gauche. Comme vous le savez, il peut y en avoir quatre ou quatorze. Puis, dans la colonne centrale, à côté du nom de chaque acheteur notez seulement un ou deux résultats majeurs qu'il ou qu'elle attend de cette vente-là.

Vous pouvez utiliser la liste de résultats précédente comme aide afin d'établir celle-ci. Vous accomplissez un processus de distillation. Partant des résultats universellement valables dans votre domaine, par type d'influences d'achat, vous procédez par élimination afin de choisir les résultats qui conviennent à *cette* vente-ci, et à ces influences d'achat-là, à ce moment précis.

Etape n° 4 : testez les résultats propres à chaque influence d'achat

Une fois notés le ou les deux plus importants résultats pour chaque acheteur, testez-les en *toute objectivité*. Votre but est ici de vérifier que vous avez choisi des résultats *particuliers* et *adaptés* à la situation de chaque acheteur. Il ne suffit pas de dire que vous pouvez proposer à Legrand un résultat. Posez-vous les questions-tests suivantes :
- A quel problème particulier de Legrand ce résultat s'adresse-t-il ?
- Comment ce résultat peut-il le minimiser ou le résoudre ?
- Quel est le rapport de ce résultat avec les *préoccupations professionnelles particulières* à la catégorie d'influence d'achat de Legrand. Puisque Legrand est votre acheteur économique, cela doit vous amener à vous demander en quoi le résultat que vous proposez, va modifier la croissance et la stabilité de son entreprise.

Puis agissez de même avec tous les autres résultats et acheteurs de votre tableau. Souvenez-vous que les préoccupations professionnelles des acheteurs utilisateurs seront liées à la performance dans le travail et celles des acheteurs techniques au passage au crible de votre produit ou service.

Cette étape de l'exercice devrait vous prendre une ou deux minutes par acheteur. En cas d'incertitude quant aux résultats de tel acheteur, mettez un drapeau rouge dans la colonne centrale, à côté de son nom.

Etape n° 5 : rédigez une déclaration gains-résultats pour chaque acheteur

Revenez aux gains types déjà présentés dans ce chapitre. Prenez ce tableau pour guide, mais *seulement* pour guide, non pas pour catalogue définitif. Relisez la liste des acheteurs sur votre tableau des résultats-gains, et, cette fois-ci, essayez de déterminer quels gains chacun tirera du ou des résultats que vous avez jugé important. Pour chaque résultat, posez-vous la question suivante :

- Comment cet acheteur va-t-il gagner si mon produit ou service apporte ce résultat ?

Les réponses obtenues devraient vous fournir le lien nécessaire entre les gains et les résultats pour chaque personne. Il ne s'agit pas des gains en général dans l'abstrait mais d'une relation de cause à effet ou d'une passerelle entre les résultats professionnels souhaités par cet acheteur pour cette vente et les satisfactions personnelles que ces résultats vont lui procurer. Au cours de nos séminaires, nos stagiaires illustrent ce lien en rédigeant une déclaration de gains-résultats pour chacun. Vous devriez en faire autant. En prenant à tour de rôle chaque acheteur, déterminez comment il gagnera si vous parvenez au résultat escompté. Notez les gains en colonne. Rédigez une courte déclaration pour chacun faisant ressortir la relation entre gains et résultats.

Considérez par exemple le résultat proposé à Danièle Brun : 16 % de réduction des heures supplémentaires. Si vous savez qu'elle souhaite cette réduction pour répondre aux critiques qui prétendent que son budget s'envole, son résultat-gain apparaît clairement : « Elle veut cette réduction des heures supplémentaires (résultats) pour apparaître plus efficace aux yeux de ses supérieurs (gain) ».

Ou encore, vous avez un produit qui va assurer le fonctionnement régulier de l'un des services d'Henri Lagrange et vous savez qu'il attache une grande importance à la fiabilité et à la stabilité. On pourrait formuler son résultat-gain ainsi : Lagrange a besoin d'un système fiable (résultat) pour maintenir un sentiment de sécurité accrue (gain). Au cours de cet exercice, vous allez probablement tomber sur un ou plusieurs acheteurs dont vous n'arriverez pas à déterminer les gains dans l'immédiat. Vous pouvez également vous apercevoir que si vous connaissez quelque peu leurs attitudes subjectives, vous ne savez pas comment vous pouvez y répondre le plus efficacement avec les résultats dont vous disposez. Dans ces deux cas, placez un drapeau rouge dans la colonne gain de votre tableau. Les drapeaux rouges dans la colonne gains vous rappelleront que vous avez besoin d'en savoir plus à ce sujet avant de rédiger la déclaration gains-résultats. Par contre, si pour un de vos acheteurs vous comprenez parfaitement le lien entre gains et résultats inscrits, inscrivez un symbole de force.

A la fin de cette étape, votre tableau de résultats-gains devrait ressembler à l'exemple proposé ci-dessous :

TABLEAU DE RESULTATS — GAINS		
Acheteurs	Résultats	Gains
Alain Legrand (AE)	Accroissement de la productivité	
Danièle Brun (AU)	Moins d'heures supplémentaires, performance	Garder le sentiment de contrôler le service
Henri Lagrange (AU, AT)	Régularité de fonctionnement	Sécurité
Paul Dubois (AT)	Inventaire plus rapide	
Jacques Jeanson (AT)	Facilités de crédits	Mise en valeur de sa réputation face à la direction

Etape n° 6 : analysez votre position actuelle

Examinez maintenant votre tableau des résultats-gains et celui des influences d'achat, avec pour objectif d'y découvrir les informations supplémentaires qui vous sont nécessaires pour améliorer votre position.

Regardez tour à tour chaque acheteur, estimant vos points forts et vos drapeaux rouges.

Pour vérifier si oui ou non certaines informations vous échappent encore, mais peuvent être obtenues, posez-vous des questions comme celles-ci :
- Qu'est-ce que je *sais d'autre* au sujet de Dubois, hormis ses résultats, qui puisse m'aider à comprendre comment ceux-ci peuvent lui permettre de gagner ?
- Que m'apprennent son style de vie, ses valeurs et son comportement sur la façon dont il pourrait gagner ?
- Ai-je posé à Legrand des questions d'attitude aussi bien qu'objectives afin de déterminer ses gains ?
- Si je ne l'ai pas fait moi-même ai-je chargé quelqu'un d'autre de le rencontrer ?

- Mes coaches peuvent-ils m'aider ? Leur ai-je demandé de m'expliquer en quoi cette personne exalté qu'est Jeanson peut « gagner ? »

Servez-vous des réponses pour songer à réviser votre liste de position alternatives. N'oubliez surtout pas qu'à chaque *manque d'information* au sujet d'une influence d'achat donnée correspond un drapeau rouge significatif. Faites toujours de la découverte de ces informations une nouvelle option sur la liste. Demandez-vous également si vous pouvez prendre appui sur une de vos forces pour vous aider à les trouver.

Etape n° 7 : déterminez votre position actuelle par rapport à la section gagnant-gagnant

Maintenant que vous avez quelques idées des résultats-gains de vos acheteurs, vous pouvez vous mettre à orienter votre objectif de vente vers la section gagnant-gagnant du losange. Assurez-vous d'abord que vous travaillez actuellement avec chaque influence d'achat dans cette section.

- Ai-je offert ou puis-je offrir des résultats dont chaque acheteur a besoin pour gagner ?
- Chaque acheteur est-il persuadé que je peux y parvenir ? En d'autres termes, savent-ils toujours que je joue gagnant-gagnant avec eux ?

Si la réponse à l'une ou l'autre de ces questions est non, alors vous ne pouvez pas considérer votre position comme stable. Vous êtes, ou n'êtes pas dans la section gagnant-gagnant.

Par exemple, si vous offrez à Lagrange un résultat sans vraiment savoir comment il l'aidera à gagner, vous allez droit à l'échec, sinon dans cette vente, du moins dans l'avenir. Ou si Legrand ne voit aucun gain pour lui-même dans cette vente, alors, en ce qui le concerne, vous jouez à je perds-vous gagnez avec lui, et vous risquez donc l'échec de cette vente et de celles à venir.

Regardez les drapeaux rouges que vous avez placés sur le tableau des résultats-gains préparé au cours de l'atelier et ceux figurant sur votre tableau des influences d'achat.

Où êtes-vous solidement implanté et où manquez-vous encore d'informations nécessaires pour agir dans l'intérêt personnel de chaque influence d'achat. En répondant à ces questions de manière lucide vous serez mieux à même de mesurer la distance qui vous sépare vraiment de la stratégie du type gagnant-gagnant que vous visez.

Etape n° 8 : révisez votre liste de positions alternatives

La prochaine étape en vue d'amener votre vente jusqu'à la section gagnant-gagnant du losange, sera d'utiliser ce que vous avez appris sur les résultats-gains pour reconsidérer votre position actuelle.

A l'étape n° 6 nous vous avons conseillé de réfléchir à des modifications fondées sur votre position actuelle concernant les résultats-gains. Incorporez maintenant toutes les informations nécessaires et vérifiez chacune par rapport au concept de résultats-gains. L'idéal est que chaque élément de cette liste en cours de mise au point vous aide à mieux *comprendre* les résultats-gains de vos acheteurs, à les présenter plus efficacement, ou les deux à la fois. Gardez cela en tête en révisant votre liste.

Par exemple, en vous débarrassant de ce drapeau rouge, près du nom de Dubois, la position « emmener Dubois déjeuner » peut ou non vous rapprocher de l'information que vous recherchez.

Une bonne position alternative, dans cette situation, serait « me faire expliquer par Brun pourquoi Dubois est à ce point personnellement concerné par l'inventaire. Ce qui vous permet de prendre appui sur une force, l'enthousiasme de Brun – et de vous concentrer sur les informations nécessaires à vos rectifications.

Dans les ateliers précédents, nous vous avions conseillé de ne *rien négliger* dans vos positions alternatives, d'être *précis* et de les *confronter* à la règle de Vente Stratégique selon laquelle toute position alternative correcte élimine un drapeau rouge, prend appui sur position de force, ou les deux à la fois. Continuez à être précis et à tester vos options. Mais il est temps de se montrer moins évasif et plus discriminant. Le concept de résultats-gains est d'une telle importance dans une stratégie de vente efficace, qu'il est essentiel de vérifier tous les points de votre liste de positions alternatives en gardant ce concept en tête. N'hésitez pas à rayer toute option qui, directement ou indirectement, ne vous permet pas d'offrir à au moins l'une de vos influences d'achat un résultat dont elle a besoin pour gagner.

Et surtout, n'oubliez pas *l'intérêt personnel*.

Par son rôle déterminant dans toutes les décisions d'achat, il se révélera un test dans l'estimation de toute future position alternative.

Résumé des résultats-gains

Ce quatrième élément clé est souvent d'une telle difficulté pour nos stagiaires que nous concluerons ce chapitre par un résumé des aspects principaux. Utilisez-le comme référence au fur et à mesure que vous affinez votre stratégie de vente.

- Tout *produit* (ou service) fournit les outils et le savoir nécessaire à l'amélioration d'un *processus*. Lequel, à son tour, donne les *résultats* grâce auxquels la personne gagne.
- Votre acheteur gagne quand son *intérêt personnel* est satisfait. C'est pourquoi il est important de gagner et pourquoi il faut que vous compreniez comment votre acheteur gagne afin de lui vendre.
- Les individus achètent parce qu'ils perçoivent la relation entre votre proposition de vente et leur propre intérêt personnel. L'art et la manière de vendre résident dans la démonstration du lien entre la proposition et l'intérêt personnel.
- Il est souvent difficile de demander à quelqu'un comment il ou elle gagne. Aussi, concentrez-vous d'abord (mais pas seulement) sur les résultats de cette personne puis demandez-vous comment il ou elle gagnera en fonction de ces résultats. Le coach peut vous aider à comprendre le gain.
- *Agir dans l'intérêt personnel de vos influences d'achat est en dernière analyse, la meilleure façon de servir le vôtre.* La situation d'achat/vente idéale est donc un scénario de type gagnant-gagnant.

A problèmes communs,
solutions spécifiques

11
ATTEINDRE L'ACHETEUR
ÉCONOMIQUE : STRATÉGIE ET TACTIQUE

V ous avez, à présent, pris connaissance des quatre piliers, pourrait-on dire, de la Vente Stratégique : les éléments clés que sont les influences d'achat, les drapeaux rouges/points forts, les réactions d'achat et les résultats-gains.

Lorsqu'ils en sont à ce stade de nos séminaires, les stagiaires nous submergent généralement de questions et nous serions étonnés que vous n'en ayez point. Dans cette troisième partie, nous tenterons d'anticiper vos questions, en entrant davantage dans le détail là où nos stagiaires nous disent rencontrer des problèmes.

Parmi les questions qu'ils nous posent les trois suivantes sont sans doute les plus fréquentes :

- Comme puis-je contacter l'acheteur économique ?
- Comment puis-je utiliser efficacement un coach stratégique ?
- Qu'en est-il de la concurrence ?

Ce sont des questions logiques, et nous consacrerons cette partie du livre à y apporter des éléments de réponses.

Nous commençons, dans ce chapitre, avec ce qui est probablement le problème le plus fréquent : que faire de cet individu important et pourtant inaccessible que l'on appelle l'acheteur économique.

Le but fondamental de la Vente Stratégique est de mener chacun de vos objectifs de vente jusqu'à la section gagnant-gagnant du losange avec toutes vos influences d'achat, ce qui n'est pas sans poser de problèmes dans le cas de l'acheteur économique. Celui-ci diffère en effet des autres influences d'achat sur deux points significatifs :

- Les influences d'achat économiques sont plus difficiles à *repérer* que les autres.
- Les acheteurs économiques sont plus difficiles à *atteindre*, tant physiquement que psychologiquement, que les acheteurs utilisateurs ou techniques.

Mettre au point une issue gagnant-gagnant avec l'acheteur économique est souvent difficile, même pour les vendeurs qui s'en tirent haut la main avec les autres acheteurs. Pourtant ne pas prêter une attention suffisante à l'influence d'achat économique ou ne pas s'assurer qu'elle perçoit dans la vente un gain personnel, peut réduire à néant même le plus parfait des scénarios de vente. L'acheteur peut, par définition, opposer son *véto* à la vente à n'importe quel stade du processus, le simple bon sens commande donc de s'intéresser à lui minutieusement et aussi *tôt* que possible dans le processus de vente.

Les difficultés pour atteindre l'influence d'achat économique

Qu'est-ce qui rend si ardue l'approche de l'acheteur économique ?

Cette question nous vaut des réponses diverses. Parmi les phases courantes on trouve celles-ci :

- « Je ne sais pas qui il est. »
- « J'ignore où m'adresser dans l'entreprise cliente pour trouver celui qui joue ce rôle.
- « Le responsable achat me barre le chemin, il me dit de ne traiter qu'avec lui. »
- « J'ai l'impression d'être convoqué dans le bureau du proviseur quand je la rencontre. Elle refuse de me voir ».

200

- « Je n'ai aucune crédibilité aux yeux des personnes de ce niveau-là. »
- « Personne ne veut prendre la responsabilité de signer la commande. »
- « Tous les appels qu'elle reçoit sont filtrés. »
- « Il me rend nerveux, je ne sais pas quoi lui dire. »
- « Je ne connais pas ses besoins. »
- « Il ne veut pas parler à des vendeurs. »

Parmi ces réponses vous en reconnaîtrez sans doute qui correspondent à votre situation personnelle. Le contraire serait surprenant ; ce sont des réponses types.

Elles peuvent toujours être divisées en trois catégories de base.

Au cours des multiples présentations de nos méthodes, et dans nos propres affaires également, le même scénario apparaît toujours.
Quel que soit le secteur dans lequel travaillent nos stagiaires participants, quelle que soit la taille moyenne de leurs ventes, leurs doléances, quand il s'agit de parvenir jusqu'à l'acheteur économique, relèvent toujours de l'une des trois catégories suivantes :

Problème n° 1 : Ils n'arrivent pas à *repérer* l'acheteur économique.

Problème n° 2 : On les *empêche* de parvenir jusqu'à lui.

Problème n° 3 : Ils se sentent *mal à l'aise* quand ils lui parlent.

Si vous regardez les réponses de la liste précédente, vous constaterez la validité du modèle :

- Des réponses du genre : « Je ne sais pas qui il est », « je ne sais où pas m'adresser », et « personne ne veut prendre la responsabilité » s'interprètent comme « je n'arrive pas à le repérer. »
- Autre exemple : « le responsable achat me barre le chemin », « elle refuse de me recevoir » et « tous les appels qu'elle reçoit sont filtrés » se traduisent par « on m'empêche de le rencontrer ».

- Ou encore : « il me rend nerveux », « je n'ai aucune crédibilité » et « j'ai l'impression d'être convoqué dans le bureau du proviseur » signifient « je suis mal à l'aise quand je lui parle. »

Si vous repensez à vos ventes passées et aux problèmes rencontrés pour atteindre les influences d'achat économique, vous retrouverez le même canevas. Au cours de ce chapitre, nous allons vous proposer stratégies et tactiques pour résoudre chacun de ces trois problèmes de base. Nous commencerons par rappeler brièvement qui *est* l'acheteur économique et où il *intervient* dans votre vente.

Profil de l'acheteur économique

Pour aider nos clients à mieux identifier un acheteur économique, pour chaque objectif de vente, nous avons jugé utile d'insister sur trois concepts :
- L'acheteur économique, à l'instar des autres influences d'achat, est l'homme d'*une vente précise.*
- Celui qui joue ce rôle est souvent *haut* placé dans la société-cliente.
- Ceux qui font fonction d'acheteur économique sont souvent très bien payés à cause de leur capacité *à prévoir l'avenir.*

L'acheteur économique « l'homme d'une vente précise »

Nous disons « homme d'une vente » parce que cette personne joue le rôle d'acheteur économique pour un objectif de vente précis, et *non* pour la totalité du compte. L'« acheteur économique du géant de la lessive » n'existe pas. Seuls existent un certain nombre de personnages clés dans l'entreprise susceptibles de jouer le rôle d'acheteur économique. Rien ne garantit que la personne qui tient ce rôle dans une vente, le tiendra encore dans une seconde pour la même entreprise, même si cette deuxième vente se fait pour un produit et une somme identiques.

C'est pourquoi il est essentiel que vous recommenciez à identifier l'acheteur économique pour chacun de vos nouveaux objectifs de vente.

La position de l'acheteur économique dans l'entreprise

Etant donné qu'ils ont directement accès aux fonds nécessaires et peuvent en user à discrétion, ceux qui jouent le rôle d'influence d'achat économique occupent le plus souvent un rang élevé dans leur entreprise. Dans des sociétés plus petites, de type PME, le président jouera souvent lui-même le rôle d'influence d'achat économique dans nombre de ventes. Dans de grandes multinationales, le dernier mot sera rarement donné par quelqu'un d'aussi haut placé, même si la plupart des décisions financières, c'est-à-dire le déblocage des fonds nécessaires, sont prises par la direction générale. Notamment en période de *downsizing* et de *reengineering* très peu de sociétés laissent aux jeunes responsables le soin de décider en matière d'achats importants ou de politique générale. Plus il y a d'argent en jeu, plus la décision sera prise à un niveau élevé.

L'anticipation de l'avenir

Les acheteurs économiques appartiennent souvent à la direction générale, ils jouissent donc de salaires importants, très élevés pour la plupart. Ils ne sont pas payés uniquement pour diriger les affaires au jour le jour. Cela peut entrer pour *une part* dans leur responsabilité, mais la véritable raison du montant élevé de leur salaire réside dans leur capacité à prévoir, à anticiper la conduite future des affaires et à s'assurer que leur entreprise en profite. S'ils reçoivent des salaires et primes importants, c'est surtout à cause de la pureté de leurs boules de cristal.

On peut comparer grosso modo l'acheteur économique au commandant d'un navire pour une traversée particulière. Nous disons grosso modo, car il n'est pas toujours en haut de l'échelle comme nous l'avons vu. Mais à l'instar du commandant, ils ont la responsabilité ultime de leur "navire" et ne sont pas vraiment payés pour *faire* quoi que ce soit. Il ne s'agit pas d'un coup astucieux porté aux gros bonnets mais ils ne naviguent pas, ils ne tiennent pas la barre eux-même. Leur responsabilité est plus large, ils doivent savoir exactement où va le navire et prendre eux-mêmes les décisions qui font qu'ils arriveront à bon port et à l'heure.

Sans perdre de vue ces trois éléments du profil de l'acheteur économique, vous pouvez vous attaquer aux problèmes de son identification pour votre objectif précis, du barrage pour le voir et de la gêne à surmonter pour lui faire face efficacement à chaque vente.

Résolution du problème n°1 : L'identification

Quand vous cherchez à identifier avec exactitude l'influence d'achat économique concernée par chaque objectif de vente, faites attention à ce que nous appelons le " facteur flottant " dans les ventes complexes. Nous entendons par là le fait que le rôle d'acheteur économique fluctue ou navigue de haut en bas de la hiérarchie de l'entreprise, souvent entre deux ventes, ou même au cours d'une vente. Bien des vendeurs même expérimentés commettent l'erreur de l'ignorer. Ils présument que Legrand, qui a donné l'accord final lors de la dernière vente, doit aussi être l'acheteur économique pour la suivante. Ceci fait de l'erreur d'identification une menace constante.

Le facteur d'incertitude et le risque perçu

Dans le chapitre 5 sur les influences d'achat, nous avons décrit cinq variables qui déplacent le rôle d'acheteur économique de haut en bas de la hiérarchie de l'entreprise. Si vous éprouvez quelque difficulté à identifier l'influence d'achat économique pour une vente donnée, pour vous guider demandez-vous comment cette vente sera perçue par l'entreprise cliente en fonction de ces cinq variables.

1. Le montant de la vente

En général, plus le montant est élevé, plus le rôle d'acheteur économique se situera haut dans la hiérarchie. N'oubliez cependant pas que ce montant *est relatif à la taille de la société-cliente*. Une vente de cinquante mille francs à une petite entreprise fera intervenir le président comme acheteur économique; mais une vente de même importance à Renault n'aura pas un effet similaire.

2. Les conditions de la transaction

En période difficile, le rôle d'acheteur économique a tendance à être plus important. Quand une société connaît des revers ou une activité ralentie, les décisions d'achat normalement prises à un niveau intermédiaire remontent à l'échelon supérieur. L'inverse se produit quand la conjoncture est florissante.

3. L'historique entre vous, votre entreprise et le client

Lors des premières ventes à un nouveau client, l'accord final viendra des échelons supérieurs. Une fois entamée une série de gains, au moins avec quelques influences d'achat d'une société donnée, l'accord pour une transaction d'un niveau similaire sera donné par quelqu'un placé plus bas dans la hiérarchie.

4. L'expérience de votre produit ou service ?

Cette variable illustre le même principe. Moins une entreprise en sait sur le produit ou service précis qui fait l'objet de la vente, plus l'accord risque de venir de haut. Mais avec l'expérience, le rôle de l'influence d'achat économique se situera plus bas dans la hiérarchie.

5. L'impact potentiel sur l'entreprise

Les influences d'achat économique se préoccupent en général des effets à long terme, aussi le rôle se situera-t-il vers le haut si l'entreprise cliente a l'impression que votre offre aura un effet significatif de longue durée sur sa croissance et sa stabilité.

Ces cinq variables ont un point commun. La raison pour laquelle chacune provoque l'incertitude c'est que derrière les cinq se cache un même facteur professionnel fondamental : le *risque perçu* du côté de l'entreprise cliente. Plus que toutes les autres influences d'achat, les responsables économiques sont payés pour prendre des risques calculés qui, espèrent-ils, engendreront des améliorations de la situation financière et l'expansion de l'entreprise.

Leur prise de position doit maintenir l'équilibre, en quelque sorte, entre le risque et la récompense. *Et plus le risque perçu est grand, plus le rôle de responsable économique* se situera en haut de l'échelle.

Lors de l'identification de l'acheteur économique, nous vous suggérons donc de vous poser deux questions-tests. La première a déjà été mentionnée dans le chapitre 5 au cours de la discussion sur les influences d'achats :

A quel niveau, dans ma propre entreprise, la décision finale serait-elle prise pour une vente de cet ordre?

La réponse vous donnera une idée générale du niveau auquel rechercher la personne jouant le rôle d'acheteur économique dans la société-cliente.

Souvenez-vous pourtant que le niveau auquel l'accord sera donné *varie en fonction de la taille de la société cliente*. Si votre entreprise et la société-cliente sont de taille à peu près égale, l'accord viendra sans doute du même échelon. Mais si votre société est plus petite, il vous faudra peut-être chercher *plus bas*; au contraire si elle est grande vous aurez sans doute à chercher *plus haut* chez le client.

La deuxième question concerne l'élément sous-jacent dans notre discussion sur l'incertitude de sa position dans l'échelle hiérarchique : *le risque perçu*. Une fois que vous savez à quel échelon vous risquez de trouver l'acheteur de votre client, posez-vous la question suivante :

Si je considère le degré de risque perçu que comporte mon offre, ne serait-il pas préférable de regarder plus haut dans la hiérarchie de l'entreprise ou plus bas?

Si le risque est élevé, montez les échelons, s'il est faible, descendez-les. Au cours de ce processus de recherche, n'oubliez pas que nous avons précisé risque *perçu*. Tout comme la perception qu'a l'influence d'achat de la réalité (et non la vôtre), détermine de façon décisive les réactions d'achat, de même c'est la perception du risque qu'a *l'entreprise cliente* et non votre perception qui vous aidera à situer le niveau probable de l'acheteur économique.

Vous voulez vendre à une société importante un système de prévention d'incendie qui *vous* le savez n'a jamais failli, mais l'entreprise n'a jamais traité avec vous auparavant. Si le système implique pour elle un gros investissement financier, ou si l'effet produit sur l'entreprise a des chances d'être

206

important, elle risque d'insister pour que l'accord final en vue de l'achat vienne des sphères supérieures.

Attention : les vendeurs ont couramment tendance à regarder à un niveau trop *bas*. Nombre d'entre eux sont prêts à discuter avec le patron d'une usine alors qu'ils feraient mieux de s'adresser à la direction régionale, ils préfèrent parler au directeur là ou le président serait mieux placé. De toute évidence ceci vient de la gêne qu'éprouvent bien des commerciaux avec une direction générale, problème dont nous allons discuter dans un instant. Quelle qu'en soit la raison, avoir mal identifié l'acheteur économique en le cherchant trop bas dans la hiérarchie, est une cause fréquente de ventes mal conduites.

Placer l'acheteur économique dans votre ligne de mire

Une fois localisé le *niveau*, d'où devra venir l'accord pour votre vente, il vous faut un moyen de découvrir si oui ou non la personne que vous *pensez* être l'influence d'achat économique à ce niveau-là, jouera effectivement ce rôle dans *cette* vente. Il existe trois façons de procéder. Vous pouvez :

- Demander directement à l'acheteur économique supposé.
- Trouver un coach.
- Deviner.

Seules les deux premières sont valables. Les vendeurs qui « pensent » savoir qui est l'influence d'achat économique, ou, ont une « bonne idée » de qui contrôle les fonds, se trompent très souvent.

Si vous *ignorez* qui est l'influence d'achat économique concernée par votre vente mettez un drapeau rouge dans la case de votre tableau d'influences d'achat. Puis attaquez-vous au véritable acheteur économique en posant des questions et/ou en prenant un coach.

Questionner directement l'acheteur

C'est la méthode la plus directe. Un de nos collaborateurs, quelque peu brusque, fonce droit sur l'acheteur économique en s'adressant le plus crûment du monde à la personne qu'il pense occuper cette fonction : « Dès que j'ai bien repéré mes autres influences d'achat, dit-il, je vais voir celui qui est à mon sens l'acheteur économique et je l'observe avec attention. S'il signe la commande, je sais que j'avais raison. Sinon, soit je dois encore le travailler, soit je dois chercher ailleurs.»

On pourrait difficilement être plus direct et si vous aimez cette méthode directe, ne vous gênez pas, « observez avec attention » votre acheteur économique supposé et voyez s'il ou elle débourse l'argent de la vente. Si vous préférez une approche moins brutale, vous pouvez quand même savoir si oui ou non vous avez la personne qu'il faut pour votre vente; et ce en posant des questions aussi appropriées à défaut d'être aussi directes. Souvenez-vous, en posant ces questions, de ce que *fait* vraiment l'acheteur économique. Il est, par définition, celui qui débloque l'argent nécessaire pour *cette vente précise*. Si vous êtes pratiquement sûr que Alain Legrand est investi de l'autorité nécessaire, tout en souhaitant vérifier vos impressions, vous pouvez toujours lui demander :

- Lorsque l'affaire sera conclue de quel budget viendront les fonds ?
- Quelqu'un peut-il opposer son veto à cette vente ?
- Quel est le *processus* de décision ? Après que vous avez dit oui, est-ce terminé ou y a-t-il encore une autre étape à franchir ?
- Y a-t-il quelqu'un à un niveau supérieur qui doit donner son accord ?

Ces questions sont destinées à éviter les sottises du genre « recommandations », « accords partiels » et « commandes provisoires », en se concentrant sur le rôle véritable de l'acheteur économique dans la vente. Si Legrand est véritablement l'acheteur économique, ses réactions – ses paroles et ses actions – vous le laisseront entendre.

Mais seulement, bien sûr, s'il vous dit la vérité. Et parce que ce n'est pas toujours le cas, nous recommandons une autre méthode d'identification.

Prendre un coach.

La question posée aux influences d'achat économique supposées *Avez-vous réellement le pouvoir de débloquer les fonds nécessaires?* peut vous valoir une réponse franche ou non. Nous avons déjà expliqué comment les influences d'achat technique essayent souvent de se faire passer pour les influences d'achat économique ou comment les véritables acheteurs économiques, eux, s'efforcent de se dissimuler au sein des structures de l'entreprise. Si vous posiez à un acheteur technique, par exemple, cette question, il pourrait facilement vous dire en vous regardant dans les yeux : « C'est mon budget et je suis seul à prendre la décision. Vous n'avez personne d'autre à voir. » Parce que ceux qui sont les farouches défenseurs de leur pouvoir ne sont presque jamais les acheteurs économiques, une telle réponse devrait vous rendre méfiant, mais vous avez besoin d'une confirmation. C'est pourquoi, vous avez généralement besoin d'un coach qui vous aide à identifier correctement l'acheteur économique. En posant à un coach de confiance les questions ci-dessus, vous avez des chances d'obtenir des informations plus claires qu'en questionnant l'acheteur économique supposé, ou ces acheteurs techniques qui prennent leur désir pour la réalité, pour savoir qui débloque réellement les fonds pour votre vente.

Résoudre le problème n° 2 : quelqu'un vous barre la route

Il n'est pas rare qu'une influence d'achat économique, même correctement identifiée demeure hors d'atteinte. La personne peut, par exemple, se trouver en un lieu géographique éloigné. Il se peut que le véritable accord vienne d'une bureau situé à des centaines de kilomètres de votre secteur. L'acheteur économique peut encore être protégé des appels extérieurs par un filtre professionnel, la secrétaire qui, chaque fois que vous essayez de contacter le patron, vous dit : « M. Legrand est toujours en réunion. » Vous pouvez encore être bloqué par un de ses acheteurs techniques qui jouent les acheteurs économiques. Résoudre le problème de l'éloignement géographique et de la secrétaire garde-chiourme n'exige souvent tout simplement que le recours à de bons intermédiaires. Pour atteindre l'autorité « inaccessible », il suffit en général de laisser à un autre collaborateur de votre société le soin de s'en occuper. Le meilleur choix en pareille circonstance, portera sur quelqu'un du *même niveau hiérarchique* que l'acheteur économique.

Quant à l'acheteur technique qui met toute son ardeur à vous empêcher de rencontrer l'acheteur économique, il peut être plus difficile d'en venir à bout. Et c'est très souvent le cas.

Si vous arrivez jusqu'à l'acheteur économique suffisamment tôt, vous éviterez souvent ce problème. Aucun acheteur technique ne sera à même de vous barrer efficacement le chemin si vous avez d'abord vu l'acheteur économique. Mais imaginons que vous ne l'ayez pas encore contacté. Comment manœuvrer vis-à-vis du barrage ?

Manœuvrer vis-à-vis des barrages : trois méthodes

Avant de vous occuper d'une personne qui s'efforce de vous empêcher de rencontrer l'influence d'achat économique (ce seront souvent un ou plusieurs acheteurs techniques), commencez par chercher à comprendre *pourquoi* elle agit de la sorte.

Quand on demande à nos stagiaires qui ont vécu ce cas d'expliquer pourquoi, leurs réponses sont les suivantes :

- L'acheteur technique tient à s'occuper de tout lui-même.
- Il privilègie un concurrent
- Ils m'ont dit que c'était une décision qui se prenait à un niveau plus bas.
- Elle dit que l'acheteur économique veut que ce soit elle qui prenne la décision finale.
- Il n'aime pas mon entreprise, il ne veut pas que je vende, tout simplement.

A l'examen, ces réponses ont toutes un point commun. La raison donnée peut varier, la motivation apparente de l'influence d'achat peut être différente, la cause fondamentale est toujours la même.
Ceci nous ramène à ce qui a été dit dans le précédent chapitre : il est important de proposer des gains individuels à *tous* vos acheteurs. Bien souvent quand l'un d'entre eux tente de vous bloquer l'accès à l'acheteur économique, c'est qu'il voit votre proposition comme une *perte* personnelle et non comme un gain. Parce qu'il est dangereux de donner l'impression à une influence d'achat qu'elle a perdu – c'est à coup sûr planter le décor de la revanche de l'acheteur – votre première démarche en traitant un ache-

teur qui vous bloque devrait toujours être de savoir pourquoi il pense aussi négativement, c'est-à-dire pourquoi il est convaincu que votre solution est une perte. Vous devez le faire non seulement comme préalable à toute tentative de combattre sa perception négative, mais également parce que vous devrez peut-être changer totalement votre stratégie envers le client en fonction de ce que vous découvrirez.

Par exemple, si un acheteur est contre votre proposition parce que sa sœur est la commerciale de l'année chez un de vos concurrents, vous devrez adopter une stratégie totalement différente de celle que vous devrez choisir si vous découvrez qu'il craint que votre solution ne lui fasse perdre son emploi. A moins que vous ne déterminiez la nature de sa perception de perte, vous pouvez facilement faire des gaffes chaque fois que vous le rencontrez.

Dès que vous avez compris pourquoi quelqu'un qui vous bloque pense qu'il va y perdre, vous avez trois façons de traiter ce problème de base.

Vous pouvez :
- montrer à l'acheteur réticent pourquoi il a tout à gagner pour cette vente en vous laissant rencontrer l'acheteur économique,
- contourner l'opposant pour atteindre l'acheteur économique,
- s'accommoder de l'obstacle.

Ces trois choix sont tous jouables, en fonction de la situation.

Montrer à l'opposant pourquoi il a tout à gagner

Cette stratégie est sans conteste la meilleure des trois. Vous devez toujours l'essayer en premier, et n'avoir recours aux deux autres qu'en cas d'échec. C'est parce qu'il est dans son intérêt de vous voir échouer dans votre proposition de vente que l'influence d'achat en opposition vous barre le passage. Mais si vous lui démontrez que cette impression est injustifiée, vous avez des chances de retourner la situation. Pour se transformer en supporter, l'opposant doit se rendre compte qu'il est dans *son intérêt personnel* que vous rencontriez l'acheteur économique. L'idéal est de franchir une étape supplémentaire : lui montrer que, pour gagner, il ne suffit pas qu'il vous *laisse* le rencontrer, mais qu'il vous y *conduise* lui-même. Le meilleur moyen de vaincre la résistance d'une influence d'achat est de prouver que vous avez quelque chose dont l'acheteur économique a besoin, et que le crédit et la considération, pour avoir attiré son attention sur ce produit en vous menant jusqu'à lui, lui reviendront.

Si vous parvenez à démontrer à l'acheteur technique que vous possédez quelque chose de *valeur* pour l'acheteur économique, il est probable que la sensation de « perte » se changera en « gain ». En effet, l'acheteur technique se rendra compte qu'en coopérant avec vous il se mettra *lui-même* en valeur aux yeux de l'acheteur économique.

Ce quelque chose de valeur que l'acheteur technique peut vous aider à donner à l'acheteur économique est toujours identique. La contribution unique et infiniment précieuse que vous pouvez apporter à l'influence d'achat économique : *la connaissance.*

Très précisément, c'est la connaissance qui permettra à l'acheteur économique de faire ce pourquoi on le paye : prédire l'avenir et établir des plans appropriés pour l'entreprise. Si vous et l'acheteur opposant réussissez à accroître *la capacité prévisionnelle* de l'acheteur économique, tout le monde y gagnera. Nous reviendrons sur ce type de savoir critique et la façon de le transmettre dans un instant.

Contourner l'obstacle

En dépit de tous vos efforts pour expliquer à un acheteur récalcitrant comment il peut gagner en vous aidant à vendre, vous pouvez vous heurter à quelqu'un qui ne veut tout simplement pas bouger. Confronté à un utilisateur ou acheteur technique absolument convaincu qu'il y a perte, il vous faudra envisager la deuxième solution : contourner l'obstacle.

Prendre un intermédiaire pour atteindre un acheteur économique qui vous échappe, nous l'avons dit, offre certains avantages. Cette technique aura pour effet de court-circuiter l'opposant. Mais elle présente un réel danger. En fait, malgré son aspect attrayant, cette façon de sauter l'obstacle est en réalité une stratégie à haut-risque.

En effet, en voulant à tout prix atteindre l'acheteur économique, vous ne ferez qu'*ignorer* la résistance de l'opposant, considérée comme inopportune ou tout au moins sans importance. Souvenez-vous de l'histoire de la vente ratée à l'usine textile. Ce genre d'approche peut avoir des répercussions à long terme. Le danger peut être formulé ainsi : chaque fois que vous vendez malgré la réprobation d'un acteur clé, ce dernier a l'impression que vous jouez à je gagne-vous perdez avec lui.

Vous vous en faites un ennemi, car à ses yeux, vous servez votre propre intérêt à ses dépens.

Les opposants court-circuités ont une mémoire d'éléphant. Dix ou vingt ans après, ils se souviendront que vous êtes passé par dessus leur tête, et ils se vengeront. Par conséquent, nous conseillons à nos clients de n'employer cette stratégie de la terre brûlée que s'ils n'ont rien ou presque à perdre. Si votre position chez le client X n'est de toute façon pas très solide, ou si le gain potentiel pour vous est énorme, vous avez quelque raison de vous aliéner un opposant et de vendre en ignorant ses objections. Mais toute influence d'achat négligée constitue une menace, alors… rira bien qui rira le dernier.

Nous conseillons toujours à nos stagiaires, même s'il leur semble n'avoir pas d'autre choix que cette stratégie, de néanmoins discuter de l'objectif et de la stratégie en question, d'abord avec leurs directeurs commerciaux, locaux ou régionaux, puis avec leur coach, pour voir les moyens qu'ils auraient de contre-carrer la revanche.

S'accommoder de l'obstacle

Cette attitude face à quelqu'un qui vous empêche de rencontrer l'acheteur économique, peut vous faire rater une affaire dans l'immédiat.

Elle peut donc apparaître comme une mauvaise stratégie. Reconnaissons-le, elle n'est pas attrayante. Cependant, certains situations vous y forcent.

Un de nos amis, travaillant dans la publicité (nous l'appellerons Jean) se trouva contraint de faire ce choix difficile, l'an dernier. Il était responsable grands comptes d'une entreprise qui représentait un énorme chiffre d'affaires annuel pour sa société ; et Jean tirait la moitié de ses commissions de cette entreprise. Pour une promotion de vacances, Jean suggéra un lot promotionnel qui déplut à l'un des chefs de service. Jean entretenait d'excellents rapports avec le supérieur de cet homme dont l'accord n'était pas indispensable pour cette affaire. Jean savait qu'en court-circuitant l'opposant pour aller jusqu'à son patron (qui était l'acheteur économique), il mettait en cause des ventes à venir. Il retira donc sa proposition. Il lui en coûta une commission de quelques dizaines de milliers de francs, mais, nous dit-il quelques mois plus tard : « Je n'ai jamais regretté ma décision. J'avais appris, grâce à vos méthodes, de ne jamais donner à une influence d'achat un sentiment de défaite. Je ne pouvais certes pas me permettre de jouer la moitié de mes commissions sur ce coup de dé. Et puis vous savez quoi ? Ce type a tellement apprécié que je respecte son opinion qu'il est devenu mon meilleur allié dans cette vente. Cette année je leur propose une promotion qui me rapportera le double de ce que j'ai perdu. »

La leçon est que, si vos rapports avec le client sont bons et si votre objectif actuel ne vous contraint pas à vous aliéner une des influences d'achat, il est préférable de laisser passer une commande dans l'immédiat pour mieux protéger l'acquis, tout en gardant la porte ouverte à de futures ventes plus importantes. Derrière une telle décision, se trouve le but fondamental de la Vente Stratégique : assurer la réussite à *long terme* avec le client et pas seulement l'immédiat.

Bien entendu, il ne s'agit au mieux que d'une solution temporaire, comme attendre à un barrage routier que la route soit réparée. Il n'est pas question à longue échéance, de traiter avec un client en acceptant les obstacles mis par les acheteurs. Votre plan prioritaire devrait toujours être de montrer à toutes vos influences d'achat comment elles peuvent gagner.

Résoudre le problème n° 3 : gêne/peur

Un vendeur plein d'ardeur mais encore peu expérimenté, décide de « contacter », sans rendez-vous, le vice-président d'un client nouvellement acquis. Il n'avait encore rien vendu à l'entreprise, mais il avait entendu dire que l'accord du vice-président était essentiel dans presque toutes les ventes. Donc pour « gagner du temps » il s'attaqua directement au sommet, décidé à tâter le terrain. Il était fort anxieux à l'idée de rencontrer ce cadre supérieur, mais il s'efforça d'adopter une attitude mentale positive, et de faire de son mieux une fois dans la cage au lion.

L'entreprise à laquelle appartenait le vice-président tenait à ce que ses cadres soient facilement accessibles. Il était donc assis à son bureau quand le jeune homme entra.

« Salut, fit ce dernier. Je suis Paul Marlot, du groupe Lexor, vous connaissez ? J'étais dans le secteur et j'ai eu envie de savoir comment vous alliez. Et pendant que j'y suis je peux prendre les ordres que vous avez pour moi ? »

Le vice-président, leva les yeux, jaugea Paul d'un regard rapide et étonné puis répondit sèchement : « Oui, j'en ai deux. Filez d'ici, et je que je ne vous y voie plus ».

Vous reconnaîtrez là un cas type de gaffe de vendeur. Non seulement Paul n'avait pas de rendez-vous, mais il n'avait pas téléphoné avant de venir. Pas plus que sa visite impromptue n'avait de raison précise d'être : pas de proposition de vente, pas de recommandation, pas de question sans réponse. Comment s'étonner de son anxiété ? Il n'avait pas tort.

Cette histoire prouve, non seulement que la préparation *avant* la vente est essentielle à la réussite stratégique, mais aussi, et les deux sont liés, qu'en vous apprêtant à rencontrer un acheteur économique, votre préparation *psychologique* compte autant que votre connaissance du produit ou votre respect des convenances (telles que prendre un rendez-vous avant de faire une visite).

Il y avait deux raison à la gêne de Paul face au vice-président. Elles sont liées et sont les mêmes qui expliquent que vous ou n'importe quel vendeur professionnel se sente mal à l'aise en présence des acheteurs économiques.

- Vous pouvez vous sentir *intimidé* par quelqu'un qui paraît trop occupé ou trop important pour s'intéresser à ce que vous avez à dire.

• Vous pouvez éprouver quelque *incertitude* quant à ce qu'un acheteur économique veut ou a besoin d'entendre ; incertitude, en d'autres termes, sur la raison de votre présence.

Quand vous êtes intimidé

Il n'existe qu'un seul moyen infaillible d'après notre expérience, de vaincre cette sensation en face d'un cadre supérieur. Vous souvenir que, malgré ses tableaux de maître et sa villa sur la côte, l'acheteur économique qui s'occupe de votre vente n'en reste pas moins *un être humain*, et que c'est à lui que vous vendez.

Cela ne signifie pas qu'il est « Monsieur ou Madame tout le monde ». La caractéristique de ceux qui tiennent le rôle d'acheteur économique est d'être différents, ne serait-ce que parce qu'ils gagnent plus d'argent que le reste de la population. Mais en vous concentrant sur les différences économiques et sociales, vous ne ferez qu'accentuer votre sentiment de gêne.

Or il s'agit de le réduire. Une façon d'y parvenir est de voir l'homme ou la femme derrière la fonction prestigieuse. Vous pouvez toujours vous représenter Legrand d'un point de vue professionnel, comme la personne qui vous angoisse et vous fait trembler pour votre carrière, parce qu'il a le pouvoir de débloquer les fonds pour la vente. Mais peut-être est-il aussi un père gâteux, un piètre joueur de tennis, un homme qui dansait en chaussette au bal de son université, un propriétaire qui arrose son jardin tous les samedis, regarde le foot à la télé et se fait livrer des plats chinois, tout comme vous. Tout comme vous, il regrette parfois certains faits passés, et place ses espoirs dans un avenir et des besoins, tant professionnels que personnels, qu'il faut satisfaire sans attendre.

Et c'est ce qui est important : n'oubliez jamais que, puisque vous lui faites une proposition, *vous êtes en position de satisfaire certains de ses besoins.*

Pour cela, vous devez néanmoins en apprendre le plus possible sur l'acheteur économique en tant qu'*individu*.

Encore une fois, comme à chaque fois que vous avez à éliminer des obstacles qui encombrent la voie vers votre objectif, un coach de confiance peut s'avérer ici être un atout précieux. Un bon coach vous aidera à transformer ces difficultés en opportunités, en vous fournissant des réponses aux questions que vous vous posez concernant les besoins professionnels de l'acheteur économique, ainsi que ses intérêts personnels.

Les réponses au premier type de questions vous permettront de définir les résultats collectifs que votre produit ou service apportera à l'entreprise cliente. Les réponses au deuxième type de questions vous aideront à déterminer les gains personnels de l'acheteur économique. Obtenir de votre coach un brief de ce qu'est le responsable économique en tant que personne, *avant* le premier contact, est un excellent moyen de miser sur des résultats-gains probables, et par là même de réduire votre gène en présence de cette personne clé.

En cas d'incertitude

En définitive, si vous voulez discuter avec une influence d'achat économique, c'est en vue d'obtenir son accord pour la vente.

Mais ce n'est peut-être pas la raison pour laquelle cette personne désire vous voir. A vous de vous assurer que l'acheteur économique a autant de raisons que vous de souhaiter une rencontre.

Nous parlons ici de la perception de l'acheteur, pas de la vôtre. Chaque fois que vous contactez un acheteur économique, posez vous cette même question : « Quelle raison avez-vous d'empiéter sur mon temps précieux ? ». Si vous êtes incapable de répondre à cette question concernant la satisfaction du responsable avant d'entrer, ne vous attendez pas à être à l'aise une fois avec lui. Par conséquent, pour réduire davantage votre sentiment de gène face à un acheteur économique, il faut être sûr et certain, chaque fois que vous le rencontrez, que vous avez une raison *professionnelle* valable de le faire.

Ce que l'acheteur économique souhaite toujours : la connaissance

Qu'est-ce qu'une raison professionnelle valable pour un acheteur économique? Il y a une chose que l'acheteur économique veut toujours : *le savoir* qui augmentera sa capacité prévisionnelle, à établir des plans pour l'avenir de ses affaires. Ceci nous conduit au principe suivant de Vente Stratégique :

Vous avez une raison professionnelle valable pour contacter un acheteur économique quand vous lui proposez une information pouvant l'aider dans sa façon de conduire ses affaires.

Cette observation en surprend plus d'un dans la vente. Les vendeurs qui n'ont eu qu'une expérience limitée avec les acheteurs économiques, ont souvent tendance à placer ces cadres supérieurs sur un piédestal, et à présumer qu'ils savent *tout*. Erreur. En fait, bien des acheteurs économiques en savent *moins* que vous sur nombre de domaines dans votre secteur. Ces acheteurs-là sont par nature des généralistes. Ils n'ont pas le temps de se tenir au courant de l'évolution au jour le jour de leur secteur, et manquent donc souvent de détails appropriés, car ils ont les yeux fixés sur le tableau d'ensemble. *C'est pourquoi ils ont besoin de vous.* Vous pouvez leur fournir les détails qui éclaireront leur vision globale.

Les acheteurs économiques de haut niveau sont payés pour la transparence de leur boule de cristal. Tout savoir susceptible d'accroître leur capacité à prédire l'avenir et de diminuer le risque et l'incertitude, est hautement valorisé : ce type de connaissance est plus important aux yeux de l'acheteur économique que n'importe quel avantage matériel.

L'idéal dans votre cas est de lui apporter un renseignement qui d'un seul coup, d'un seul, rendra son éclat à sa boule de cristal.

Cette information peut avoir ou non un rapport direct avec l'objet immédiat de la transaction. Bien entendu, si le renseignement fourni démontre comment se placer à la pointe d'une tendance industrielle en achetant *votre* produit maintenant, fort bien. Mais il est toujours possible de rallier l'acheteur économique à votre cause (et donc d'augmenter les chances d'accord pour votre vente) en apportant des informations d'ordre général, sur le secteur dans son ensemble, que cela fasse ou non partie de votre propre présentation.

Il y a quelques années, un de nos clients, un des plus gros fabricants de produits alimentaires pré-emballés, a démontré à quel point il est important de fournir ce type de renseignements à l'acheteur économique. Le directeur national des ventes de l'entreprise avait fait une conférence rassemblant les gérants de plusieurs chaînes de supermarchés.

Il ne s'agissait pas de présenter un produit en particulier. C'est-à-dire que le directeur ne mettait pas *sa* marque en avant, mais donnait simplement des renseignements d'ordre général pouvant servir à ces acheteurs économiques assemblés. Il leur expliqua, entre autres choses, que les marges bénéficiaires pour ce type de produit, quelle que soit leur étiquette, étaient extrêmement élevées comparées aux produits d'épicerie en général.

Cette séance d'information a eu des résultats spectaculaires. Notre client n'avait nullement prétendu que les marges, bénéficiaires sur ses produits, étaient plus intéressantes que sur ceux de ses concurrents. Pourtant en quelques mois, sa société avait gagné de façon spectaculaire de la place sur les linéaires de tous les supermarchés concernés. C'était la façon, pour les acheteurs économiques, de dire « Merci du renseignement » et d'augmenter leur propre bénéfice dans l'affaire.

Le savoir dont l'acheteur économique ne veut pas

Le fabricant de produits alimentaires pré-emballés réussit à augmenter sa pénétration du marché de l'alimentation parce qu'il avait compris les véritables besoins professionnels des acheteurs économiques. Il avait compris que le savoir qu'il leur fallait devait être en rapport avec une rentabilité accrue à *long terme*. Ceux qui l'oublient, essayent souvent d'apporter à l'acheteur *un type inadapté* de renseignement, qui ne fait qu'obscurcir au lieu d'éclaircir sa boule de cristal.

Celui qui fournit ce genre d'information à l'acheteur économique sape sa propre position.

Beaucoup de vendeurs, nous l'avons dit, prennent le parti de mener leurs ventes « tambour battant », en choisissant de « tout vous dire ». Ce parti pris peut avoir une utilité éphémère face aux acheteurs utilisateurs ou à certains acheteurs techniques, mais est presque toujours un inconvénient avec un acheteur économique.

Avoir des connaissances sur les composants d'un ordinateur, les couples-moteurs ou les compressions volumétriques d'un mécanisme, ou encore sur les résidus contenus dans les produits alimentaires, ne présente aucun intérêt immédiat pour quelqu'un dont les préoccupations se portent sur la planification à long terme, la stabilité institutionnelle et le retour sur investissement.

Ne perdez pas votre temps ou celui de votre influence d'achat en lui vendant ces aspects terre-à-terre.

Repensez à l'analogie déjà utilisée entre l'acheteur économique et le commandant du vaisseau.

En tant que vendeur, vous êtes un spécialiste d'instruments de marine qui essaye de vendre un nouveau procédé de navigation.

Au vu des intérêts et des besoins du commandant, ce serait une erreur d'insister sur la taille de la mémoire informatisée du système, ou de vous vanter que votre produit sera pour ce siècle ce que le sextant a fait pour le dix-septième. Le navigateur (un mélange entre l'acheteur utilisateur et l'acheteur technique) veut entendre ces détails. Pas le commandant.

Il souhaite seulement que vous répondiez à une question : « Est-ce que ce produit me permettra de mieux prévoir la traversée ? »

Vendre un concept

On peut exprimer autrement la distinction entre le savoir que veut l'acheteur économique et celui qu'il ne veut pas. Dans le deuxième séminaire mis au point par Miller Heiman, *La vente conceptuelle*, nous avons souligné l'importance du concept du client comme facteur déterminant dans toute décision d'achat. Selon notre définition, le concept recouvre l'image mentale qu'a le client de ce qu'il souhaite que le produit ou service lui apporte. La première et la plus importante leçon de *La vente conceptuelle* est que vous devez d'abord comprendre le concept du client avant de pouvoir lui vendre un produit sur un mode gagnant-gagnant. Nous disons que la vente d'un produit n'est réussie que dans la mesure où elle satisfait les besoins du concept client.

Lorsque vous traitez avec un acheteur économique, ce point est essentiel. Les commerciaux qui réussissent le mieux avec ces décisionnaires clés sont ceux qui trouvent d'abord ce que ceux-ci veulent réaliser. Ceux qui se demandent pourquoi l'acheteur ne fait pas attention à lui, sont généralement ceux qui essaient de pousser trop tôt le produit, avant d'avoir compris le problème de l'acheteur économique et la solution qu'il souhaite.

La différence entre comprendre un concept et vendre un produit est visible si l'on considère les deux types de décisions qui président à l'automatisation d'une usine ou d'une série d'usines.

En premier lieu, la décision d'automatiser est un exemple de décision conceptuelle. L'acheteur économique est vital dans cette décision et si vous voulez que votre société soit impliquée dans son application, la première chose à faire sera de comprendre son concept, ce qu'il pense que fera l'automatisation. Mais une fois que celui-ci a pris sa décision il vous faut convaincre toute une série d'autres personnages que c'est votre gamme de produits qui est la mieux adaptée.

Il s'agit là d'une vente de produit, qui se discute surtout avec les acheteurs utilisateurs et techniques. Elle intervient toujours après que vous ayez compris le concept, jamais avant. Si vous essayez de le faire avant, vous risquez de proposer une solution inadaptée voire contraire à ce que souhaitent les acheteurs.

Produit et concept sont bien sûr liés, mais, dans la plupart des cas, il serait préférable d'exposer le résultat final à votre acheteur économique, et de ne lui fournir des détails sur la façon d'y parvenir (les spécifications de votre produit) qu'à sa demande expresse.

Les directeurs généraux veulent rarement savoir, « comment s'appelle cette partie-là ». Ce qui les intéresse, c'est « quel en sera l'effet sur ma société (ou secteur, ou service) ? »

Comprendre le concept de l'acheteur économique est tellement important qu'il s'agit, à nos yeux, d'une des responsabilités essentielles du vendeur quand il traite avec ces influences d'achat. Il y en a une autre, tout aussi importante qui s'y rattache, vous devez vendre votre propre crédibilité.

Se rendre crédible

Ceci implique non seulement votre crédibilité personnelle, mais aussi celle de votre entreprise.

La crédibilité est le fondement du succès de la vente.

A cet égard, il nous est apparu que quatre techniques étaient efficaces :

1 – Intervention de votre hiérarchie.

2 – Mise en valeur de succès antérieurs.

3 – Réunions d'information pour les cadres.

4 – Recours à un « gourou ».

Faire intervenir votre hiérarchie

Certes il vous appartient, en tant que responsable de la vente, de vérifier que tous les contacts ont été pris. Vous ne serez pas toujours la personne la plus qualifiée pour convaincre chaque influence d'achat. C'est pourquoi nous incitons nos clients à faire de la vente en équipe et à organiser des réunions entre acheteurs et vendeurs de même niveau hiérarchique. Les cadres et les autres stagiaires se sentent souvent plus à l'aise avec leurs pairs ; il se peut donc que votre propre patron (à titre d'exemple) ait plus de facilité que vous à se rendre crédible auprès de l'acheteur économique.

Votre travail consiste à vous assurer que chaque influence d'achat est contrôlée par la personne *la plus qualifiée*.

Les acheteurs économiques hésitent rarement à échanger leur point de vue avec leurs pairs. Si vous obtenez qu'ils visitent votre société, vous pratiquerez efficacement la vente entre homologues. En rassemblant ainsi les cadres de même niveau, vous pouvez également montrer à l'acheteur économique que votre entreprise toute entière est partie prenante à votre proposition à tous les échelons de la hiérarchie. Ce qui a également un effet démultiplicateur en faisant une démonstration publique de votre propre valeur et de votre crédibilité pour les ventes à venir.

Mettre en valeur des succès antérieurs

Vous pouvez aussi vous arranger pour que l'acheteur économique visite l'usine d'un client chez qui vous avez bonne presse, et où, par définition, vous serez aussitôt mis en valeur par rapport au concurrent.

En montrant comment votre produit ou service fonctionne bien chez un autre client, vous démontrez concept et crédibilité, en y ajoutant ce dont l'acheteur économique ne saurait se passer : des renseignements sur la façon d'améliorer ses propres affaires.

Informer les cadres

Ces réunions d'information sont courantes dans le domaine des produits de consommation. Nombre de nos plus gros clients dans ces secteurs organisent des réunions de ce type une ou deux fois par an pour les cadres de leurs grands comptes.

Au cours de ces exposés périodiques, ils passent en revue avec leurs influences d'achat les résultats et gains obtenus dans un passé récent, et proposent de poursuivre cette collaboration pour que le client continue à gagner. Même s'il n'est fait aucune offre spécifique, la société vendeuse est ainsi à même de renforcer la satisfaction que ses clients ont tiré du résultat de leurs associations antérieures.

Recourir à un « gourou »

Un gourou, dans la terminologie de la Vente Stratégique, est un expert influent sur la tendance des affaires. Cet expert peut ou non appartenir à votre propre société, et être plus ou moins spécialiste de votre domaine particulier.

Les acheteurs économiques parviennent à leurs postes en partie à cause de leur réceptivité aux idées nouvelles. Vous avez intérêt à organiser une rencontre entre un gourou et votre acheteur économique car il mettra ce dernier au fait des idées nouvelles. Ainsi vous et le gourou aurez tout le crédit de les avoir portées à l'attention de l'acheteur économique.

En outre, faire appel au gourou comme intermédiaire peut vous permettre d'apporter à l'acheteur économique des connaissances que *vous* possédez, mais qui, vous le savez, paraîtront plus crédibles venant d'un expert impartial ; par exemple quand un acheteur économique entend dire par un expert en Recherche et Développement que votre société est à la pointe concernant certaine technologie, le message passe certainement mieux que si vous, en tant que vendeur, annoncez : « Nous avons le meilleur produit sur le marché ».

La technique du gourou s'emploie assez fréquemment et avec un extraordinaire efficacité entre grosses sociétés. Ce n'est pas tant un moyen de faciliter des ventes précises que d'établir une interaction saine et continue, dans laquelle l'entreprise qui fait venir le gourou et celle qui reçoit les connaissances nouvelles ont toutes deux l'impression d'avoir gagné.
Nous avons nous-mêmes été appelés comme gourous, l'an dernier, quand un de nos clients organisa un de nos séminaires de Vente Stratégique, non pour lui-même, mais pour un de ses clients. Nos nouveaux stagiaires furent très satisfaits de la méthode et leur appréciation s'étendit non seulement à nous, les gourous, qui l'avions présentée, mais aussi à la société qui avait rendu la chose possible. Ainsi, tout le monde avait gagné.

Ces quatre techniques ne sont que des exemples.

Vous pouvez fort bien employer d'autres techniques tout aussi efficaces pour améliorer votre position face aux influences d'achat économique. Servez-vous de tout ce qui marche, bien entendu, pourvu que vous soyez certain de donner à l'acheteur économique ce dont il a toujours besoin : la connaissance qui lui permettra d'accroître sa capacité prévisionnelle et ce en respectant le principe du gagnant-gagnant. Il est exact que vous aurez à assumer les frais immédiats, tant il est vrai que la société qui fournit le savoir paye l'addition.

Mais vous serez certainement remboursé en transactions ultérieures. Apporter des connaissances à un acheteur économique n'est pas un cadeau. Si l'information est adaptée et utile, c'est un investissement.

Garder le contact

Il est tout à fait essentiel de contacter l'acheteur économique lors d'une vente initiale à un nouveau client, et de le faire dès le début du cycle de vente. Mais cela ne suffit pas. Maintenir un contact *régulier* avec toutes les influences d'achat économiques potentielles chez chaque client est d'une importance capitale pour la stratégie-clientèle à long-terme.

Une des questions qui revient le plus souvent dans nos séminaires est « combien de fois dois-je rencontrer l'acheteur économique après cette première vente ? ». Même parmi les vendeurs expérimentés, l'incertitude domine quant à la fréquence des contacts nécessaires au maintien des relations professionnelles saines. La réponse est double, et se rattache à tout ce que nous avons dit sur la façon de satisfaire les besoins de l'acheteur économique, de réduire votre anxiété et de préparer le terrain.

- Les contacts avec l'influence d'achat économique doivent être périodiques et non sporadiques.
- Chaque fois que vous contactez l'acheteur économique, vous devez avoir une *bonne raison professionnelle*.

Il n'est pas nécessaire de rencontrer l'acheteur économique à *chaque nouvelle vente*, mais, après la première, il serait préférable de garder un contact périodique et non pas épisodique.

Si vous ne prévoyez pas de rencontrer régulièrement vos influences d'achat économiques, vous risquez de retomber dans le vieux piège de la gêne et de laisser les rapports avec ces acteurs clés se détériorer jusqu'à l'érosion de votre position chez ce client. C'est un risque que vous courez si vous ne le rencontrez pas au moins tous les six mois. Sachant qu'ils vont revoir leurs acheteurs économiques le mois suivant ou dans trois mois, les meilleurs vendeurs stratèges sont sans cesse à la recherche de bonnes raisons professionnelles, à savoir quelles contributions ils peuvent apporter à la façon dont l'acheteur économique conduit ses affaires.

Il peut s'agir d'apports très importants : lui montrer que le nouveau procédé de raffinage mis au point par votre entreprise lui fera économiser 18 % sur le coût matière ; ou de « moindre » importance : un article sur la sous-traitance, la nouvelle réglementation d'hygiène et de sécurité, ou une brochure concernant un prochain séminaire sur la productivité. Pourvu qu'elles mettent en lumière des tendances futures susceptibles d'influencer directement ou indirectement les affaires de la société, ces apports seront toujours bienvenus, *même si l'acheteur économique les a déjà vus.*

L'essentiel, pour vous, est de lui démontrer qu'il doit gagner. Une influence d'achat économique qui comprend cela sera un allié extrêmement précieux dans n'importe quelle vente.

Atelier n° 6 : testez votre position face à l'acheteur économique

Sortez votre tableau d'influences d'achat, votre tableau de résultats-gains, votre liste de positions alternatives, votre carnet et vos drapeaux rouges. Vous aurez besoin d'environ vingt minutes pour évaluer votre position face à l'acheteur économique concerné par votre objectif de vente.

Etape n° 1 : qui est l'influence d'achat économique dans cette vente ?

En déterminant exactement qui est l'influence d'achat économique, n'oubliez pas que lui seul a l'autorité *finale* pour *débloquer* les fonds. Regardez le nom que vous avez inscrit dans la case responsable économique du tableau et demandez-vous si vous *savez avec certitude* que c'est la personne qui gère le budget pour *cette* vente. Si vous n'êtes pas certain qu'il s'agit de la bonne personne, reprenez votre tableau d'influences d'achat et voyez si un acheteur économique ne se « dissimule » pas sous le nom d'un autre personnage clé. Repensez aussi à tous les autres collaborateurs, au cas où vous auriez négligé un « simple nom dans l'organigramme » tout en haut de la société cliente, qui donnerait en fait l'accord final pour débloquer l'argent.

Une fois trouvé le nom de la personne qui, à votre avis, contrôle les fonds nécessaires, même si vous êtes certain que c'est le bon, testez-vous en vous posant ces questions supplémentaires sur votre homologue Alain Legrand :

- La place de Legrand dans l'entreprise lui permet-elle de prendre pareille décision ?
- S'il s'agissait de *ma* propre entreprise, l'accord de l'acheteur économique viendrait-il du même niveau ? (N'oubliez pas de tenir compte de la taille relative des deux entreprises).
- Ai-je réfléchi aux cinq facteurs de risque qui peuvent faire monter ou descendre le rôle de l'acheteur économique ?
- Est-ce que je me concentre sur l'acheteur économique concerné par cet objectif de vente et non sur celui du mois ou de l'an dernier ?
- L'accord de Legrand est-il définitif ? – Puis-je honnêtement considérer son approbation comme devant débloquer les fonds ou s'agit-il d'une recommandation ?
- Y a-t-il quelqu'un d'autre dans l'entreprise cliente qui puisse opposer son *véto* à l'accord donné par Legrand ?

En vous posant ces questions essentielles, souvenez-vous que vous avez plusieurs sources de renseignements à votre disposition. Ne vous fiez pas uniquement à vos propres impressions sur la situation de vente. Interrogez, si possible, l'acheteur économique lui-même, de manière directe ou indirecte. Et recoupez les réponses en questionnant votre coach.

Etape n° 2 : où en est le contact avec l'influence d'achat économique ?

En gardant à l'esprit que *toute influence d'achat oubliée est une menace*, déterminez où en est le contact avec l'acheteur économique. Pour cela, posez-vous les questions suivantes :

- Ai-je personnellement rencontré Alain Legrand, ou me suis-je arrangé pour qu'il soit contacté par quelqu'un d'autre de plus qualifié que moi ? (Tant que vous n'êtes pas assuré que le collaborateur *le plus qualifié* de votre équipe ait contacté l'influence d'achat économique, considérez-la comme un drapeau rouge. Si Legrand a été contacté par quelqu'un de votre entreprise considérez-le comme une force).

- Au cas où Legrand n'a toujours pas été contacté, pourquoi?
- S'il est loin géographiquement, ou « filtré » par une secrétaire, puis-je avoir recours à de bons intermédiaires ou à des homologues pour l'atteindre?
- Si on m'empêche d'arriver jusqu'à lui, quelle sera ma meilleure stratégie pour vaincre la résistance de l'opposant? Dans ce cas particulier, vaudrait-il mieux s'en *accommoder, contourner* l'obstacle ou montrer à l'opposant comment *gagner*?

Etape n° 3 : l'acheteur économique est-il réceptif à ma proposition?

Chaque réaction d'achat dicte une stratégie de vente différente. A ce stade de la recherche, vérifiez votre évaluation (voir chapitre 8) de la réaction d'achat de l'acheteur économique : assurez-vous que, à ce point du processus de vente, vous abordez cet acteur avec la stratégie appropriée.

Pour cela, demandez-vous :

- Si Legrand est en réaction de croissance, se rend-il compte que ma proposition l'aidera à améliorer la marche de ses affaires comme il le souhaite?
- S'il est en difficulté, comprend-il que ma proposition portera remède à ce qui ne va pas? Est-il convaincu que je comprends l'urgence de son problème?
- S'il est en calme plat, suis-je capable de lui démontrer qu'il existe un écart qu'il n'a pas vu entre sa réalité actuelle et les résultats espérés? Puis-je m'arranger pour qu'une autre influence d'achat l'avertisse des difficultés qui s'amoncellent à l'horizon?
- S'il est exalté, est-il bien sage de ma part de vouloir lui vendre quelque chose en ce moment? Ne ferais-je pas mieux d'attendre tranquillement qu'il soit en difficulté? Suis-je *fin* prêt pour résoudre son problème quand il finira par apparaître

Etape n° 4 : est-ce que je joue gagnant-gagnant avec l'influence d'achat économique?

Si vous répondez oui aux questions suivantes, vous saurez que c'est en effet le cas.

- Ai-je fourni, ou puis-je fournir, à la société de Legrand un résultat susceptible d'avoir un impact positif sur le fonctionnement d'un ou plusieurs processus ?
- Ceci se traduit-il pour Legrand par un gain personnel qui satisfera ses propres intérêts ? (Souvenez-vous que les gains sont individuels et intangibles, et qu'un coach serait utile pour savoir de façon certaine comment une influence d'achat donnée ressent le gain).
- Comprend-il que je suis et continuerai à être responsable de ses résultats-gains, que je tiens à jouer à gagnant-gagnant ? En d'autres termes, sait-il que je veux servir ses intérêts personnels autant que les miens ?

Si vous ne parvenez pas à des réponses concrètes et positives, reconsidérez votre position. Passez en revue votre tableau des influences d'achat et celui des résultats-gains, puis concentrez-vous sur l'influence d'achat économique. Relisez la déclaration gains-résultats que vous avez écrite pour lui. Placez un drapeau rouge partout où les réponses aux questions ci-dessus ne sont pas satisfaisantes. Quels renseignements demander à votre coach pour éliminer ces drapeaux rouges ?

Étudiez les forces que vous avez identifiées sur le tableau des influences d'achat. Êtes-vous en mesure de les prendre comme points d'appui contre les drapeaux rouges pour améliorer votre proposition auprès de l'acheteur économique.

Etape n° 5 : ai-je une raison professionnelle valable pour rencontrer l'acheteur économique ?

Votre position face à l'acheteur économique à beau vous sembler solide, elle sera toujours remise en cause sauf si chaque fois que vous lui rendez visite, vous avez de bonnes raisons professionnelles de le faire.

Vérifiez si tel est bien le cas en vous posant les questions suivantes :

- Quel est le savoir que je possède dont Legrand peut se servir pour prévoir la tendance future de ses affaires ? Comment ce savoir peut-il éclairer sa boule de cristal ?

- En quoi est-il lié à un concept plutôt qu'à un produit? Quelle sera l'influence de mon apport sur la croissance et la stabilité de son entreprise, et pas seulement sur les aléas du fonctionnement quotidien?
- En quoi est-ce que je contribue non seulement à aider Legrand dans ses affaires mais aussi à établir la crédibilité de ma société? Que cela conduise ou non à un accord de vente immédiat, en quoi cela me différencie-t-il du concurrent?

Au cours de cet atelier, les questions posées avaient pour but de clarifier votre position actuelle face à l'acheteur économique. Servez-vous maintenant des réponses pour améliorer cette position.
Prenez votre liste de positions alternatives et ajoutez-y toutes les options inspirées par cet atelier.

Au cours de cette révision contentez-vous de travailler sur les positions alternatives liées à l'influence d'achat économique. Restez précis et continuez à passer chaque annotation au crible du pragmatisme, toute position alternative élimine un drapeau rouge, prend appui sur une position de force, ou les deux à la fois.

Par exemple, si à l'étape n° 2 de cet atelier vous avez remarqué que Paul Dubois vous empêchait d'arriver jusqu'à Legrand, il ne suffit pas de noter « court-circuiter Dubois » comme position alternative. Il faut être plus précis : « Montrez à Dubois comment il a tout à gagner en soutenant ma proposition d'accroissement de la productivité, auprès de Legrand ».

Ou, si à l'étape n° 4 il vous apparaît que vous ne voyez toujours pas où se situe le gain de Legrand dans la vente, inscrire « Montrez à Legrand en quoi il peut gagner » est insuffisant. Une alternative solide, utilisant un point fort, serait d'inciter Danièle Brun à expliquer comment une augmentation de 15 % de la productivité se traduirait par « un gain pour Legrand »

Une ultime vérification

Le fait de réviser constamment votre liste de positions alternatives est un moyen de se tenir prêt et donc de *réduire la gêne* à chaque visite à l'acheteur économique. Mais vous ne pourrez évidemment pas transporter cette liste partout avec vous et la revoir en détail chaque fois que vous frappez à la porte de Legrand. Pour diminuer le sentiment de gêne avant tout entretien, il vous faut un test « en miniature », pour évaluer les lignes essentielles de votre rencontre à venir.

Confronté à l'idée de rencontrer l'acheteur économique, il existe un moyen efficace et rapide de réduire votre anxiété. Pour cela, juste avant d'entrer, posez-vous ces quatre questions clés :

1– Qu'ai-je besoin de découvrir ? Quelle information me faut-il obtenir de cette influence d'achat ou de quelqu'un d'autre, pour m'aider à mieux considérer les résultats requis et les gains personnels ?
2 – Qu'est-ce que je souhaite porter à la connaissance de l'acheteur économique ? C'est-à-dire quel peut être mon apport à ses prévisions à long terme ?
3 – Que doit, selon moi, faire l'acheteur économique ? A savoir, comment contribuerai-je à des résultats qui auront un impact positif tant sur les affaires du client que sur les miennes ?
4 – Que doit, à mon sens éprouver l'influence d'achat économique ? C'est-à-dire : en quoi ces résultats se traduiront-ils par un gain personnel que l'acheteur économique m'attribuera ?

Quand vous aurez clairement répondu à ces questions, et quand vous saurez comment amener l'influence d'achat économique à savoir, à faire et à éprouver ce que vous voulez, vous vous sentirez automatiquement plus détendu à l'idée de rencontrer ce personnage capital, et vous irez au rendez-vous en toute confiance.

12

VOTRE COACH : SOIGNER VOTRE SOURCE PRIMORDIALE D'INFORMATION

Tout au long de l'analyse de votre objectif de vente actuel, nous avons insisté sur l'importance du rôle joué par le coach dans l'amélioration de votre position stratégique face aux influences d'achat. A commencer au chapitre 1 par l'histoire d'Eric, le vendeur de matériel informatique, qui utilisa les services d'un consultant externe pour se repositionner face à l'acheteur économique. Il est clair qu'un coach efficace peut faire la différence entre une vente presque à terme et une qui, non seulement se termine en votre faveur mais encore vous assure des ventes gagnant-gagnant pour longtemps. Nous avons également vu qu'à l'encontre des autres influences d'achat, le coach ne se trouvait pas tapi dans l'entreprise-cliente attendant d'être débusqué. Les coaches doivent être « élus », pour « travailler » en fonction de votre objectif de vente spécifique.

Un bon coach est tellement essentiel à une bonne stratégie, et il est, à certains égards, si différent des autres influences d'achat concernées par votre vente, qu'il nous est apparu utile de rassembler en un même chapitre toutes les informations dont vous avez besoin pour choisir et utiliser un coach efficacement. Il est souvent la clé de votre stratégie face aux influences d'achat et ce chapitre vous montrera comment vous en servir.

Un coach est essentiellement une source d'informations, il n'est pas seulement là pour vous permettre de vérifier l'exactitude de vos renseignements et la viabilité de votre position au fur et à mesure de la progression de la vente ; il peut aussi vous aider à trouver et à regrouper tout ce que vous savez ou cherchez à savoir sur les influences d'achat. Plus précisément :

1 – Dès la mise en œuvre de votre stratégie, votre coach peut vous aider à trouver les véritables acteurs clés concernés par la vente en cours.

2 – Avec son aide, vous pouvez repérer les points forts de votre position grâce auxquels vous éliminerez les drapeaux rouges au fur et à mesure que votre stratégie se développera.

3 – Grâce à lui, vous comprendrez peut-être mieux comment chaque influence d'achat perçoit la réalité, et ainsi vous jugerez de la réaction de chacune d'elles face à votre proposition en termes de réactions d'achat (croissance, difficulté, calme plat et exaltation).

4 – Votre coach peut vous amener à comprendre les résultats dont chaque influence d'achat a besoin pour gagner, et à savoir comment les proposer pour que vos acheteurs se sentent en situation de gagnant-gagnant avec vous, dans cette vente et dans toutes celles à venir.

Mais le coach ne vous sera utile dans ces domaines-là que si il ou elle correspond à un « profil » très spécial. Ce n'est pas parce qu'on a de l'huile sur les mains qu'on sait réparer un carburateur, et il ne suffit pas de ressembler à un coach pour être nécessairement qualifié pour ce rôle. Vous avez donc besoin de critères exacts pour déterminer qui peut, ou ne peut pas remplir ce rôle de source d'information essentielle.

Les trois critères qui font un bon coach

Un bon coach, nous l'avons dit, peut se trouver *n'importe où*, dans votre entreprise, chez le client, ou en dehors des deux. Ce n'est pas sa situation géographique ou sa position sociale qui détermine si oui ou non quelqu'un est à même de jouer le rôle de coach dans une vente donnée, mais plutôt la façon dont le candidat répond aux trois critères précis suivants :

Critère n° 1 : votre crédibilité. Un coach est une personne aux yeux de qui vous, vendeur, êtes personnellement crédible. C'est-à-dire que votre coach doit croire en vous, et être convaincu qu'on peut vous faire *confiance*; et par là nous entendons vous faire confiance professionnellement en tant que vendeur. Votre mère peut vous faire confiance en pensant que vous ne volerez pas de biscuits quand elle aura le dos tourné, mais cela ne fait pas d'elle un coach. En général, si le coach croit en vous, c'est qu'il a gagné avec vous par le passé. Aussi la première chose à vous demander, quand vous regardez les candidats au poste de conseiller, sera : « Est-ce que je jouis d'une réputation de gagnant auprès de cette personne? ».

Critère n° 2 : la crédibilité du coach. Un bon coach doit être crédible *au yeux de l'influence d'achat pour votre vente spécifique.* A savoir, l'entreprise cliente doit faire suffisamment confiance au coach pour lui donner des renseignements fiables. Comme vous avez besoin de lui pour savoir comment fonctionne l'entreprise, ce critère est fondamental. Cette confiance ne peut être diffuse, elle ne peut être fondée uniquement sur le prestige supposé. C'est à dire qu'il ne suffit pas de dire « chez Manetti, on fait confiance à Frédérique Doillon » parce que c'est un cadre supérieur qui inspire « forcément » le respect. Si Doillon est un coach potentiel pour votre objectif de vente, elle doit connaître personnellement les influences d'achat de Manetti, vous avez gagné avec elle par le passé et elle ne jouit pas seulement de leur respect mais de leur confiance. Dans la mesure où vous avez besoin d'un coach pour vous expliquer comment se prennent les décisions, ce critère est essentiel. Aussi la deuxième question que vous devez vous poser est : « Les influences d'achat pour mon objectif de vente ont-elles confiance en cette personne? ».

Critère 3 : souhaiter votre succès. La différence fondamentale entre un coach et les autres influences d'achat c'est que le coach par définition souhaite que vous fassiez cette vente. Quelle qu'en soit la raison, Frédérique Doillon pense que lorsque votre proposition sera adoptée, elle aura gagné. Comme nous l'avons dit en parlant des résultats-gains, il serait intéressant pour vous de savoir quelle en est la raison mais ce n'est pas indispensable. Ce qui est fondamental c'est que votre coach potentiel voit une relation directe entre votre succès pour cette vente et son intérêt personnel. Aussi, la troisième question à se poser est-elle : « Cette personne perçoit-elle un gain personnel à mon succès dans cette vente ? ».

Il y a douze ans de cela, lorsque cet ouvrage a été publié pour la première fois, nous avions suggéré que si le coach idéal devait remplir ces trois conditions, il était possible également de travailler avec ceux « qui ne les remplissaient pas totalement », mais nous ajoutions « mais méfiez-vous de ceux qui ne remplissent aucun des trois critères, ils ne sont définitivement pas des coaches. Concentrez-vous sur ceux qui ont le profil le plus proche de cette description ».

C'est là un des rares domaines de la Vente Stratégique où nous avons changé d'avis. Les expériences ultérieures nous ont montré que si le coach ne satisfait pas aux trois critères que nous avons mis en avant, vous devriez être prudent et ne pas le prendre comme coach. Du moins vous devriez mettre un drapeau rouge sur chaque point qu'il ne remplit pas. Nos clients nous racontent toujours des histoires horribles qui nous confirment dans cette nouvelle position.

Supposons, par exemple, que vous envisagiez de prendre Frédérique Doillon comme coach pour le client Manetti dans les circonstances suivantes :

– Tout le monde chez Manetti lui fait confiance, elle est enthousiaste sur votre proposition mais elle ne vous connaît ni d'Eve ni d'Adam. Ce qui veut dire que les critères 2 et 3 sont remplis mais pas le critère 1.
– Elle a travaillé avec vous avec succès par le passé, elle est favorable à votre proposition mais personne ne la connaît chez Manetti. Donc critères 1 et 3, mais pas le critère 2.
– Elle vous fait confiance et l'entreprise lui fait confiance mais elle est tellement préoccupée par un "sac de nœuds" dans un autre département qu'elle considère les conversations avec vous comme une distraction. C'est à dire les critères 1 et 2 mais pas le 3.

Dans ces trois cas, il ne servirait à rien de se dire : deux sur trois ce n'est pas si mal. Cela pourrait être catastrophique en l'occurrence, car avoir recours à Frédérique Doillon pour une intervention pour laquelle elle n'est pas qualifiée pourrait être pire que de ne rien faire.

Il ne s'agit pas pour autant d'une sentence de mort. Nous ne sommes pas en train de dire que si vous trouvez quelqu'un qui ne remplit que deux des critères sur trois vous devez l'écarter comme coach potentiel. Parce que la vente complexe est une situation dynamique et non statique et que votre engagement stratégique par lui-même peut y apporter des changements, vous devez considérer toutes les Frédérique Doillon que vous rencontrez comme des ressources sous-développées mais potentiellement valables.

Pensez aux coaches comme à des diamants bruts. Lorsqu'un diamant est découvert, c'est un morceau de pierre laiteuse. Ce qui lui permet de valoir des millions c'est le travail de polissage et de taille qui est fait dessus – en d'autres termes le processus de la pierre précieuse. Ce qui vaut également pour les coaches. Recherchez des coaches qui remplissent les trois conditions. Pour ceux qui n'en remplissent que deux, commencez à les « travailler ». C'est à dire à le traiter comme les autres influences d'achat – comme quelqu'un qui a besoin de gains personnels que vous pourriez lui apporter.

Ceux que l'on prend à tort pour des coaches

En réduisant le champ d'exploration de coaches potentiels pour que vous puissiez vous concentrer sur les meilleurs candidats possibles, il nous est apparu utile d'identifier, dès le départ, certains types courants d'individus qui ressemblent à des coaches mais ne sauraient en rien tenir ce rôle. Parmi ces « faux coaches », on trouve les suivants :

L'« ami »

L'erreur sans doute la plus répandue consiste à confondre la sympathie *personnelle* du coach envers le vendeur et son approbation de l'*objectif de vente*. Quand on recherche un coach digne de confiance, « Il a de la sympathie pour moi » ne saurait en *aucun cas* être pris comme synonyme de « Il approuve ma proposition et veut voir aboutir ma vente. »

Bien entendu, vous devez être sympathique au coach. Ne comptez pas obtenir facilement des données fiables auprès de quelqu'un avec qui vous ne vous entendez pas. Mais ceci est insuffisant. Si votre coach vous aime bien, il doit y avoir une raison spéciale : il a *gagné* avec vous auparavant.

Auquel cas, il sera tout prêt à croire qu'il ou elle va encore gagner maintenant. C'est-à-dire que vous serez crédible à ses yeux. Ceci est le premier critère de sélection. Mais ce n'est jamais qu'un seul critère. N'oubliez pas les deux autres. Danièle Brun aura beau être une amie, elle aura beau trouver que vous êtes un type très bien, elle ne fera pas un bon coach sauf si elle a la confiance du client et si elle voit un gain personnel dans *cette* vente. Un coach *doit* être favorable à votre proposition.

L'informateur professionnel

Certes, le premier devoir d'un coach est de vous fournir des renseignements ; mais pas *n'importe* lesquels. Un coach de confiance doit vous obtenir des renseignements exclusifs qui vous sont utiles dans cette vente précise.

- Par informations « exclusives » nous entendons ce que vous ne pouvez obtenir ailleurs.
- Et le mot « utiles » qualifie des renseignements qui vous permettront d'améliorer votre position face aux influences d'achat concernées par la vente.

Ces deux caractéristiques sont liées et également essentielles. Les quotas de production contenus dans le dernier rapport aux actionnaires du client peuvent constituer un renseignement utile, mais certainement pas exclusif, car vous pourriez facilement l'obtenir tout seul. Par contre, savoir que l'acheteur économique a un grain de beauté en forme d'étoile sur l'épaule gauche est une information exclusive mais inutile. Les renseignements exclusifs et utiles que vous attendez de votre coach doivent porter sur le fonctionnement *réel* de l'entreprise cliente et sur la façon dont chaque influence d'achat gagne *vraiment*, ainsi que sur la façon dont les résultats dus à *votre proposition* y contribueront.

L'idéal serait que le coach vous fasse un « plan » qui vous guide jusqu'à chaque influence d'achat. Attention aux coaches qui vous offrent des « plans » rares et « intéressants » qui ne font pas apparaître votre destination. Il ne vous sert à rien d'avoir un plan détaillé de l'Ile-de-France si votre objectif se trouve en Bretagne.

Le vendeur interne

L'expression désigne pour nous quelqu'un qui, chez le client, effectue pour vous quelques ventes et vous recommande de préférence au concurrent. En d'autres termes, il endosse une partie de vos responsabilités, en général parce qu'il perçoit un *gain* dans la vente. Ceci veut dire qu'il répond au troisième critère : votre succès imminent est un gain pour lui. Mais encore une fois, ceci n'est qu'un seul critère. Il n'est pas en lui-même suffisant, pour faire de quelqu'un un bon coach. Pour importante que soit la place des vendeurs internes dans bien des ventes complexes, tous ne font pas de bons coaches.

Par conséquent, vous devez également mesurer leur valeur par rapport aux deux premiers critères d'un coach :

1 – Ils doivent *vous* faire confiance et
2 – le client doit *leur* faire confiance.
S'ils n'ont pas confiance en vous, leur désir de vous voir réussir peut s'avérer instable. D'autre part, s'ils n'ont pas la confiance du client, ils risquent de ne pas obtenir des renseignements exacts. Il existe un danger supplémentaire à rechercher un coach parmi les vendeurs du client. Par définition, ils *vendent*. Ce n'est pas la mission du coach. L'idéal est de vendre vous-même, guidé par le coach. Un coach, pour vous, ne doit pas plus vendre à votre place, que l'entraîneur ne doit taper dans le ballon à la place des ses joueurs. Si vous choisissez un vendeur du client comme coach, souvenez-vous de cette règle absolue : plus vous laissez quelqu'un d'autre *faire à votre place*, moins *vous* contrôlez le jeu.

Le mentor

Comme vous le savez, beaucoup de cadres actuels font leurs débuts sous la houlette des vieux routiers de leur entreprise (ou d'ailleurs) qui se chargent officieusement d'apprendre les ficelles du métier aux nouveaux venus. L'ancien présente le petit jeune aux personnes « qui comptent », lui explique le fonctionnement de la société, et, plus généralement, forme le nouveau cadre pour poursuivre sa propre conception du leader.

Il est bien vrai que vous pouvez trouver un coach dans votre propre entreprise. Un mentor tel que celui que nous venons de décrire peut être un atout intéressant. Mais il ne faut pas confondre mentor et coach.

Un mentor, par définition, tient à vous voir réussir votre carrière. Il vous forme à marcher sur ses traces pour que votre succès en affaires rejaillisse favorablement sur lui. Le désir qu'a un coach de vous voir réussir est certes aussi profond, mais il est plus limité : il veut, lui, que vous réussissiez *cette* vente. Engagé à vos côtés, le mentor *peut* ne vous apporter aucune information utile pour réussir la vente. Pour sa part, le coach se moque peut-être de vos succès à long terme, mais s'il perçoit un *gain* personnel dans *cette* vente, il peut s'avérer un atout précieux.

Le meilleur des coaches

Certes les bons coaches se rencontrent presque n'importe où, nous l'avons constaté. Il existe pourtant une source idéale. C'est de transformer l'acheteur économique concerné par votre objectif de vente en coach auprès de sa propre entreprise. Les avantages en sont évidents :
- L'influence d'achat économique est mieux placée que les autres influences d'achat pour comprendre le fonctionnement réel de la société cliente : c'est-à-dire comment sont prises les décisions d'achat important. Cette personne est donc à même de vous guider jusqu'aux autres acteurs clés.
- Si l'acheteur économique est convaincu des avantages conceptuels de votre proposition, il vous sera plus aisé d'en vendre les avantages aux autres influences d'achat concernées. Le simple fait que votre acheteur économique soit un dirigeant de l'entreprise implique que son avis aura du poids auprès des autres influences d'achat.
- Faire de l'influence économique votre coach de façon significative diminue le risque d'un véto ultérieur dans le cycle de vente.

Pour des raisons diverses, mais liées, il est toujours bon de rencontrer l'acheteur économique et de choisir un coach dès le début. Transformer l'acheteur économique en coach, c'est accomplir les deux en même temps.

Si, dès le début de la partie, l'acheteur économique est favorable à votre proposition, un bon moyen de faire de lui un coach est de lui demander des conseils à propos de *quelqu'un d'autre* : exemple : « Alain, j'aimerai bien quelques conseils sur la meilleure façon d'approcher Henri Lagrange. » Cette question renforce votre position face à l'acheteur économique et améliore les possibilités de conseils.

Demander des conseils

Une fois que vous avez démasqué les faux coaches et trouvé celui qui, selon vous, répond aux trois critères décrits, demandez conseil à cette personne – littéralement. Le terme de coach a une connotation très positive dans notre culture à cause de son usage en matière sportive, par exemple. Il se traduit par « je suis compétent, je connais mon travail, j'ai juste besoin de quelques orientations ».

A cause de cette connotation positive, beaucoup acceptent volontiers de jouer ce rôle. Donc, dites bien « coach », et *non* « j'ai besoin de votre aide » ou « vous pouvez-vous me recommander aux personnes concernées par la vente ». Les mots « recommander », « aider » et « référence » sonnent mal : on comprend « je suis incompétent, j'ai besoin que vous jouiez à ma place. » En demandant un conseil plutôt qu'une recommandation, vous ferez une heureuse et paradoxale découverte. Le vendeur qui demande une recommandation ou de l'aide risque de n'obtenir ni l'une ni l'autre. Celui qui demande conseil reçoit le renseignement désiré et la recommandation par-dessus le marché.

Comme nous l'avons vu, quand nous avons défini la différence entre un vendeur interne et un coach, il y a un point fondamental à ne pas oublier. Le rôle de votre coach est de vous donner des informations, des orientations à suivre, de vous guider, et dans bien des cas de vous permettre d'accéder aux autres influences d'achat. *Mais le coach ne fait pas la vente à votre place.* Attention à ne pas donner à un coach l'impression que c'est ce que vous recherchez.

Votre réseau de coaches

Le choix d'au moins un coach s'impose pour chaque vente très importante. Mais un seul n'est pas toujours suffisant. En outre, il est fréquent qu'un coach parfaitement efficace lors d'une vente particulière, s'avère inutile pour des objectifs de vente différents. Le but à long terme sera donc de créer un *réseau* de coaches dans lequel vous pourrez puiser selon les besoins. Plus un client est important et complexe, plus le besoin d'un réseau coaches se fait sentir.

Il y a deux raisons de base à cette nécessité : la première est que chaque vente est *unique*. Vous avez besoin d'un ou de plusieurs coach(es) différent(s) pour chaque objectif de vente. L'autre raison est que, même pour une seule vente, les moyens de *désinformation* sont encore si grands que la réussite se fonde habituellement non sur une source de renseignements, mais sur une variété d'informations venues de nombreuses sources.

Des coaches pour une vente précise

Un de nos amis, ingénieur commercial en informatique, découvrit l'importance d'un réseau de coaches, quand il faillit rater une grosse vente de logiciels, pour avoir dès l'origine compté sur un seul coach, qu'il décrivit comme « mon pote Luc ». Celui-ci l'avait fort bien conseillé lors de deux affaires précédentes. Notre ami se tourna donc naturellement vers lui pour avoir des indications, au moment de faire sa troisième proposition.

Mais Luc n'était pas très chaud, pour cette troisième vente. Il lui donna quelques conseils qui revenaient à : « Continue comme ça – tu es bien parti. » Encourageant, certes mais pas le genre de renseignement dont un vendeur a besoin pour être sûr de sa position. Pendant un mois environ, il continua d'aller voir son ami, sans grands résultats, quand soudain il comprit son problème. Dans les ventes antérieures, Luc était aussi son acheteur utilisateur ; il avait donc perçu qu'il était dans son propre intérêt immédiat que notre ami réussisse ses transactions. Par contre, dans la troisième vente, il essayait de vendre un lot complet de logiciels qui ne concernait nullement le service de Luc. Voyant qu'il n'avait rien à gagner dans cette affaire, l'assistance de Luc était plus amicale qu'utile.

« Quand je l'ai compris, nous dit le vendeur, la lumière se fit : il était toujours mon ami, mais cette vente ne l'intéressait pas du tout. J'ai donc dû chercher un autre vrai coach. »

Ce qui illustre l'importance d'un réseau. Ayant admis que son copain n'était pas l'homme qu'il fallait, notre ami alla le voir et lui exposa son problème en toute franchise : « Écoute, dit-il, je suis coincé – y a-t-il quelqu'un qui puisse me donner le même genre d'information sur cette vente que toi sur les deux précédentes ? » En fait, notre ami se servait toujours de Luc comme d'un coach mais d'une manière complètement différente et beaucoup plus efficace. Il obtint que « son vieil ami » l'oriente vers un coach concerné par cette vente, et ce faisant, il réalisa trois choses précieuses :

1 – Il renforça sa relation gagnant-gagnant avec Luc, en lui laissant entendre qu'il estimait et appréciait son avis.
2 – Il acquit le bon coach pour la vente en question : une femme qui y vit un gain personnel.
3 – Il élargit son réseau de coaches possibles, dans lequel il pourrait puiser à l'avenir.

Le réseau comme instrument de vérification

La deuxième raison qui rend nécessaire le choix de plusieurs coaches, même pour une seule vente, est qu'il y a toujours des risques d'être mal informé. Plus il y aura de personne pour vous renseigner sur un objectif de vente donné, plus vous aurez de possibilités de vérifier l'estimation de chacun par rapport aux opinions des autres.

En outre, plus vous pourrez ainsi transformer de drapeaux rouges en opportunités.

Un directeur commercial régional, dans l'alimentaire que nous appellerons Pierre, emploie la technique du « quadrillage intégral dans la mise en place et l'entretien de son réseau de coaches. » J'essaie toujours d'utiliser tout le monde comme coach, explique-t-il, je traite surtout au niveau des vice-présidents, et presque tous, à cet échelon-là, savent une ou deux choses qui peuvent être utiles. J'apprends par Jacques Lenoir comment *gagner* Marie Blanc, puis je demande à Marie ce qui en est de Jacques. Ainsi, je peux comparer ce que me dit chacun, et je ne suis jamais pris de court.

Ce procédé a valu à Pierre d'être plusieurs fois nommé vendeur de l'année. Le système fonctionne parce qu'il met en pratique plusieurs principes de Vente Stratégique déjà expliqués :

- Soit il quadrille et requadrille le terrain, d'une manière sophistiquée, pour s'assurer que le plus de drapeaux rouges possibles sont transformés en opportunités.
- Soit il met efficacement l'accent sur les gains probables de chaque influence d'achat.
- Soit il met en lumière la règle fondamentale selon laquelle chaque stratégie de vente doit être testée et réévaluée pour demeurer efficace.

En utilisant le réseau comme instrument de vérification, vous allez être confronté à un problème évident. Certains renseignements seront certes vérifiables, mais d'autres seront contradictoires. Étant donné que deux coaches ne percevront jamais une situation commerciale donnée exactement de la même façon, vous allez vous retrouver, face à un coach qui vous dira une chose sur une influence d'achat, puis à un deuxième qui vous dira le contraire.

Pour vous en sortir vous devez être capable de confronter en toute indépendance les renseignements de chaque coach en fonction de ce que *vous* percevrez.

Cette stratégie nous a récemment servi à résoudre la question fondamentale de savoir qui était vraiment l'influence d'achat économique pour une vente en cours. Notre coach initial dans l'affaire, un technicien, nous avait dit que l'accord final serait donné par un des vice-présidents, un nommé Faure. « Il a toujours été là, nous dit le technicien, et il y sera encore quand nous serons tous partis. » Un utilisateur impliqué dans la vente nous apporta une information contradictoire. Selon elle, il y avait du remaniement dans l'air au niveau de la direction de la société et Faure allait partir.

L'utilisateur nous avait bien renseigné dans le passé, mais le technicien était hiérarchiquement plus proche de Faure. Alors, lequel avait raison ?

Pour en décider nous avons organisé un rendez-vous avec Faure, pour observer tranquillement les signes d'incertitude dont l'utilisateur nous avait averti. « Il marche sur des œufs, avait-elle dit, vous verrez qu'il ressemble à quelqu'un qui sera parti d'ici un mois ».

La rencontre prouva qu'elle avait vu juste. Faure était gêné, hésitait à nous recevoir et nullement prêt à s'engager. Il nous apparut que, même s'il avait joué le rôle d'influence d'achat économique lors d'achats précédents, il ne se comportait pas comme tel en ce moment. Nous nous sommes mis à chercher le déclencheur de l'accord final ailleurs, et un mois plus tard, Faure était parti et nous nous étions repositionné auprès du véritable acheteur économique. Grâce à notre deuxième coach et à notre épreuve de vérité, nous avions évité de perdre un temps précieux en présentant notre produit à un « acheteur économique » sans pouvoir.

Un dernier point concernant votre réseau de coaches.
Sauf si vous ne vendez qu'un seul produit, à un prix fixe, à un unique client, choisir plus d'un conseiller par vente n'est que le début de l'usage efficace d'un réseau. Comme vous travaillez sans doute avec différents produits ou services, différents tarifs et une grande diversité de clients, il vous faut créer un réseau qui s'infiltre dans tout votre secteur et donc concerne toutes les situations commerciales possibles. Dans une certaine mesure, un réseau de coaches couvrant l'ensemble du secteur est l'aboutissement logique des réseaux multiples. Comme la plupart de nos clients, vos activités doivent être concentrées dans quelques secteurs. Dans ce cas, l'utilité d'un bon coach comme celle d'un gourou peut « s'étendre » de sorte qu'un seul individu bien placé peut vous apporter une aide précieuse pour plusieurs clients. De plus, ces réseaux se chevauchent de sorte qu'il vous est possible de trouver des coaches transversaux couvrant plusieurs comptes ou plusieurs régions. Le résultat est clair : plus vous alimentez et choisissez de coaches de confiance au fil du temps, plus vite vous serez à même de trouver le bon coach pour chaque aspect de chaque nouvel objectif de vente.

Un dernier test : vos sentiments

Vous avez vérifié que chaque personne choisie par vous comme coach répond aux trois critères, écarté les « faux coaches » , et confronté les renseignements contradictoires de vos coaches à votre propre perception de la situation commerciale. Pourtant, malgré tout, vous éprouvez encore quelque incertitude quant à la capacité d'un coach potentiel à vous guider lors d'une vente donnée. Alors, vous pouvez vous rabattre sur ce qui est, à nos yeux, valable en dernier recours. Quand tous les autres moyens sont épuisés, demandez-vous ce que vous *ressentez* à l'idée d'utiliser telle personne comme coach.

Ceci est à rattacher à ce que nous avions dit au chapitre 3 sur le « continuum euphorie-panique » . Il était dit que, même si votre cerveau peut être mauvais conseiller, vos réactions instinctives face à une situation donnée sont en général plutôt fiables. Si vous vous sentez « mal à l'aise » ou « bizarre » à propos d'une vente, il y a de fortes chances que quelque chose n'aille pas dans votre position, même si vous ignorez ce dont il s'agit.

Ceci s'applique également à votre évaluation des coaches et la nécessité de confronter les renseignements des uns aux propos contradictoires des autres. Faites confiance à ce sentiment de gêne. Si tout ce que vous dit un certain coach au sujet d'une influence d'achat donnée ou de la situation chez un client sonne juste, mais que quelque chose a *l'air* faux, reconsidérez ce coach. Si vous êtes mal à l'aise, il est fort probable que ce n'est pas un vrai coach.

Atelier n° 7 : testez votre coach

A ce stade de votre analyse stratégique, vous aurez déjà identifié au moins un coach. Cette recherche a pour but de vous faire *tester* cette personne pour voir si oui ou non, elle est en fait capable de bien vous conseiller. Alors, sortez votre tableau des influences d'achat, votre liste de positions alternatives, le tableau de résultats-gains et les drapeaux rouges. Du fait que le coach est votre principale clé vers les autres acheteurs, il est fort probable que bien des renseignements notés sur ces tableaux viennent de lui, directement ou non. Vous·allez maintenant vérifier leur fiabilité.

Etape n° 1 : êtes-vous crédible aux yeux du coach?

Commencez par confronter le coach aux trois critères. Si vous avez deux coaches ou plus (comme dans le modèle de tableau des influences d'achat) procédez séparément, l'un après l'autre. Il n'y à là rien de subtil ou d'ésotérique là-dedans. Pour vérifier si André Lefort vous trouve crédible, par exemple, posez-vous ces trois questions :

- Comment a-t-il gagné avec moi dans le passé?
- Si ce n'était pas avec moi, était-ce au moins avec mon entreprise?
- Suis-je certain d'avoir sa confiance?

Comme d'habitude, soyez précis dans vos réponses.
Si vous pouvez dire : « J'ai vendu cette offre promotionnelle à Lefort quand il était chez Dupont et Associés, et ça lui a valu la vice-présidence », alors vous êtes certain d'avoir gagné sa confiance. Mais s'il n'en est rien, si vous ne lui avez apporté aucun *gain concret* et, de préférence, *récent*, reconsidérez-le. Sauf s'il est persuadé que vous êtes à même de le faire gagner, *vous* ne pouvez peut-être pas *lui* faire confiance.

Etape n° 2 : est-il crédible aux yeux de la société cliente?

Cherchez maintenant des preuves que Lefort peut vous apporter des renseignements fiables pour *cette* vente, à cette société. Pour obtenir ces informations il doit avoir la confiance de la société cliente. S'il ne l'a pas, ses efforts en votre faveur seront au mieux inutiles, au pire vous conduiront à miner votre propre position.

Les événements passés sont votre meilleur étalon.

Si Lefort vous a annoncé une décision en marketing chez Contour et Associés, deux mois avant qu'elle ne soit rendue publique, vous pouvez compter sur lui en tant que coach : quelqu'un dans cette entreprise lui fait, de toute évidence, suffisamment confiance pour lui donner une information interne. Mais si, la dernière fois que vous avez utilisé ses services, il s'est trompé d'acheteur économique, réfléchissez à deux fois avant d'avoir de nouveau recours à lui.

Il est tout à fait essentiel de vérifier la crédibilité de votre coach auprès du client, surtout s'il n'est pas issu de ladite entreprise. Les coaches choisis dans votre société, ou au club de tennis, et dans les relations extraprofessionnelles, peuvent ou non vous guider efficacement. *Peut-être* feront-ils d'excellents coaches, mais vous ne pouvez le présumer sans les avoir testés.

Même si le coach choisi provisoirement pour vous aider à entrer chez Contour, fait lui-même partie de cette société, il faut *néanmoins* tester sa crédibilité. Vous n'êtes pas sans savoir qu'être assis derrière un bureau de ministre ne fait pas de vous un secrétaire d'état. Ne vous fiez ni aux titres, ni aux fonctions pour contrôler si le coach répond au deuxième critère. Peu importe sa situation dans l'entreprise si ce qu'il vous apprend est exact. Utilisez votre réseau pour confronter un coach à l'autre. Que raconte Brun sur Lefort ? Que dit-il sur elle ? Lequel d'entre eux, d'un point de vue objectif, est le plus au fait de la réalité de l'entreprise ?

Etape n° 3 : votre coach veut-il vous voir réussir cette vente ?

Le rôle de votre coach est de vous guider dans la vente, il est donc nécessaire qu'il soit non seulement capable mais *désireux* de bien vous orienter. Le seul moyen de garantir cet empressement est de lui démontrer qu'il ou elle trouvera quelque avantage personnel dans cette vente. Le coach doit toujours considérer la vente comme un *gain*. Reprenez donc le cas de Lefort et posez-vous la question suivante :

En quoi cette vente sert-elle son intérêt personnel ?

Il faut à cela une réponse claire et concrète du genre : « Cette vente va rehausser sa propre image en le faisant passer pour l'homme providentiel. » Si vous savez comment il va *gagner* quand vous *gagnez*, alors vous savez qu'il répond au troisième critère. Sans cette réponse, vous n'êtes pas assuré qu'il fasse un coach fiable.

Si tel est le cas, si vous n'arrivez pas à savoir pour quelle raison un coach vous soutient, il vous faut repenser votre position face à lui. Il ne peut être la clé dont vous avez besoin que s'il se rend compte qu'il va *gagner* avec vous.

Un moyen de déterminer si oui ou non un coach potentiel est conscient de jouer à gagnant-gagnant avec vous, est d'examiner de façon critique les informations qu'il vous a *déjà* données. Pour ce faire, posez-vous les questions ci-après :

1 – Ce coach m'a-t-il aidé à trouver les vrais acteurs clés concernés par mon objectif de vente, et à comprendre le rôle exact de chacun d'eux ?

2 – M'a-t-il permis de repérer des zones d'incertitude (drapeaux rouges) dans ma position et m'a-t-il donné de bons conseils pratiques pour les éliminer ?

3 – Ai-je reçu de ce coach des informations fiables concernant la réceptivité de chacune de mes influences d'achat quant à ma proposition précise ?

4 – Ce coach m'a-t-il apporté des informations exclusives et utiles sur les résultats-gains que je dois apporter à chaque acheteur pour que la vente aboutisse à un gagnant-gagnant ?

Vous devriez apporter des réponses positives à toutes ces questions ou presque. Sinon, votre « coach » ne vous apporte pas les renseignements dont vous avez besoin.

Etape n° 4 : évaluez votre position actuelle face au coach

Au cas où vous n'obtiendriez pas de lui les informations nécessaires, efforcez-vous de trouver pourquoi. Si vous avez découvert en faisant cet exercice que Lefort ne vous donne pas satisfaction, prenez cette découverte comme un drapeau rouge ouvrant sur une opportunité et continuez. Cherchez ce qui ne va pas.

- Si vous manquez de crédibilité à ses yeux, que faire pour la créer ou la retrouver ? Pouvez-vous lui rappeler un *gain* passé qu'il a peut-être oublié ?
- S'il n'est pas assez crédible auprès du client, peut-il au moins vous conduire à quelqu'un qui, lui, est crédible ? Ou ne vaudrait-il pas mieux laisser tomber Lefort et chercher un coach ailleurs ?

- S'il ne voit dans cette vente aucun *gain* pour lui-même, que faire pour changer cela ? Quel renseignement pouvez-*vous* lui donner pour lui montrer que son intérêt personnel sera servi dans cette affaire ? Ou son opinion sur l'absence de *gain* est-elle fondée ? Ne serait-il pas préférable d'admettre qu'il n'a rien à attendre de la vente et vous remettre en quête d'un autre coach ?

Souvenez-vous qu'il y a plus d'un coach dans l'océan professionnel, parfois la meilleure option mais la plus pénible consiste à « renvoyer » un coach pour en prendre un autre, qui, lui, saura mieux vous guider dans la vente.

Etape n° 5 : révisez votre liste de positions alternatives

Servez vous maintenant des renseignements glanés au cours de cet atelier pour revoir votre liste de positions alternatives. Regardez les drapeaux rouges qui restent sur vos tableaux d'influences d'achat et de résultats-gains. Concentrez-vous d'abord sur les options susceptibles d'éliminer ou de réduire l'impact de ces drapeaux rouges. Soyez très attentif aux renseignements que votre coach peut vous apporter pour vous y aider. Formulez les questions que vous devez lui poser, et notez-les comme éléments d'information sur la liste de positions alternatives.

Par exemple, si vous ne savez toujours pas exactement ce que cette vente peut apporter à l'acheteur économique Alain Legrand, une position alternative possible serait « me faire expliquer par Danièle Brun comment Legrand peut gagner ». Le problème d'inventaire de Paul Dubois vous échappe encore ? Essayez : « Demandez à Lefort pourquoi Dubois se fait tant de soucis pour son service. »

Après avoir noté des options pour lesquelles le coach peut vous aider, notez celles qui améliorent votre position face à lui. Repensez aux questions posées à l'étape 4 de cette recherche. Les réponses obtenues suggèrent-elles des positions alternatives supplémentaires ?

Continuez à confronter chaque position alternative possible à la double règle empirique qui sert de pierre angulaire à toutes vos révisions : assurez-vous que chaque option stratégique considérée élimine ou réduit l'impact d'un drapeau rouge, s'appuie sur une position de force, ou les deux à la fois.

Un dernier mot : réévaluation

Nous clôturerons ce chapitre en insistant sur un point, particulièrement mis en lumière par l'atelier que vous venez de terminer, mais implicite dans tous les aspects de la Vente Stratégique. L'idée est que, pour être efficace comme vendeur stratège à long terme, vous devez continuellement *réévaluer* votre position, par rapport à vos objectifs de vente individuels et à tous les éléments clés qui vous aideront à réaliser ces objectifs.

Une des raisons qui rend le coach indispensable à votre stratégie est qu'il ou elle peut vous aider, régulièrement, à accomplir ce réajustement nécessaire. Votre façon d'utiliser votre coach reflète, en un sens votre façon de diriger la vente. Pour le choix de cette influence d'achat unique, si vous vous contentez de la traiter comme un vendeur de l'intérieur ou un « copain », vous obtiendrez de piètres coaches, et utiliserez les bons de manière inefficace. Par contre, si vous *testez* les informations de vos coaches et si vous vous en servez pour appliquer les éléments clés de stratégie à votre vente, votre position tout au long de cette transaction ne pourra, de toute évidence, que s'améliorer.

Vous devez sans cesse recommencer. Une analyse stratégique solide ne vaut que par son dernier réajustement en date. En utilisant intelligemment vos coaches pour vous guider au cours de chaque réévaluation, vous vous apercevrez que cette influence d'achat essentielle est la clé qui vous mène non seulement aux autres acheteurs mais aussi à une chaîne ininterrompue de ventes réussies sur un mode gagnant-gagnant.

13

QU'EN EST-IL DE LA CONCURRENCE ?

IL Y A DEUX MILLE ANS DE CELA, dans un traité de pratique professionnelle, l'orateur Cicéron décrivait déjà deux marchands qui faisaient la course jusqu'à la ville la plus proche pour savoir qui devait s'y installer le premier. Il semble que la concurrence soit aussi vieille que la vente et cela n'a pas beaucoup changé en vingt siècles. Tout au long de l'histoire, quiconque lorgne sur de possibles débouchés a toujours été douloureusement conscient que d'autres s'y intéressaient aussi.

Les situations concurrentielles auxquelles ont à faire face les professionnels d'aujourd'hui sont toutefois bien plus intenses et subtiles qu'elles ne l'ont jamais été auparavant. De sorte que ce que fait l'autre est devenu un sujet majeur de préoccupation pour eux. Nos clients nous le confirment tous les jours. Et même les plus performants se demandent tout haut pourquoi on ne passe pas plus de temps à réfléchir à ce problème crucial. Presque tous sont en quête d'une méthode qui leur permettra de franchir les premiers la dernière ligne droite menant aux résultats. Et dans presque tous les séminaires de Vente Stratégique il se trouve quelqu'un pour poser la question : et qu'en est-il de la concurrence ?

C'est une bonne question. La raison pour laquelle nous n'y avons pas répondu jusqu'ici, c'est qu'à notre avis le facteur concurrence est grandement surestimé comme élément déterminant du « ça passe ou ça casse ». De plus, nous ne voulions pas donner l'impression que nous cautionnions l'idée selon laquelle la recette du succès est de battre l'autre. C'est en fait la résultante et non la cause. Mais tant de personnes ont réfléchi à la question que nous nous sommes dit finalement que nous devions nous pencher sur leur problème.

Ce chapitre et l'atelier correspondant constituent en fait notre réponse. Le chapitre commence par décrire pourquoi la concurrence est si féroce aujourd'hui et démontre ensuite comment les stratégies obnubilées par la concurrence sont vouées à l'échec. Il définit enfin l'orientation-client comme la seule et unique voie pour résoudre le problème, car elle prend appui sur vos forces pour éliminer les points faibles. Commençons par la frénésie actuelle du « tout concurrence ».

Pourquoi la concurrence est-elle si exacerbée aujourd'hui ?

Il y a quatre raisons fondamentales à la difficulté de se maintenir dans la compétition. En résumé, il s'agit du manque de différenciation, de la croissante sophistication du marché, de l'augmentation de la concurrence de toute nature et finalement, mais ce n'est pas le moins important, d'une obsession de ce que l'autre est en train de faire.

Les clivages s'estompent

Ce dont nous nous apercevons en parlant avec nos clients, c'est que les bons vieux clivages francs et clairs que tout commercial souhaiterait voir entre son produit et ceux de la concurrence deviennent plus flous. L'absence de différenciation entre produits concurrents est devenue la règle plutôt que l'exception. Que vous attribuiez ce phénomène au mimétisme ou au fait que les grandes idées se rencontrent, cela n'a aucune espèce d'importance. Il y a très peu de produits sur le marché aujourd'hui qui sont perçus comme recelant intrinsèquement un avantage unique.

Et même lorsque les clivages existent, avant même que vous n'ayez eu le temps de ciller, ils ont déjà disparu en un tour de passe-passe. Le rythme des changements technologiques, conjugué aux pressions concurrentielles sur l'innovation, a rendu aussi ténus que fugaces les meilleures caractéristiques et les avantages les plus décisifs. La concurrence est tellement subtile et habile à réagir que même si vous détenez un léger avantage concurrentiel vous ne pouvez guère espérer le conserver longtemps. Aussi, si vous comptez sur la différenciation des produits pour vous permettre de faire la course en tête, vous en serez réduit mois après mois à jouer à saute-mouton.

254

Le facteur de sophistication

Vos concurrents ne sont pas les seuls à devenir plus intelligents et plus rapides. Vos clients le deviennent aussi : mieux informés sur les produits et services qui existent, moins respectueux lorsqu'ils rencontrent les experts du produit et plus tenaces pour exiger des solutions sur mesure. Il y avait une époque où en tant que vendeur vous étiez l'expert et à de multiples occasions vous pouviez faire irruption dans le bureau de votre client en escomptant qu'il serait suffisamment ébloui par votre produit « nec plus ultra ». Mais ce temps est révolu. Aujourd'hui, la plupart de vos clients ont fait leur boulot de consommateur. Ils connaissent déjà les « nec plus ultra » que vous pouvez leur proposer. Et ils savent aussi que vos concurrents offrent à peu près la même chose.

Aussi peuvent-ils le plus souvent se servir du prix comme d'un levier. Il est, comme nous l'avons vu, si difficile de maintenir une véritable différenciation entre les produits, que le client peut en toute bonne foi dire à tous les vendeurs : « Nous ne pouvons pas voir le moindre centime de différence entre vous tous, aussi allons-nous confier l'affaire à celui qui a le prix le plus bas ». Et alors, vous et vos concurrents vous devez vous jeter dans une mêlée générale tout en maugréant pour tenter de retrouver une position perdant-gagnant.

Les nouvelles formes de concurrence

Depuis l'époque de Cicéron, l'image traditionnelle du concurrent a toujours été celle d'un autre vendeur ou d'une autre société qui convoite la même affaire que vous. En fait, ce n'est qu'une forme possible de concurrence. Dans le cadre de la Vente Stratégique, nous en avons une vision plus large. Nous appelons concurrence toute solution alternative à ce que vous et votre société proposez. Acheter à quelqu'un d'autre n'est qu'une des alternatives possibles – celle à laquelle nous pensons presque tous lorsque nous parlons de concurrence. Mais réfléchissez aux situations suivantes :

Faire appel aux ressources internes

L'entreprise que vous contactez pense qu'il est plus rentable pour elle d'apporter sa propre solution au problème que vous résolvez. Aujourd'hui, la plupart des grandes entreprises ont les moyens de réaliser pratiquement tout sans faire appel à l'extérieur. Souvent, elles ne le font pas parce qu'elles considèrent l'achat et la sous-traitance comme plus rentables. Mais la possibilité d'un recours interne est toujours là. Si vous vendez à une société qui peut fabriquer votre produit avec les moyens du bord, alors cette capacité est une concurrence certaine bien que cachée.

Utiliser le budget à d'autres fins

De la même façon, une entreprise qui envisage votre proposition, peut décider que le budget correspondant devrait être investi ailleurs. L'une de nos collègues a un jour tenté de vendre un nouveau système d'éclairage à une chaîne d'hôtels. Elle a perdu l'affaire non pas au profit d'un autre fournisseur d'éclairage mais d'une compagnie de prévention contre l'incendie. Les responsables de la chaîne d'hôtels s'étaient rendu compte, quel qu'ait été l'intérêt du nouveau système d'éclairage, que la première de leurs priorités était de réparer leur système de lutte contre l'incendie devenu complètement obsolète. Notre amie n'avait même pas songé que des fournisseurs de services de prévention d'incendie pouvaient faire partie de sa concurrence, mais c'est pourtant l'un d'eux et non un fournisseur d'éclairage concurrent qui lui a fait perdre l'affaire.

Ne rien faire

Bien qu'il soit rare de considérer l'inertie comme une pression concurrentielle, c'est parfois la plus grave de toutes. Lorsqu'un client décide que cela ne vaut pas la peine de consacrer du temps, de l'argent, des ressources et du personnel pour faire quelque chose de nouveau, c'est un frein direct à

LES DIFFÉRENTES FORMES DE CONCURRENCE

La compétition se définit comme toute solution alternatives

⇨ Acheter à quelqu'un d'autre

⇨ Faire appel aux ressources internes

⇨ Utiliser le budget à d'autres fins

⇨ Ne rien faire

---

toute solution que vous pouvez proposer ainsi qu'à toute autre modification analogue que pourraient proposer d'autres sociétés.

Dans ces trois derniers cas, la leçon est la même. S'affronter directement à une compagnie concurrente peut être dur mais ce n'est qu'un élément du paysage concurrentiel. Ce pour quoi vous vous battez aujourd'hui, ce n'est pas pour obtenir la signature du client sur votre bon de commande plutôt que sur celui d'un concurrent. Vous êtes en lice pour que le client décide d'allouer des ressources à votre solution plutôt qu'à toute autre.

Etre obnubilé par la concurrence

Rares sont les commerciaux qui reconnaissent ce fait, et c'est ce qui nous amène à notre quatrième facteur expliquant pourquoi la concurrence est si rude. La concurrence est féroce parce que nous la rendons féroce. Au lieu de nous souvenir que dans la vie nul n'est invincible, nous nous construisons une image de la concurrence qui est une combinaison d'Albert Einstein et de Terminator – super intelligente et prête à nous avaler tout cru. Le champ des possibilités devient la concurrence, plus large que la vie et virtuellement indestructible.

L'un de nos amis était un boxeur moyennement bon à l'école. Une année, il devait rencontrer un boxeur d'une école voisine qui avait été champion régional au cours des deux années précédentes. « Quoi que tu fasses » lui dit son entraîneur « ne le laisse jamais utiliser son coup de poing balancé. Il a cloué au sol seize types avec ce coup, aussi guette-le bien. » Un très mauvais conseil. Notre ami était tellement préoccupé par la spécialité brevetée de son adversaire que c'était comme s'il avait été pré-programmé, il est tombé justement sous ce coup.

« Je m'étais bien débrouillé pendant les deux premiers rounds » se souvient-il « jusqu'à ce qu'il me prenne dans ce mouvement rapproché, et dès lors tout ce que je savais de la boxe s'est volatilisé. J'ai pensé : il m'a. Et bien, sûr, il m'a eu. En deux secondes, je suis passé d'un boxeur, certes inexpérimenté, mais capable, à rien d'autre qu'une nouvelle victime de "Tom le Terrible." » C'est là l'exemple classique où on se laisse prendre à son propre piège – en se focalisant tellement sur la concurrence « invulnérable » que tout ce que l'on pourra faire pour se protéger sera insuffisant.

Pourquoi le fait d'être obnubilé par la concurrence n'aide pas ?

Nous ne sommes pas en train de dire que vous devez foncer tête baissée comme si les atouts de la concurrence n'existaient pas. Bien sûr, vous devez envisager les avantages que les solutions alternatives apportent à votre client – y compris la solution d'acheter à une société concurrente. Ce qui est en jeu, c'est l'idée de l'équilibre et de la concentration relative. Le problème de notre ami n'est pas venu simplement du fait qu'il faisait attention aux forces de son adversaire, mais du fait qu'il s'était concentré si exclusivement là-dessus qu'il n'avait plus de place pour se construire ses propres forces. Le champion régional était probablement meilleur boxeur que lui. Mais il est également vrai de dire que notre ami lui a rendu la victoire facile.

Les commerciaux font constamment une erreur analogue. Don Keough, l'ancien président de notre client Coca-Cola, a très bien illustré le propos en disant un jour : « Nous avons longtemps soutenu que l'un des commandements pour perdre en affaires est de se concentrer sur le concurrent plutôt que sur le client ». La raison vient de ce qu'une stratégie concurrentielle concentrée sur la concurrence est naturellement et inévitablement une stratégie réactive. Au mieux, elle fait passer le message suivant à vos clients : « Nous sommes meilleurs que la concurrence ». Et généralement, le message communiqué par une stratégie réactive est même pire, car implicitement il signifie non pas « meilleur » mais « tout comme ».

Emettre ce type de message peut avoir des répercussions majeures. Parmi les plus négatives, on peut citer les suivantes :

- **Il permet à la concurrence de fixer les règles du jeu.** Lorsque vous vous comparez aux grands et aux puissants « eux », vous avouez implicitement au client : ce sont eux qui constituent la norme. C'est leur rythme, leurs réalisations, leur calendrier que nous devons égaler. Que vous l'exprimiez par l'argument *meilleur que* ou *tout comme*, ce qui est sous-entendu, c'est que nous faisons plus d'efforts parce que nous y sommes obligés.

– **Il affiche vos faiblesses et non vos forces**. Toute stratégie valable prend appui sur ses forces. Si vous dépensez toute votre énergie à contrecarrer la force d'un autre, vous risquez d'être vaincu par vous-même. Dans la vente effective, vous devez montrer aux parties prenantes à l'achat ce que vous pouvez faire. Une stratégie réactive ne fait qu'illustrer ce que vous pouvez défaire. A moins qu'elles ne souhaitent un garde du corps, cette attitude sera interprétée par elles comme une faiblesse.

– **Il incite à la guerre des prix**. Lorsque vous demandez à un client de vous comparer à la concurrence. Une des premières choses qu'il fait certainement, c'est d'en comparer les prix. C'est très bien si votre argument de vente majeur est le bas prix et que vous n'avez pas de problème à le descendre davantage à l'occasion d'une guerre des prix. Une guerre des prix n'est en fait rien d'autre que de la réactivité mutuelle. Ce n'est finalement rien d'autre qu'une vaine compétition sans aucune différenciation et sans aucun bénéfice à la clé.

– **Il vous donne un air idiot**. Sans doute les termes *peu imaginatif* ou *peu créatif* seraient moins vexants mais l'idée est la même. Dans une stratégie réactive, c'est un peu comme si vous étiez assis autour d'une table en présence de vos concurrents et de votre client et que vous ne parliez que pour répondre à ce que dit la concurrence. Lorsque votre stratégie est une réaction systématique à la pensée de quelqu'un d'autre, cela revient à dire au client : « je n'ai aucune idée personnelle ».

– **Il détourne l'attention des préoccupations du client**. Une stratégie orientée sur la concurrence ne peut répondre aux véritables préoccupations du client pour une raison très simple. Une telle stratégie correspond à vos besoins – votre angoisse, vos projections, vos craintes de perdre une affaire que vous n'avez même pas encore. Si c'est ce qui vous guide, vous ne pouvez pas trouver les vraies solutions. Bien pire, votre client saura que vous ne le pouvez pas.

L'une de ces issues pourrait sérieusement compromettre votre position stratégique. Mises bout à bout, elles constituent un scénario catastrophe laissant vos clients savoir que vos pensées sont ailleurs et donnant à vos concurrents un bâton pour vous battre.

L'alternative proactive : réinstaurer la différenciation

L'alternative consiste à penser beaucoup moins à ce que la concurrence est en train de faire, a fait ou va faire et davantage à ce qu'est intrinsèquement la vente – la fourniture de solutions sur mesure à des problèmes individuels. Ce qui ne va pas avec les stratégies orientées concurrence, c'est qu'elles vous distraient de votre mission professionnelle. Pour vous remettre sur les rails, il faut que la stratégie soit proactive et non réactive, qu'elle se concentre sur le client et non pas sur le produit et qu'elle puisse permettre au client de reconnaître la valeur de ce que vous apportez.

Pourquoi la stratégie proactive est-elle plus efficace?

Lorsque vous adoptez une stratégie concurrentielle proactive, c'est vous qui fixez le calendrier et les normes. Au lieu de regarder par-dessus votre épaule ou sur le coté pour espionner la concurrence, vous passez du temps à analyser la situation pour être sûr que votre positionnement est optimal. Ce qui signifie que vous devez faire tous les exercices prévus dans cet ouvrage : identifier et couvrir toutes les parties prenantes à l'achat, déterminer leurs réactions d'achat, vous assurer que vous procurez des resultats-gains, que vous prenez appui sur vos forces en éliminant les drapeaux rouges, que vous bénéficiez de bons conseils, etc.

Tous ces éléments peuvent vous sembler ne pas faire partie d'une stratégie « concurrentielle ». Si par ce terme vous faites allusion à une stratégie qui tourne autour de la concurrence, vous avez raison. Il ne s'agit pas d'une stratégie déterminée par la concurrence, mais d'une stratégie efficace pour réaliser des ventes complexes et c'est pour cette raison qu'elle est excessivement concurrentielle. Elle vous permet nettement de vous distinguer des soi-disant stratèges parce que, pendant qu'ils sont en train de gaspiller leurs ressources à se combattre mutuellement, vous êtes capable de mobiliser toutes les vôtres pour la mission à réaliser. Une approche défensive mène forcément à la dispersion. Une stratégie proactive vous permet de rester concentré sur votre cible, optimisant ainsi vos talents et vos ressources.

Concentrez-vous sur le client

Toutefois, vous ne parviendrez à capitaliser cette énergie que si vous vous concentrez sur le client. La pire des stratégies concurrentielles est sans doute celle qui se concentre sur la concurrence, celle qui la suit juste derrière, en terme de médiocrité, est celle qui consiste à être infatué de vos produits et services au point de penser que vous l'emporterez sur l'autre simplement en claironnant leurs avantages. Nous avons évoqué au chapitre 11 pourquoi cela ne se produisait pas ainsi. C'est qu'il vous faut comprendre d'abord le concept du client – à savoir son idée de ce à quoi va aboutir une collaboration avec vous – avant de pouvoir espérer avancer avec les caractéristiques et les bénéfices.

Si vous essayez de l'emporter sur vos concurrents en vous contentant de dire à quel point votre produit est meilleur que les leurs, vous tombez dans le vieux piège de la comparaison et vous déplacez de nouveau l'accent sur eux. En outre, vous courez le risque de vanter un produit pour lequel l'une des parties prenantes à l'achat peut n'avoir aucun intérêt. Se lancer dans la concurrence en poussant un produit – même si vous le faites de façon parfaitement honnête – revient exactement au même qu'à entrer dans une pièce en entonnant votre chanson favorite sans même avoir interrogé ses occupants sur leur goûts musicaux. Il se peut qu'ils apprécient la chanson autant que vous. Mais peut-être pas. Pourquoi vous mettre dans une situation aussi lourde d'incertitude? Si vous êtes en concurrence pour capter l'attention de l'auditoire, il serait logique que vous l'interrogiez d'abord sur les chansons qu'il aimerait entendre. Si vous ne le faites pas, vous perdrez au profit de quelqu'un qui le fera.

Faites un apport décisif

Pour participer efficacement à la concurrence, vous devez apporter quelque chose de différent de vos concurrents. Et bien plus important encore, vous devez être perçu comme différent – et différent sur un plan qui compte pour le client. Ce qui nous ramène à ce que nous disions au chapitre 8 sur les inadéquations. Pour vendre efficacement vous devez être perçu comme comblant l'écart entre les espérances et la réalité du client, en lui apportant une amélioration.

Ce quelque chose de différent peut avoir trait à votre produit ou à votre service, ou à une vente spécifique mais ce n'est pas toujours le cas. Cela peut également concerner un aspect plus large de votre relation professionnelle prise dans son ensemble. Lorsque cela se produit, vous disposez d'un fantastique atout concurrentiel, si vous pouvez arriver à prouver que ce que vous proposez à la table de négociation :

a) a de la valeur pour l'entreprise du client,

b) ne peut être obtenu ailleurs.

Dans le processus de gestion des grands comptes de notre compagnie, nous appelons ce quelque chose de plus vaste un « apport » et nous montrons que c'est l'une des armes concurrentielles les plus efficaces.

Au fur et à mesure que les grandes lignes de clivages deviennent de plus en plus floues, la différenciation par les produits devient de plus en plus difficile. C'est pourquoi le concept de l'apport est si important et c'est aussi pourquoi les entreprises les plus performantes consacrent tant de temps et d'argent à étudier les besoins professionnels de leurs clients pour leur apporter quelque chose d'important pour leurs résultats. Repensez à ce que nous avons évoqué au chapitre 11, à la valeur de l'apport de la connaissance économique aux parties prenantes à l'achat – une connaissance qui leur permette de mieux gérer leur entreprise. C'est le type d'apport dont nous voulons parler et que tout commercial devrait rechercher. Lorsque vous parvenez à effectuer constamment de tels apports, vous renforcez inévitablement vos relations avec les principales parties prenantes à l'achat, ce qui à son tour, minimise l'importance du prix et fait de vous la norme que la concurrence doit tenter d'égaler.

La bonne offensive

La meilleure stratégie défensive est une bonne offensive. Ce vieil adage footballistique nous fournit un assez bon raccourci de l'argumentation de ce chapitre. La défense contre l'autre camp peut constituer une partie essentielle de la stratégie sur le terrain, mais en soi elle ne vous permettra pas de gagner le match. Pour gagner, il faut marquer et ça c'est l'offensive.

Une autre comparaison sportive pourrait éclairer davantage le débat. En examinant les différentes disciplines sportives, vous pouvez assez aisément distinguer les sports « frontaux » comme le football ou la boxe, où les adversaires doivent s'affronter face à face, des sports « latéraux », tels que la natation ou la course à pied où ils se déplacent les uns à coté des autres en tentant de parvenir les premiers à un but commun. Nous pourrions résumer ce que nous avons dit en utilisant cette distinction. Le comportement concurrentiel classique pourrait être considéré comme une stratégie « frontale » où les efforts et les ressources sont concentrés sur la concurrence. Le comportement proactif que nous préconisons relèverait davantage de la stratégie « latérale » où vous et vos concurrents avancez tous deux dans la même course vers un but commun.

L'analogie fonctionne parce que, veillant sur ce but commun que chaque course doit atteindre, se trouvent l'ensemble des parties prenantes vitales à l'achat. Si vous vous imaginez concentré sur le but, vous entraînant dur (grâce à l'analyse stratégique) et faisant la meilleure course possible, vous aurez une bonne idée de ce que nous entendons par concurrence. Le but est de regarder droit devant et d'offrir au client votre meilleure performance et non pas d'être distrait par ce qui se passe dans le couloir d'à coté. Comme n'importe quel athlète professionnel vous le dira, le meilleur moyen de trébucher est de regarder ce qui se passe sur le côté.

Dans la réalité, malheureusement, des commerciaux potentiellement bons font quelque chose de pire que cela. Au lieu de traiter leurs ventes concurrentielles comme des processus « latéraux », ils persistent à les transformer mentalement en des épreuves frontales – des parties endiablées et souvent sanglantes dans lesquelles le client est relégué au rang de spectateur en tribune. Parfois cela constitue un avantage temporaire pour lui d'ailleurs, parce qu'après que vous et votre principal concurrent avez fini de vous battre jusqu'à épuisement, le client peut tout simplement se baisser allégrement pour ramasser les morceaux, c'est à dire décerner la médaille du vainqueur au combattant alignant le prix le plus bas.

Comment sortez-vous de ce cauchemar? En étant proactif. Nous ne disons pas d'ignorer la concurrence, mais de la mettre en perspective, comme les effets secondaires qu'ils sont. La vente ne se produit pas sur une route à trois voies. Elle a lieu entre vous et vos parties prenantes à l'achat et personne d'autre. La seule stratégie qui puisse vous mener au succès est celle qui vous fait garder l'œil sur le client.

Ainsi parlent les experts : Les cinq non-méthodes

A présent que nous avons mis en exergue la seule démarche que nous préconisons et qui consiste à être orienté vers le client, passons en revue les autres méthodes que vous pourriez avoir rencontrées pour augmenter vos résultats en battant la concurrence à plate couture. Comme le terme le suggère, la plupart de ces méthodes violent notre premier principe selon lequel vous devez être conscient de la concurrence et non pas obnubilé par ce qu'elle est en train de faire. De plus, comme vous allez vous en apercevoir, bien que les « experts en vente » qui les recommandent les appellent des méthodes, elles n'ont pas grand chose à voir avec une véritable méthodologie. Voyons-en quatre parmi les plus connues.

Chouchouter et se faire « griller »

L'un de ces experts proclame que lorsque vous voulez vous mesurer à un concurrent difficile, il est bon de le connaître personnellement. Vous devriez faire des efforts pour rencontrer la force de vente de la société rivale au cours de salons et expositions, jouer au golf avec elle, être présent dans son esprit de façon individuelle. Il semble dire que connaître votre homologue personnellement vous aidera à le gérer plus efficacement sur le terrain. Ce qui dissipera le mystère qui en fait une menace pour votre activité et qui vous permettra d'utiliser des « informations d'initiés » pour le contrecarrer.

Il n'y a rien de mal à connaître vos concurrents personnellement. En fait, toute information que vous pouvez recueillir sur la situation des ventes, de quelque source qu'elle vienne, peut contribuer à renforcer votre position. Le problème avec cette démarche, c'est qu'elle est mal orientée. Elle peut facilement changer l'avantage de la connaissance personnelle en un point faible de la pensée non orientée. Lorsque vous aurez dépensé tant d'énergie pour connaître vos concurrents personnellement, vous finirez vraisemblablement par avoir une démarche de vente qui sera mal orientée par rapport à l'information qu'ils vous donneront. Non seulement l'information sera suspecte (au regard de sa source), mais de plus, en vous concentrant sur elle, vous risquez de négliger d'autres informations qui pourraient se révéler bien plus utiles pour élaborer un positionnement efficace. Notamment, souvenez-vous de ce que nous avons dit à propos de « l'autre » n'étant que la source de pression concurrentielle la plus évidente. Vous pourriez passer week-end après week-end à chouchouter votre homologue Georges le vendeur de trucs, pour découvrir quelques mois plus tard que le client principal que vos deux compagnies convoitaient a décidé de remplacer son système de trucs par des machins, vous laissant tous deux aussi désemparés. La morale de cette histoire : utiliser le cerveau de vos concurrents est finalement moins intéressant que d'exploiter le vôtre. L'esprit dans lequel vous devez être présent est celui du client.

« Je le vaux bien »

Ce même expert assure que vous pouvez contourner le problème concurrentiel le plus commun, à savoir le prix, en parlant de « valeur ajoutée » et « performance prix ». Reconnaissez que votre prix est plus élevé que celui d'un autre fournisseur analogue, mais mettez en avant que l'ensemble de votre offre le vaut bien. En d'autres termes que vous pourriez contourner l'obstacle du prix en le redéfinissant comme un plus – comme un indice parfaitement justifié de votre qualité supérieure.

Cette démarche paraît sophistiquée mais elle n'est en réalité que la version actualisée du vieux mécanisme « des caractéristiques et bénéfices » : Payez nous 15 % de plus, parce que nous avons la livraison la plus rapide ou « le nec plus ultra » de la conception de l'état de l'art. Cela peut marcher lorsque vous vous adressez à un client qui souhaite justement « ce nec plus ultra particulier » mais que se passe-t-il si ce n'est pas le cas ? Et même pire si vous ne savez pas si oui ou non c'est ce qu'il souhaite ?

Malgré toute son utilité potentielle, le problème avec ce petit jeu de la performance prix c'est que généralement il arrive trop tard dans le cycle de vente. Les commerciaux le sortent comme un vieux canon rouillé mais fiable lorsque la vente est presque conclue ou lorsqu'elle est compromise et qu'ils espèrent qu'elle servira d'argument décisif et définitif. Mais si vous avez besoin d'un argument comme celui-là, c'est que votre position n'est pas bien assurée au départ. Si vous avez besoin de jongler avec la sémantique pour prouver à vos clients que vous le valez bien, il y a de fortes chances pour qu'ils ne vous voient pas ainsi et que le simple fait de parler de « valeur ajoutée » ne fasse aucune différence.

Ne vous méprenez pas sur ce que nous disons. C'est une bonne idée de parler et de mettre en avant votre valeur ajoutée, mais faites-le au départ, pas à la fin. Lorsque vous le faites au départ – lorsque vous vous efforcez dès la première rencontre avec une des parties prenantes à l'achat de montrer comment votre entreprise peut faire un apport à la rentabilité de leur entreprise – le prix se pose alors rarement comme facteur déterminant. Le seul moyen de contourner le problème du prix est de démontrer à vos clients comment votre solution aura un impact sur les affaires de sa société – comment elle aidera ceux qui sont en progression à améliorer un de leurs facteurs de croissance et ceux qui connaissent des difficultés à éteindre les feux avant de poursuivre. Lorsque vous faites cela, vous êtes vraiment proactifs.

« Vous devriez vraiment le vouloir »

Une autre solution au problème de la fixation du prix concurrentiel consiste à examiner avec attention les domaines dans lesquels vous êtes en tête et de tenter de montrer en quoi ces domaines devraient compter pour le client. Selon les termes d'un certain expert, vous devriez tenter de « changer les critères » sur lesquels les clients jugent les produits et prennent leurs décisions. Si vous êtes très fort en service après-vente par exemple, vous devriez vous efforcer de convaincre le client que c'est ce domaine qui est important, de travailler à changer sa liste de priorités de façon à ce qu'elle corresponde à ce que vous vendez.

Cette idée qui semble a priori fantastique a toutefois trois inconvénients. Tout d'abord, elle essaie de pousser le produit avant que vous n'ayez vraiment compris le concept d'achat du client ; nous avons déjà vu comment cela peut se retourner contre vous. Deuxièmement, elle impose vos besoins et vos attentes aux parties prenantes à l'achat, selon les termes d'un ouvrage récent d'auto-apprentissage, elle communique le message peu sympathique suivant : « vous devriez vraiment vouloir le faire à ma façon ».

Troisièmement, d'ici à ce que vous vous lanciez dans une discussion sur le changement de critères, il sera généralement trop tard. Le moment de discuter avec le client de ses critères se situe très tôt dans la relation, avant que les critères ne soient clairs dans son esprit, alors que vos compétences et votre expertise peuvent encore faire la différence.

En fait, l'un des apports les plus importants que vous puissiez faire à n'importe quelle entreprise est de l'aider à mettre au point de solides critères d'achat. Lorsque vous le faites, non seulement vous lui prodiguez des conseils précieux, mais vous vous différenciez également de toute autre entreprise qui ne fournit pas une telle assistance. Vous vous donnez ainsi un avantage même par rapport à la solution la moins chère.

Mais c'est l'intention qui compte en ce domaine. Faire en sorte que le client change peut être manipulateur et égoïste. « L'aider à concevoir des solutions » est une toute autre chose. Ce faisant, vous faites plus que vous distinguer de la concurrence. Cela établit entre vous et votre client des relations de partenariat. Et comme nous l'avons souligné tout au long de cet ouvrage, c'est là une réalisation bien plus importante que de conclure n'importe laquelle des ventes.

Premier choix pour une seconde place

En ayant recours à cette méthode, vous commencez non pas par éviter la concurrence mais par la reconnaître bille en tête. Vous avouez à vos clients qu'ils ont une solide relation, presque enviable, avec l'un de vos concurrents et vous faites clairement sentir que vous la respectez – que votre intention n'est pas de saper une situation qui leur apporte de la valeur. Puis vous leur expliquez pourquoi vous voulez être leur premier choix pour la seconde place de fournisseur préféré. Si vous êtes le second sur la liste et s'il y a suffisamment de travail, pense l'expert qui propose cette méthode, il ne se passera pas beaucoup de temps avant que vous ne deveniez le premier dans l'une ou plusieurs des activités de cette entreprise.

Là encore, il y a une certaine dose de vérité dans cette démarche. Si vous vous débarrassez du décorum et que vous grattez un peu, ce que dit réellement cette méthode c'est que vous aimeriez avoir l'occasion de démontrer que vous avez des capacités qui peuvent être utiles à votre client. Vous respectez les relations qu'a le client avec d'autres fournisseurs et vous ne voulez pas être une menace pour eux, mais vous voudriez faire de votre mieux pour aider le client lorsqu'il en aura besoin. S'il rencontre un problème avec un autre fournisseur, vous aimeriez être en mesure de lui faire cet apport.

C'est essentiellement une technique pour établir une tête de pont. S'il y a effectivement de la place sur le pont alors tout va bien. Elle peut constituer une technique relativement efficace à long terme. Si vous adoptez cette démarche toutefois, soyez prêt à attendre. Répondez aux questions et aux demandes que vous adresse le client, mais ne succombez pas à la tentation de ruer dans les brancards en créant ou en imaginant un problème inexistant. Ce qui violerait le principe même que vous tentez d'établir et selon lequel vous seriez heureux de pouvoir apporter votre aide lorsque le cas se présenterait.

Si un client est pleinement satisfait d'un autre fournisseur, ces « offres d'assistance » répétées seraient au mieux des pertes de temps. Et au pire elles signaleront au client que malgré vos flatteries, ce qui vous intéresse vraiment c'est de détruire la relation. Et la seule place que vous réservera cette stratégie est la dernière.

Le petit jeu de la « fausse sincérité »

Finalement étudions le cas de l'expert qui suggère que vous pourriez inciter votre client à vous préférer à la concurrence en insinuant que le concurrent a des problèmes qu'il ne veut pas admettre. Il ajoute que vous devriez combiner cette tactique rien de moins qu'honnête avec une déclaration apparemment humble avouant que vous n'êtes pas parfait – que votre compagnie a eu des problèmes aussi mais qu'à présent vous les avez maîtrisés. Selon cette théorie, le client devrait en déduire que si vous avez eu des problèmes, votre concurrent doit en avoir aussi et qu'il devrait confier l'affaire à ceux qui sont assez honnêtes pour le reconnaître.

Nous n'avons pas beaucoup de choses positives à dire sur cette méthode. Il s'agit d'un bluff, pur et simple qui commet la double erreur de manquer de respect à la fois à la concurrence et au client. Elle joue à troubler l'eau de la concurrence en lançant une rumeur qui sert vos intérêts et traite le client comme un pion, un crédule dont le rôle est de vous aider à enlever l'affaire à l'autre. Tout cela nous rappelle le vieil avertissement de l'agent d'Hollywood qui avait écrit sur un panneau : « Nous sommes à Tinseltown. Si tu peux faire preuve de fausse sincérité, tu auras gagné. »

Peut-être dans l'univers de Tinseltown mais pas dans la vente. Pas si vous souhaitez vous créer une réputation de crédibilité – qui comme nous l'avons déjà vu est une qualité dont vous ne pouvez vous passer. Le problème avec cette démarche ne vient pas seulement de sa malhonnêteté flagrante. C'est que concrètement elle se retourne généralement contre celui qui l'adopte. Au lieu de rassurer le client elle le met généralement sur ses gardes. Il se demande pourquoi, si vous êtes si compétent, vous vous donnez tant de mal à faire de la publicité pour vos propres erreurs. Si cela n'est pas jouer sur la faiblesse alors qu'est-ce que c'est !

Quatre cas délicats

Nos clients nous acculent toujours en nous présentant des cas litigieux où surmonter les menaces de la concurrence semble être crucial à la vente. Nous terminerons ce chapitre en évoquant quatre d'entre eux.

1. Un concurrent bien installé

Que faites vous lorsque l'un de vos concurrents a été le fournisseur exclusif d'une entreprise depuis des années ? Il n'y a pas de solution miracle à ce problème, mais quelle que soit celle que vous adoptez elle impliquera une réflexion innovante et une bonne dose de patience. Si c'était si simple de déloger un fournisseur installé, cela se ferait tous le jours et il n'y aurait pas vraiment intérêt à préconiser des relations à long terme. Les solutions résident donc dans la recherche et le travail acharné.

La première étape va consister à rencontrer davantage de salariés de la société cliente. Plus vous vous placerez auprès des parties prenantes à l'achat, plus vous découvrirez de domaines d'activité de l'entreprise auxquels la concurrence ne répond pas de façon satisfaisante, même si elle est bien installée. Là encore il ne s'agit pas de « piquer » des affaires mais d'étudier les possibilités où vous, mieux que quiconque, pourriez contribuer à la performance professionnelle de votre client. Si l'entreprise est satisfaite du fournisseur en place, cela peut prendre un certain temps. En établissant des relations sereines avec de nombreuses parties prenantes à l'achat, vous serez en bonne position pour capitaliser là-dessus lorsqu'une occasion se présentera.

2. Vous êtes vous-même bien installé

Il s'agit là du scénario inverse. Comment vous défendre contre un nouveau concurrent qui vous a dans sa ligne de mire comme fournisseur exclusif ? La première chose à faire en l'occurrence est de comprendre ce qu'est votre stratégie en cours. Ce n'est pas suffisant de vous taper dans le dos en vous disant que vous avez été fiable pendant dix ans. Vous devez vous demander pourquoi vous avez duré aussi longtemps. Qu'y a-t-il de particulier dans votre relation avec le client qui a fait qu'il n'a pas souhaité ou voulu aller voir ailleurs ? Qui dans la structure d'achat est si pleinement satisfait de vous que la concurrence n'a pas réussi à franchir le seuil ? Et bien plus important encore, y-a-t-il quelque chose qui a changé dans la structure du client récemment qui pourrait l'inciter à envisager un éventuel changement de fournisseur ? Souvenez vous des drapeaux rouges automatiques que nous avons évoqués au chapitre 6. Lorsque vous sentez que vous êtes menacé par un nouveau concurrent, vous devriez examiner particulièrement votre situation à la lueur de ces drapeaux rouges. Demandez-vous notamment s'il y a de nouvelles parties prenantes dans l'entreprise, s'il y a une partie prenante qui n'aurait pas été contactée, ou interrogez-vous sur toute réorganisation de l'activité. Si vous y répondez positivement, ou si vous n'en connaissez pas les réponses, le moment est venu de vous montrer vigilant face à ces menaces.

Vous n'êtes jamais totalement en sécurité dans la position de fournisseur exclusif. Lorsque les ennuis rôdent, vous devriez passer en revue les années écoulées pour voir quels ont été vos apports et ensuite soit les remettre en avant soit montrer comment ils peuvent être modifiés pour répondre aux besoins professionnels changeants de votre client. Ce que vous devez faire, c'est rassurer les parties prenantes que leur décision de vous conserver pendant dix ans était bonne et qu'elle l'est toujours aujourd'hui. C'est là un processus sans cesse à renouveler. Dès le moment où il cesse, vous offrez à la concurrence une occasion de mettre le pied à l'étrier.

3. Vous êtes le fournisseur au prix le plus élevé

Dans cette situation, vous devez vous rappeler que « cher » et « prix le plus élevé » ne signifient pas forcément la même chose pour la personne qui achète. Si je dis que quelque chose est cher, ce que je veux dire c'est que peut-être cela ne vaut pas ce que je vais payer pour l'avoir. Cela peut ou non être le cas avec un produit à prix élevé. Votre défi, lorsque votre prix est plus élevé que celui de la concurrence est d'aider le client à se rendre compte que le prix n'est pas vraiment plus élevé.

Il ne s'agit pas là d'un petit jeu sémantique ou d'un paradoxe. Ce n'est pas l'étiquette de prix mais la perception de la valeur qu'en a le client qui détermine si le prix du produit est juste au non. Si le client voit davantage de valeur à votre produit à prix élevé alors il n'est pas cher – il est au juste prix. Par contre, si le client n'y voit pas de valeur, vous ne pouvez pas le lui faire voir simplement en proposant un prix barré. Cette technique ne fait que reconnaître que le produit vaut moins que ce qu'il a payé – ce qui n'est pas vraiment pour inspirer confiance.

En outre en réduisant votre prix, vous transmettez au client le message suivant : « je sais qu'en acquérant ce produit vous perdrez de l'argent, aussi laissez moi en perdre pour que vous vous sentiez mieux. ». Nous avons déjà vu où menait cette logique « généreuse ». Résultat ? Votre mission en tant que vendeur n'est pas d'offrir aux clients des produits « moins chers ». Elle est de démontrer partout et toujours que l'apport que vous faites rend l'acquisition rentable.

4. Le client ne souhaite qu'une offre

Parfois, les clients ne paraissent pas du tout intéressés par l'établissement de relations durables. Ils vous demandent des offres et exigent que vous vous contentiez d'appliquer les règles. Lorsque nos clients nous demandent ce qu'ils doivent faire dans une telle situation, nous leur répondons en citant un vieil adage : « Si vous n'êtes pas sûr de votre coup, ne faites pas d'offre ». Souvent en réaction à cette réponse ils nous lancent des regards effrayés. Puis généralement quelqu'un dit : « En ne faisant pas d'offre, vous dites au client que vous n'êtes pas intéressé par l'affaire. Ce faisant, non seulement vous vous coupez de cette affaire, mais également de toute opportunité à venir avec ce client ».

Cela paraît juste mais c'est totalement faux. Ce qui se passe lorsqu'on vous demande simplement de faire une offre, c'est que quelqu'un d'autre est dans la place – peut-être un consultant ou peut-être un de vos concurrents – pour aider le client à faire un appel d'offres. Lorsque vous vous contentez de répondre aux appels d'offres, vous acceptez tacitement le calendrier de cette personne et sa règle du jeu. Dans ce cas, lorsque vous n'avez eu aucun contact préalable avec les parties prenantes à l'achat et que vous n'avez aucune vision des problèmes de l'entreprise de l'intérieur, vous vous préparez à perdre quelle que soit votre offre.

En outre, faire une offre ce n'est pas vendre. Des offres peuvent être calculées par des ordinateurs, alors que la vente implique un contact humain avec d'autres. Pour cette raison, nous recommandons généralement d'éviter complètement le jeu des offres aveugles. Dans les cas où ces offres sont inévitables, nous vous suggérons d'avoir au moins une discussion avec votre direction avant de faire l'offre, afin de déterminer s'il y a un intérêt quelconque à se jeter ainsi dans l'arène sans vraiment savoir ce qui s'y passe. L'autre solution constructive à la demande d'offre est d'adresser un courrier poli en expliquant pourquoi vous ne soumissionnez pas à l'appel d'offres et en quoi une telle démarche ne vous convient pas. La lettre doit faire clairement comprendre au client que non seulement vous êtes très intéressé par son activité mais également par une occasion de le rencontrer pour parler de ses besoins, pour voir si vous avez des produits ou services qui peuvent avoir de la valeur à ses yeux. Finalement, si vous faites de la vente efficace, vous devriez aboutir à une relation personnelle pour effectuer n'importe quelle vente gagnant-gagnant. Nous recommandons à nos clients de se lancer très tôt dans cette démarche.

Atelier personnel n° 8 : la concurrence

A présent, vous allez avoir l'occasion d'appliquer les leçons de ce chapitre à votre propre situation concurrentielle au cours de cet atelier personnel qui affinera davantage votre objectif unique de vente. Vous pouvez le faire sur une nouvelle page de votre carnet de note intitulée *Concurrence*.

Etape n° 1 : identifiez votre concurrence

Commencez par recenser toutes les solutions alternatives possibles à la proposition que vous faites au client pour cet objectif de vente. Souvenez-vous qu'une entreprise concurrente qui vise également la même affaire n'est qu'une des alternatives possibles. Votre client pourrait également opter pour le recours à une solution interne, utiliser le budget et les ressources ailleurs ou encore ne rien faire. Pour vous aider à clarifier ces éventualités, demandez-vous :

- Qu'est-ce qui pourrait faire disparaître le budget correspondant à cette proposition ?
- Le client détient-il des solutions internes qui se révéleraient plus rentables, moins difficiles ou en quoi que ce soit plus séduisantes que ma proposition ?
- Le client rencontre-t-il d'autres problèmes vers lesquels les budgets nécessaires à votre vente pourraient être détournés ?
- Comment ont-ils géré des projets analogues par le passé ?

Souvenez-vous que pour chacune de ces questions vous pouvez avoir une ou plusieurs réponses. Il se pourrait, par exemple, qu'il y ait trois entreprises qui visent cette même affaire. Le client pourrait avoir une douzaine d'autres utilisations du budget. Votre objectif ici est de les identifier toutes.

Etape n° 2 : listez vos principales entreprises concurrentes

Si vous n'êtes pas tout à fait sûr d'avoir identifié toutes les possibilités qu'a le client d'utiliser le budget marquez-le de drapeaux rouges et trouvez de l'aide. Puis testez l'information que vous avez recueillie pour voir s'il faut y affecter d'autres drapeaux rouges ou des points forts en vous posant les questions suivantes sur les principales entreprises concurrentes :

– Comment mon objectif unique de vente se différencie-t-il de celui des entreprises concurrentes? Sommes-nous tous deux vraiment en train de viser la même affaire ou y a-t-il seulement un certain chevauchement entre les objectifs que nous essayons de réaliser?

– Qui conseille cette entreprise concurrente? Qui est leur acheteur économique? Qui sont leurs « parrains » et leur « anti-parrains »?

– Qu'a vendu cette entreprise au client par le passé? A-t-elle fourni ce qu'elle avait promis?

– Quels sont les avantages en produits ou services qu'a ce concurrent au regard de cet objectif de vente? Quelles sont ses faiblesses?

– Y a-t-il une différence de prix notable entre notre proposition et la leur? Quelles sont les différences en termes de services et d'activités de support?

Posez-vous également des questions sur l'attitude du client envers les entreprises concurrentes. A-t-il un historique de fournisseurs exclusifs ou privilégie-t-il les sources multiples? Placez un drapeau rouge à coté de chaque question dont la réponse n'est pas claire et un point fort à côté de celles qui indiquent que vous êtes mieux placé que la concurrence.

Etape n° 3 : évaluez les autres solutions du client

A présent, évaluez les autres solutions auxquelles le client pourrait affecter le budget et les ressources et posez vous les questions suivantes :

– Si le client décide d'adopter une solution interne, sera-t-elle vraiment plus rentable ou plus simple? En cas de réponse positive, pouvons-nous être impliqué dans cette solution interne?

– Si le client décide d'affecter le budget à d'autres fins, y-a-t-il des occasions de vente pour nous dans ces projets?

– Si le client décide de ne rien faire, comment devons-nous agir pour maintenir notre présence dans l'entreprise jusqu'à ce qu'il ait un besoin plus immédiat de notre aide?

De nouveau, établissez les zones de force et de faiblesse de vos réponses. Notez également que, dans cette étape et dans la précédente, vos drapeaux rouges peuvent être considérés comme les points forts de vos concurrents et vos points de force peuvent être considérés comme leurs points faibles.

Etape n° 4 : définissez votre apport à leur activité

En examinant non pas seulement les forces de vos produits ou services mais le contexte intégral de votre relation avec le client, définissez votre apport à leur activité qui leur permettra de se distinguer de la concurrence. Cet apport devrait vous permettre de vous différencier des autres solutions et vous classer dans la catégorie spéciale des partenaires.

Rédigez en quoi consiste cet apport – ou ces apports. Si vous ne pouvez pas trouver au moins une différence notable qui compte pour le client, apposez-y un grand drapeau rouge dans votre stratégie et demandez conseil. Si vous avez ce type d'apport, alors c'est une force.

Etape n° 5 : revoyez la liste de vos positions alternatives

Enfin, rajoutez à votre liste de positions alternatives toute nouvelle mesure qui aurait émergé au cours de cet atelier. Comme toujours, soyez précis et testez toute nouvelle mesure au regard de la règle empirique du stratège : assurez-vous qu'elle représente une force, élimine l'impact d'une faiblesse ou les deux à la fois. Nous vous recommandons de ne pas vous en tenir uniquement aux forces des produits et services mais d'intégrer les apports à long terme. Souvenez-vous que le meilleur moyen de distancer un concurrent qui avance vite n'est pas de courir dans son couloir mais de courir mieux que lui.

QUATRIÈME PARTIE

Stratégie et territoire : se concentrer sur les clients gagnant-gagnant

14
ÉLÉMENT CLÉ N° 5 : LE CLIENT IDÉAL

TOUS CEUX QUI, COMME NOUS, vivent de la vente sont constamment talonnés par l'idée de vendre : talonnés par les directeurs, les collègues, la famille et les amis et par nous-mêmes. La pression est telle que la plupart d'entre nous sont en permanence tentés par des affaires marginales ou potentiellement difficiles que nous ferions mieux d'éviter. Peu d'entre-nous peuvent résister à cette tentation.

En conséquence, nous avons presque tous, à un moment ou à un autre, conclu des affaires que nous avons fini par regretter plus tard.

Tout au long du livre nous disons que le véritable art de la vente ne consiste pas seulement à obtenir des commandes, mais à atteindre ce que nous appelons des issues gagnant-gagnant. Ce type d'issue intervient quand vos efforts vous conduisent à :

- la satisfaction du client,
- des relations à long terme,
- des transactions renouvelées,
- et de solides recommandations.

Jusqu'ici ça va et tout le monde serait d'accord avec cela. Mais nous allons plus loin, nous disons que si vous vous trouvez impliqué dans une affaire où vous n'allez visiblement pas avoir une issue gagnant-gagnant, vous devriez la refuser. Quel que soit le montant des commissions concernées, certaines ventes ne valent pas la peine.

Pour trop de vendeurs, qui ont été formés par des directeurs et formateurs fidèles à la tradition, voilà qui est tout bonnement impensable. « Toute vente est une bonne vente » se répètent-ils. Ou « l'argent n'a pas d'odeur ».

Ceux qui croient à ces sornettes sont pourtant rarement (ou jamais) les chefs de file dans leurs secteurs de vente. Ce sont toujours des amateurs ou des débutants qui ne connaissent pas le métier ou encore des chasseurs de commissions. Les grandes sociétés ainsi que les bons vendeurs savent bien qu'aucun produit ne convient à tout le monde à tout moment. Ils savent aussi que l'argent a une odeur, et que si vous tenez à réussir longtemps dans la vente complexe, vous devez refuser certaines affaires. Sinon, vous ne ferez qu'encombrer votre entonnoir avec des objectifs de vente qui, même menés à terme, vous conduiront à dire : « j'aurai souhaité ne pas l'avoir fait »

L'expérience nous a montré que ces objectifs de mauvaise qualité rentrent pour 35 % dans le potentiel des affaires contenues dans l'entonnoir de la plupart des vendeurs.

Ce chiffre peut vous paraître élevé, mais il est fondé sur le résultat de nos entretiens avec des centaines de directeurs commerciaux régionaux ou nationaux. Ces professionnels chargés de surveiller la clientèle de leurs vendeurs nous disent être obligés de rejeter, en moyenne, environ un tiers des projets proposés par leurs collaborateurs, car l'issue n'est pas gagnant-gagnant.

Au cours de ce chapitre et du prochain, nous amenons les leçons du gagnant-gagnant à leur conclusion logique. Pour ce faire nous vous montrerons la méthode à suivre pour déterminer quels sont les objectifs potentiels qui vous conduiront à des *gains* et lesquels risquent de ne vous apporter que des ennuis.

Grâce à cette méthode, vous définissez, selon votre situation personnelle, un hypothétique *client idéal.* Puis vous utilisez ce client idéal comme étalon pour évaluer vos clients réels.

Vous pourrez ainsi, élaguer les 35 % de projets de toute façon indésirables dans votre entonnoir et vous concentrer sur les clients qui sont les mieux à même de vous assurer constamment l'issue gagnant-gagnant.

A la recherche d'une adéquation

Si près de 35 % des projets commerciaux, pris à tout moment dans l'entonnoir de la plupart des vendeurs sont sans intérêt, c'est qu'il manque à ces vendeurs un procédé dynamique et éprouvé pour analyser les véritables besoins de leurs clients. Trop souvent, cette responsabilité est entre les mains du service marketing, partant du curieux principe qu'un vendeur en sait en réalité *moins* sur les désirs ou les besoins des clients que le service en question.

La situation se complique parce que souvent le marketing n'a qu'une vague idée de la façon de satisfaire ses clients, et transmet sa propre confusion aux vendeurs, pire encore, il laisse subsister un doute sur la vraie fonction de la vente, pouvant laisser le vendeur dans l'incertitude quant à son travail réel.

Comme la plupart des vendeurs, vous avez probablement déjà rencontré cette ambiguïté. D'un côté, on nous dit que la mission du commercial consiste à vendre le plus possible à quiconque voudra acheter, n'importe quand. Cette façon de « surcharger le client » est, bien sûr, la philosophie traditionnelle du camelot beau parleur, celui qui peut vendre de la neige aux Sibériens. D'un autre côté, on nous dit de vendre en fonction des besoins, de « rechercher une adéquation » entre notre produit ou service et les exigences réelles du client. Ceci est l'approche plus moderne, de type marketing, de la vente.

Impossible d'avoir les deux. La surcharge et la recherche d'une adéquation ne sont tout simplement pas compatibles. Si vous voulez réussir dans la Vente Stratégique, vous devez oublier cette philosophie de pacotille qui appartient au passé, et apprendre à rechercher d'arrache-pied un accord valable. Rapprocher vos besoins et ceux du client est au cœur même de notre approche du marché des ventes complexes. Nous avons la conviction qu'*aucun* produit ou service, ne convient à tout le monde, et que pour prospérer dans le monde de la vente aujourd'hui, il faut trouver une relation entre le produit et le besoin qui serve l'intérêt personnel de chacun des clients.

Ceci doit se faire client par client, afin de compléter les informations fournies par votre service marketing. Il fait du *méga-marketing*. Il se concentre sur les grandes tendances économiques et cherche à connaître les préférences du marché. Nous vous suggérons de pratiquer le *micro-marketing* avec vos clients. Prenez comme point de départ les données marketing de votre société. Ce n'est qu'en évaluant les besoins particuliers de vos clients et en les rapprochant des grandes tendances du marketing, que vous pourrez adopter des stratégies d'adéquation efficaces avec tous vos clients.

Satisfaire également vos propres besoins

Ces stratégies doivent satisfaire *vos* besoins autant que ceux de vos clients. Le terme d'adéquation implique la réciprocité ; l'idée même de ventes « gagnant-gagnant » est de conduire à votre satisfaction et à celle de vos clients. Un des éléments importants dans l'élaboration du profil du client idéal est donc de se concentrer sur les clients qui non seulement veulent ce que vous avez, mais aussi ont ce que vous voulez.

Nous ne parlons pas que d'argent. Nous l'avons dit, obtenir la commande ne suffit pas dans la Vente Stratégique. Quant à empocher une commission, si coquette soit-elle, ceci est insuffisant pour qu'une vente soit gagnant-gagnant.

Nous allons illustrer ce point avec l'histoire que nous a récemment raconté le vice-président commercial d'une grosse entreprise de déménagement-garde-meubles.

Nombre de ses clients étaient des collectivités et la société proposait des « offres spéciales » aux cadres dont le mobilier devait être transporté d'un bout à l'autre du pays. Il y a un an environ, nous raconta le vice-président, la société entra en contact avec un nouveau client très important : une chaîne de discount nationale, dont les gérants déménageaient sans cesse. En termes de volume, acquérir ce seul client aurait fait grimper de presque 12 % par an les bénéfices de la société de déménagement. Mais, en dépit de ces apparences alléchantes, cette chaîne de discount s'avéra loin d'être idéale sur d'autres aspects.

« A cause de la nature saisonnière de nos activités, expliqua le vice-président, nous préférons traiter avec des clients qui nous laisserons déménager leurs collaborateurs hors-saison plutôt qu'en été, quand nous manquons toujours de camions. De plus, nous privilégions les transports longue-distance plutôt que les sauts de puce, les maisons bien meublées que les appartements et, dans l'idéal, nous souhaitons un mois de préavis. »

Ces « exigences » pour la définition d'un idéal nous semblèrent raisonnables. De toute évidence, la société de déménagement savait fort bien quel type de clients lui offrait les marges bénéficiaires les plus élevées, et préférait avoir à traiter avec eux.

Nous lui avons alors demandé : « La chaîne en question ne répondait pas à ces critères ? »

« Ce n'aurait pas pu être pire », dit-il avec dégoût. « Certes elle nous confiait de gros volumes à transporter, mais ne nous apportait que des ennuis. Elle ne nous donnait que trois jours de préavis et elle s'attendait à ce qu'on déménage un stagiaire en cours de formation en traversant tout le pays, et habituellement en juillet. Après ce premier été, je me suis rendu compte que mes collaborateurs travaillaient deux fois plus pour un chiffre d'affaires deux fois moindre. Alors nous avons laissé tomber l'affaire. »

La leçon devrait être claire. Il ne suffit pas de vendre à un client qui apprécie votre produit ou service, tout comme la chaîne de discount appréciait le service de déménagement. Il faut aussi vous assurer que le maximum de clients puissent satisfaire au mieux *vos* besoins en tant que vendeur. On n'élabore pas de scénario gagnant-gagnant à sens unique.

Réduire très tôt votre champ d'action

Dans l'entourage de tout vendeur, il existe des possibilités quasi illimitées de contacter de futurs clients et d'effectuer des ventes, à moins de se trouver sur un territoire ou un secteur déjà saturés. Si vous ne commencez pas dès le début de votre cycle de vente à concentrer votre attention sur les réelles possibilités gagnant-gagnant, vous risquez fort de vous retrouver dans la situation très courante, mais fâcheuse, de ne pas savoir quoi faire de ces projets dont personne n'a besoin mais qui sont le lot de la plupart des vendeurs.

Lorsque nous parlerons de l'entonnoir de vente dans la partie 5, nous vous montrerons comment gérer votre temps plus efficacement, de façon à optimiser les heures que vous passez chaque semaine à travailler sur chacun de vos comptes de clients et de prospects. Mais cela ne vous aidera en rien si vous avez inconsidérément contacté tellement de clients que vous ne pouvez leur consacrer que dix minutes à chacun.

De sorte que pour tirer le meilleur parti de votre temps de vente limité, vous devez d'abord sélectionner « dans votre vivier de clients » ceux qui ont le plus de chances d'être rentables et décider de ceux que vous allez éliminer. Si vous ne réduisez pas ainsi votre champ d'action, la meilleure méthode de gestion du temps du monde ne pourra rien pour vous.

Cette « réduction raisonnée » fait l'objet du prochain chapitre.

15
LE PROFIL DU CLIENT IDÉAL :
LES DONNÉES QUANTITATIVES ET QUALITATIVES

QUAND NOUS PARLONS de « client idéal » nous ne faisons pas référence à un vrai client, en chair et en os.

Vous ne rencontrerez jamais ce mythique client parfait.

Le client idéal est le *modèle* auquel comparer vos clients réels de façon à vous concentrer sur les bons, vous débarasser des vraiment mauvais et anticiper les problèmes avec ceux qui sont entre les deux. Dans ce chapitre, vous le mettrez au point vous-même en étudiant vos meilleurs clients actuels pour voir quels critères font d'eux les meilleurs.

Puis, avec ces critères, vous formerez un portrait composite de cet hypothétique client parfait. Ce portrait constituera votre profil du client idéal. En dessinant ce profil, vous devez considérer deux catégories de caractéristiques possibles chez un client. La première comprend les données quantitatives, la deuxième comprend les données qualitatives.

La plupart des services de marketing travaillent exclusivement avec les données quantitatives pour déterminer quoi et comment vendre. Pour le sociologue ou le statisticien, les « données quantitatives » se réfèrent à la taille et à la composition de populations humaines choisies. Dans le cas présent, les données quantitatives se réfèrent à la taille et à la composition de populations d'*acheteurs* particulières. Les données quantitatives recouvrent :

• La taille du marché,

- Le nombre d'utilisateurs réels de votre produit ou service,
- L'âge et l'état du matériel actuel de l'entreprise cliente,
- La distance séparant l'entreprise cliente de vos lieux d'expédition,
- La proximité de vos centres d'entretien et de réparation,
- La compatibilité entre votre produit ou service et l'équipement actuel de l'entreprise cliente.

A noter que tous ces exemples ont un point commun : ils décrivent des caractéristiques objectives mesurables.

Les « données qualitatives », contrairement aux précédentes, ne sont pas encore très utilisées hormis dans quelques agences de publicité et services marketing de pointe. Pourtant, comprendre les données qualitatives est essentiel à la réussite des ventes complexes. C'est pourquoi elles font partie intégrante de nos méthodes de Vente Stratégique.

Les données qualitatives sont les *valeurs et comportements* communs aux acheteurs d'une société et partagés par l'ensemble de la société elle-même. De nos jours, dans le monde des affaires, de telles valeurs communes sont courantes, car la plupart des directeurs de renom sont en quelque sorte associés à la culture interne de leur entreprise.

Exemples de données qualitatives :
- Importance donnée à la réputation sur le marché,
- Valeurs éthiques (qu'elles figurent ou non dans un « code de déontologie »),
- *Comportement envers les autres, y compris les clients, les fournisseurs, les employés et les autres parties prenantes,*
- Ouverture à l'innovation,
- *Importance relative attachée à la qualité plutôt qu'à la quantité.*

Les données qualitatives sont moins facilement mesurables que les données quantitatives, parce qu'elles sont généralement subjectives. Mais elles sont d'égale importance : elles définissent le type de culture à laquelle vous vendez.

Les entreprises et leur culture

Comme les observateurs du monde professionnel l'ont fait remarqué depuis des dizaines d'années, la plupart des grandes entreprises actuelles doivent leur succès en partie au fait que tous les employés (du P-DG jusqu'en bas de l'échelle) s'associent consciemment et passionnément à la culture commune de leur entreprise. Tous, aussi individualistes et divers soient-ils dans leur vie privée, partagent aussi certains principes et valeurs qui, dans leur vie commune au travail, leur permettent de suivre un modèle interne.

Nous ne voulons pas dire que, dans les grandes entreprises actuelles, les employés se comportent comme l'hypothétique « travailleur idéal » des années cinquante, esclave d'un modèle en complet veston stéréotypé. Au contraire : les entreprises qui réussissent le mieux génèrent une culture propre qui encourage l'innovation plus que la tradition et la qualité du service plus que la veille mentalité traditionnelle de rentabilité forcenée. Quelques exemples :

- Tel prestataire de services hospitalier s'enorgueillit de vendre un service personnalisé. Les salariés sont fiers de proposer non pas un service standard mais individualisé orienté-client.
- Coca-Cola consacre son énergie à devenir le numéro un dans tous les domaines. Qu'ils choisissent une campagne publicitaire, achètent des oeuvres d'art pour le siège de la société, effectuent des contrôles de qualité ou répondent aux demandes d'information des clients, ses directeurs s'efforcent de faire de « numéro un » le mot de référence pour toute décision prise.
- Enfin chez Hewlett-Packard, la politique maison est de fabriquer en priorité des produits qui satisfont des *besoins réels* dans les domaines de matériel électronique et informatique. Ceux qui y travaillent s'engagent, à tous les échelons, à faire de son nom un synonyme de qualité, de valeur, et de « technologie de pointe ». L'innovation dans la recherche est donc devenue un aspect fondamental de la culture interne de cette société.

Ces quelques exemples montrent que, dans l'environnement actuel des affaires, la plupart de ceux à qui vous vendez partagent probablement nombre des attitudes sociales et professionnelles de leurs collègues. Les sociologues diraient que, dans une entreprise, les collaborateurs partagent un ensemble de « valeurs normatives ». Ces valeurs définissent en général les bases acceptables de comportements et de croyances à l'intérieur de n'importe quel groupe social donné. Les entreprises étant assurément des groupes sociaux, il est bien évident qu'elles vont sécréter pareilles valeurs normatives et que les personnes les plus en vues dans une société sont celles qui adhèrent ou s'adaptent le plus volontiers à ces valeurs.

Pour en revenir à la terminologie de la Vente Stratégique, on peut dire que les valeurs normatives d'une entreprise constituent ses caractéristiques qualitatives dominantes. Ces valeurs s'appliquent non seulement à l'entité sociale dans son ensemble, mais aussi à tous les individus qui prennent des décisions au nom de cette unité.

Cette observation a d'énormes implications pour le vendeur, même si elles sont rarement indiquées clairement. Pour l'essentiel, l'existence de données qualitatives dans l'entreprise veut dire qu'en vous positionnant par rapport aux divers clients, vous aurez un immense avantage sur votre concurrent en analysant outre les « faits matériels » (données quantitatives) concernant chaque client, les valeurs et comportements (données qualitatives).

L'importance des données qualitatives

Ces données définissent des entreprises aussi bien que des individus. Et parce que les vendeurs et les acheteurs montrent des caractéristiques qualitatives, vous pouvez prendre l'avantage en « fragmentant l'univers » de vos divers clients potentiels et en déterminant lesquels se rapprochent le plus du profil de *votre* société, à savoir lesquels parmi vos clients ont avec vous le plus de points communs sur la façon de faire des affaires. Les valeurs et comportements de *votre* société sont imbriquées dans vos produits ou services et les clients qui se conforment le plus à votre modèle de client idéal seront ceux qui achètent en fonction de ces valeurs et attitudes ou peuvent être formés à le faire.

288

Imaginons par exemple que vous vendiez un produit dont le principal avantage sur celui du concurrent est sa qualité et sa valeur à long terme. Si vous vendez à une entreprise qui choisit ses fournisseurs avant tout en fonction du prix, vous risquez quelques ennuis. Mais face à une société pour qui le rapport « qualité-prix » l'emporte, et qui est prête à payer un peu plus pour un produit mieux adapté à ses besoins, l'offre inférieure de votre concurrent ne lui suffira pas pour gagner la partie.

Un des collaborateurs d'un restaurateur de collectivités a bien compris ce principe : « Nous vendons de la qualité, nous dit-il récemment — et je refuse d'essayer de traiter avec des clients chez qui l'appréciation de la qualité n'est pas perçue comme fondamentale. Ils doivent partager ce point de vue ou il n'y aura aucun accord possible avec ce que nous offrons. » Ce vendeur, trois fois désigné le meilleur de l'année, s'enorgueillit d'un taux de réussite bien supérieur à 50 % dans ses propositions les plus importantes. Et, ainsi qu'il l'a reconnu « je n'ai pas fait l'objet d'appels d'offres concurentielles en dix ans ».

Dans cette anecdote, une chose est claire, et nous avons mis l'accent sur ce point tout au long de l'ouvrage. La *vraie* raison qui pousse à acheter n'est pas que le produit ou service correspond le mieux aux besoins professionnels objectifs. Les acheteurs se décident en vue de résultats mais aussi de *gains* personnels. Ils achètent parce qu'ils perçoivent que votre vente satisfera leurs valeurs et leurs comportements individuels et donc leur intérêt propre.

Tout se ramène à l'idée de gagner. Dans les chapitre 9 et 10, nous vous poussions à mettre sur pied des scénarios gagnant-gagnant avec toutes vos influences d'achat, et nous ajoutions que le meilleur moyen d'y parvenir était de leur fournir des résultats-gains.

La même chose est vraie au niveau de la *clientèle dans son ensemble ou de l'entreprise en particulier.*

Le moyen le plus sûr de gagner avec un client, à longue échéance, est de saisir le profil qualitatif de cette entreprise. Ce profil est en effet un facteur clé pour comprendre comment chaque influence d'achat gagne.

Si vous êtes semblable à la plupart des vendeurs, jusqu'à présent vous vous êtes sans doute concentré uniquement sur les données quantitatives pour déterminer qui seront vos meilleurs futurs clients. Nous vous proposons ici un atelier qui vous donnera l'occasion d'utiliser à la fois les données quantitatives et qualitatives pour définir vos meilleurs clients potentiels.

Atelier n° 9 : le client idéal

Vous allez créer ici votre propre profil du client idéal, en partant de vos clients présents et passés, puis, à l'aide de ce profil, vous testerez les véritables futurs clients afin d'aboutir à une vente gagnant-gagnant pour tous vos objectifs de vente.

Etape n° 1 : créez le tableau du client idéal

Tournez votre carnet dans le sens de la hauteur et faites un tableau qui révélera votre profil de client idéal. En haut de la page, écrivez le titre « Client idéal ». Divisez la page en cinq colonnes égales et, de gauche à droite, inscrivez-y les rubriques suivantes : « Meilleurs clients », « Caractéristiques des meilleurs », « Profil du client idéal », « Caractéristiques des pires », et « Pires clients ». Ceci fait, le tableau devrait ressembler à l'exemple suivant :

CLIENT IDEAL				
Meilleurs Clients	Caractéristiques des meilleurs	Profil du client ideal	Caractéristiques des pires	Pires clients

Etape n° 2 : identifiez vos meilleurs clients

Dans la colonne de gauche, faites une liste de vos meilleurs clients actuels et passés. Nous disons bien clients et non prospects. Limitez-vous à ceux avec qui vous avez déjà traité des affaires.

Ici, « meilleur » s'entend dans le sens où *vous* l'entendez. C'est vous qui choisissez le critère. Les clients auxquels vous devez vous intéresser en priorité sont ceux qui vous ont rapporté un maximum pour un minimum de problèmes. Vous êtes le mieux placé pour décider en fonction de quels critères vous mettez l'accent sur ces clients. Gardez à l'esprit vos réactions instinctives. En général vous constaterez que vous êtes *enchantés* par vos « meilleurs clients », sans vous soucier des sommes d'argent qu'ils vous rapportent.

La liste peut en être aussi longue que vous le souhaitez, mais appliquez la méthode suivante pour déterminer où vous arrêter : d'abord, inscrivez votre meilleur client numéro un, puis le numéro deux, et ainsi de suite, jusqu'à ce que vous tombiez sur un nom nettement différent, à vos yeux, du dernier inscrit. Arrêtez-vous là. S'il existe une sensible différence de qualité entre les numéros trois et quatre, par exemple, faites du numéro trois le dernier de la liste.

Etape n° 3 : identifiez vos pires clients

Passez maintenant à la colonne de droite de votre tableau et faites une liste de vos pires clients actuels et passés. Encore une fois, *vous* choisissez le critère. Concentrez-vous sur les cas où, soit vous, soit le client, soit les deux, avez perdu, même si l'affaire a été conclue. Faites à nouveau confiance à vos sentiments instinctifs. Une fois de plus, arrêtez-vous dès que vous rencontrez une différence sensible entre le dernier nom écrit et le prochain qui vous vient à l'esprit. Et, comme précédemment, identifiez ces « pires clients » sans tenir compte des sommes qu'ils ont dépensées.

Etape n° 4 : listez les caractéristiques des meilleurs clients

Dans la deuxième colonne en partant de la gauche, faites une liste des caractéristiques communes ou propres aux meilleurs clients que vous avez identifiés. Vous pouvez inclure ici des données tant quantitatives que qualitatives, en accordant une attention spéciale à ces dernières.

Pour vous donner un exemple du genre de données qualitatives dont nous parlons, voici ce que les participants à nos séminaires notent souvent :
- fait confiance à la performance de mon entreprise,
- direction tournée vers le progrès et l'innovation,
- se montre loyal avec les fournisseurs sélectionnés,
- porté sur les contrôles de qualité,
- prêt à payer la « valeur ajoutée » de mon produit,
- éthique et intégrité professionnelle au-dessus de tout soupçon,
- veut une issue gagnant-gagnant lors de chaque vente.

Utilisez ces exemples comme un guide, mais faites une liste des caractéristiques que *vous*, personnellement, trouvez les plus attrayantes chez vos meilleurs clients.

Attention cependant. Ne notez pas des choses du genre « a les moyens d'acheter », « a besoin de mon produit » ou « est solvable ». Nous présumons que *tous* vos clients, et pas seulement les meilleurs, satisfont à ce minimum d'exigences professionnelles. Concentrez-vous sur les caractéristiques objectives ou qualitatives qui différencient vos meilleurs clients des autres.

Etape n° 5 : listez les caractéristiques de vos pires clients

Dans la deuxième colonne à partir de la droite, faites la même chose pour vos pires clients. Faites une liste aussi exhaustive que possible des caractéristiques qui distinguent les clients de la colonne de droite du tableau. Voici des exemples fournis par les participants à nos séminaires :
- inflexibles sur le prix,
- lents à prendre leur décision,
- aucune loyauté envers moi ou ma société,
- direction autocratique,
- secrets, refusent de coopérer,
- veulent que je perde pour qu'ils puissent gagner.

Encore une fois, le but, pour vous, est d'obtenir une liste utile de caractéristiques négatives, communes à tous, vos pires clients ou presque. Et comme toujours, *vous* choisissez les critères.

Etape n° 6 : créez votre profil du client idéal

Maintenant, dans la colonne centrale du tableau, définissez un étalon de mesure pour tous vos clients.
Cette étape de l'atelier est un processus de distillation.

Etudiez les listes de caractéristiques de vos meilleurs et de vos pires clients et tirez une nouvelle liste des caractéristiques que vous jugez *les plus significatives. Ce processus peut prendre un certain temps. Prenez-le.*

En évaluant les éléments de votre liste « caractéristiques des meilleurs » ne transférez que les principaux dans la colonne centrale. De même, pour les « caractéristiques des pires », transférez les caracteristiques inverses des principaux éléments inscrits sur la liste.
Par exemple, si vous jugez que « en pointe dans son secteur » est une caractéristique essentielle chcz un mcilleur client, notez-la simplement dans la colonne centrale. Si vos pires clients ont en commun d'« être » incapables de décider, écrivez dans la colonne du milieu quelque chose comme : « suivent un processus qui permet des décisions rapides ».

Une fois toutes les caractéristiques adéquates inscrites dans la colonne centrale, reprenez les processus de distillation.

Etudiez soigneusement les éléments y figurant et repérez *les cinq plus significatifs.*

Puis, prenez une nouvelle page de votre carnet et inscrivez en haut « Profil du client idéal ».

N'y inscrivez que les cinq caractéristiques principales au-dessous.

Vous avez votre *profil du client idéal.*

Etape n° 7 : testez vos clients actuels

Vous disposez désormais d'un outil pour mesurer deux choses : la compatibilité de votre clientèle avec les caractéristiques que vous jugez personnellement souhaitables chez un client, et les problèmes qui risquent le plus de surgir dans le cas *contraire*. En d'autres termes, votre outil vous permet de *sélectionner* les futurs clients et d'*anticiper* les problèmes. Vous pouvez le faire maintenant, en commençant par tester le client auquel vous essayez de vendre l'objectif type sur lequel vous travaillez depuis le chapitre 3.

Pour cela, comparez ce client à chacune de vos cinq caractéristiques du profil du client idéal. Passez en revue toute la liste et, chaque fois, demandez-vous :

Jusqu'où ce client particulier correspond-il à cette caractéristique idéale ?

Puis mettez-lui une note pour chaque élément, en vous servant de l'échelle - 5 à + 5 (introduite au chapitre 8). Si l'adéquation est très bonne ou presque parfaite avec un des éléments, donnez + 5 à votre client pour ce cas précis. S'il n'y a aucune concordance, mettez-lui - 5.

A la fin de la liste, vous aurez cinq chiffres, positifs et négatifs. Additionnés, ils vous indiquent le profil de ce client par rapport au modèle de votre client idéal.

Une fois cet exercice effectué sur votre client-test, servez-vous en pour noter vos autres clients et futurs clients également.

Pour chacun d'eux, présents ou potentiels, sortez un nouvel ensemble de cinq chiffres fondé sur l'adéquation ou non de vos clients à votre liste de caractéristiques idéales.

Chaque groupe de chiffres sera, bien entendu, différent. Mais chacun, à l'instar de celui obtenu pour client type, vous indiquera clairement si le client est loin ou près de votre modèle.

Plus les chiffres positifs seront élevés, plus ils seront nombreux, plus vous aurez de chances d'atteindre régulièrement des issues gagnant-gagnant ; au contraire, plus vous aurez de chiffres négatifs, plus vous risquez d'avoir des problèmes, tout au moins pour les caractéristiques où l'adéquation est médiocre. Ces chiffres ne sont cependant que des indications *générales*. Vos ventes sont individuelles et uniques. Nous n'oserions en aucun cas vous conseiller de lâcher un client mathématiquement « mauvais » ou de trop présumer de vos capacités à en convaincre un mathématiquement « bon ». Ce qui est sûr, c'est que, tout bien considéré, les chiffres ci-dessus donnent une idée relativement fiable de la probabilité, pour un client donné, de mener à terme des ventes gagnant-gagnant.

Etape n° 8 : révisez votre liste de positions alternatives

Une fois que vous savez jusqu'à quel point un client se rapproche de votre profil du client idéal, vous êtes à même de décider comment améliorer votre stratégie face à ce client. Si vous jugez que l'adéquation n'est pas parfaite entre tel client et le profil idéal (ce sera presque toujours le cas), vous pouvez faire *une* des choses suivantes :

- Retirer une affaire en cours avec ce client de l'entonnoir de ventes, parce que vous voyez bien qu'elle n'a que peu de chance d'aboutir à une commande intéressante.
- Anticiper les problèmes qui surgiront avec la commande, à cause de l'adéquation imparfaite, et mettre au point des stratégies pour en venir à bout.

Vous pouvez faire ce choix dès maintenant, en considérant tour à tour chacun de vos clients, à commencer par le client ou futur client à qui vous essayez de vendre l'objectif de vente choisi à titre d'étude dans ce livre. Evaluez les notes attribuées à chacun puis décidez de la position alternative à adopter en vue d'augmenter la probabilité d'une issue gagnant-gagnant. Comme lors de l'atelier précédent, vous pourrez faire une analyse plus approfondie pour le client concerné par votre objectif choisi que pour les autres, car vous avez plus d'informations à son sujet. Votre analyse de ce client servira de *modèle* à toutes les futures analyses du client idéal.

De toute évidence il entre ici une part de jugement subjectif. Quand vous en faites usage, prenez en compte tout ce que vous avez appris jusqu'à présent sur vos clients et vos objectifs de vente. Les notations obtenues ne sont qu'un guide général. Nous ne conseillons à personne d'utiliser le *profil du* client idéal comme argument pour *éviter les ventes difficiles*, mais uniquement comme méthode de mise au point de critères de base nécessaires aux ventes gagnant-gagnant.

Ces critères ne doivent vous servir qu'à titre de jugement indicatif et non définitif. Par exemple, si votre profil du client idéal montre que tel client Goliath a plusieurs notes - 4 ou - 5, il pourrait sembler raisonnable de songer à le laisser tomber. Mais si les commissions potentielles sont énormes, si votre service marketing vous pousse à vendre des produits dont Goliath a particulièrement besoin, ou si les possibilités « d'investissement futur » sont immenses, cela peut valoir la peine d'y passer du temps.

A l'opposé, si vous avez un profil très positif pour telle société, mais que celle-ci traite exclusivement avec votre concurrent depuis dix ans et ne donne aucun signe de vouloir changer, vous risquez de perdre votre temps à vouloir lui démontrer que votre produit ou service satisfait pleinement ses besoins.

Souvenez-vous que le profil idéal doit servir à anticiper et à traiter des problèmes aussi bien qu'à éliminer les affaires potentiellement sans intérêt. Cela signifie que vous devriez regarder les caractéristiques *individuelles* sur la liste et pas uniquement le profil global.

Par exemple, si vous avez décidé de garder les commandes de Goliath dans votre entonnoir de ventes, à cause de l'énorme commission escomptée, vous pouvez améliorer votre position face à ce client en analysant chaque caractéristique tour à tour, pour voir où se situent les problèmes. Si la moyenne générale de Goliath est faible surtout parce qu'il est lent à réagir aux propositions, il peut être bon d'ajouter : « Adapter le rythme de mes affaires au cycle de Goliath » à votre liste de positions alternatives.

Si Goliath ne semble pas éprouver d'intérêt pour la qualité, mais choisit toujours le plus bas prix, notez, par exemple « Essayer de leur montrer que notre produit sera la solution la moins chère pour eux à long terme ».

296

Le point clé, ici, est que plus un client donné se rapproche de votre profil du client idéal, plus la vente est facile. Plus il en est éloigné, plus vous aurez d'ennuis. La principale vertu du profil, en tant que système de sélection et d'anticipation, est de vous permettre d'identifier des problèmes précis et de les comparer aux gains potentiels.

Une politique de compromis

Vous visez là à un équilibre. C'est presque toujours un non-sens stratégique de faire entrer dans votre entonnoir des clients dont le profil idéal indique qu'il ne partage *aucune* des valeurs et attitudes propres à votre société. D'un autre côté, aucun vendeur ne peut s'offrir le luxe de *convaincre* seulement des clients qui correspondent parfaitement au profil idéal. Votre but est de réduire les incertitudes et de vous assurer des résultats gagnant-gagnant ; en général, le meilleur moyen d'y parvenir est d'assurer l'équilibre entre : accepter tout ce qui se présente et ne se concentrer que sur les « meilleurs ».

Comme toujours, votre but est de gagner et de vous assurer que toutes les influences d'achat chez tous vos clients soient elles aussi gagnantes. L'idéal, à notre avis, est d'utiliser votre profil du client idéal comme guide-test et de comparer l'information ainsi reçue à tout ce que vous savez par ailleurs sur votre client.

Une dernière estimation de votre position

Ce « tout ce que vous savez par ailleurs sur le client » renvoie au quatre éléments clés de la stratégie que nous vous avons présentés et que vous avez utilisés en deuxième partie du livre. Nous vous recommandons à présent de revoir ces éléments clés de stratégie en fonction du client idéal.

Ressortez tout le matériel accumulé au long de ce livre et posez-vous les questions suivantes :

- *Influences d'achat.* Regardez votre tableau des influences d'achat. Demandez-vous si les difficultés rencontrées pour parvenir jusqu'à elles sont le fait d'une concordance imparfaite entre leur société et votre profil du client idéal.

Quelles inadéquations quantitatives et qualitatives précises ont rendu vos ventes incertaines ?

- *Drapeaux rouges/points forts :* Regardez les drapeaux rouges placés sur vos tableaux d'influences d'achat et de résultats-gains. Existe-t-il une corrélation entre eux et les caractéristiques du client idéal, montrant le peu d'intérêt que votre client accorde à vos objectifs de vente ? Pouvez-vous utiliser les caractéristiques qui indiquent un bon rapport comme points forts pour vous attaquer à ces drapeaux rouges ?

- *Réactions d'achat* : quelles caractéristiques de votre profil idéal expliquent l'empressement de vos influences d'achat à accepter le changement ? Lesquelles expliquent une certaine réticence ?

- *Résultats-gains* : Comparez le tableau de résultats-gains au profil du client idéal. Les données quantitatives du profil se traduisent-elles en résultats commerciaux objectifs ? Les données qualitatives se traduisent-elles en gains pour les acheteurs de votre entreprise cliente ?
Ces derniers *savent-ils* que vous appréciez leur clientèle et essayez de jouer gagnant-gagnant avec eux ?

Comme nous l'avons répété avec insistance, les éléments clés de stratégie, ne deviennent pleinement efficaces qu'utilisés ensemble en tant que système.

Vous poser les questions ci-dessus est un moyen de vous aider à voir comment s'articulent ces cinq éléments.

Avec l'adjonction d'un nouvel élément, le paysage sera complet. Cet élément clé découle logiquement de ce que nous venons de voir. Le profil du client idéal vous permet de trier les opportunités de ventes potentielles viruellement illimitées pour vous créer un champ d'action personnel qui soit gérable. Pour ce faire, vous devez avoir recours à un outil de gestion que nous appelons l'entonnoir de vente. Vous trouverez ce sixième élément dans le chapitre suivant.

Cinquième partie

Stratégie et territoire : gérer le temps de vente

16
LE TEMPS, LE CHAMP D'ACTION
ET L'ARGENT

LORSQUE VOUS GÉREZ simultanément plusieurs clients et prospects, il est facile d'être désorienté sur le plan stratégique à moins de ventiler les ventes que vous visez chez chaque client en autant de dossiers – ce que nous avons appelé l'objectif unique de vente. C'est particulièrement nécessaire dans le cadre de ventes complexes, où il n'y a jamais deux objectifs de vente qui ont les mêmes influences d'achat. C'est pourquoi nous recommandons tout au long de l'ouvrage de s'exercer à chaque élément de stratégie en l'appliquant au même objectif dans le cadre des ateliers – celui que vous avez choisi au chapitre 3.

Nous vous faisons la même recommandation lorsque vous êtes sur le terrain : fixez-vous des stratégies pour un seul objectif de vente à la fois. Nous savons, toutefois que c'est plus facile à dire qu'à faire. Sur le terrain c'est souvent difficile de se concentrer sur une seule chose. Vous avez un secteur à défendre et ce secteur vous tire dans vingt directions à la fois car l'objectif que vous avez choisi de prendre comme exemple dans ce livre n'est qu'une de vos différentes opportunités de vente.

Dans le chapitre précédent, nous avons traité du profil du client idéal qui peut vous aider à gérer cette multiplicité en limitant votre champ d'action aux clients qui valent la peine que vous leur consacriez du temps. Dans ce chapitre, nous aborderons la suite logique en vous présentant le sixième élément, l'entonnoir de vente. Il fait partie intégrante de notre démarche de Vente Stratégique parce qu'il vous permet de retirer le maximum de chaque client de votre secteur en maîtrisant plus efficacement la plus précieuse des ressources, le temps de vente.

Votre ressource la plus précieuse

Tous ceux que nous connaissons dans le milieu de la vente se sont plaints à un moment ou un autre : « J'aurais besoin de journées de quarante-huit heures ». C'est vrai de toutes les activités mais particulièrement de la vente, car, en plus du temps véritablement *consacré à la vente* (et que nous apprécions tous), il nous faut aussi passer beaucoup de temps à des tâches annexes, lesquelles occupent *le gros* du temps de tous les vendeurs.

Si vous en doutez, pensez simplement au nombre d'heures hebdomadaires que vous passez à :

- vendre en interne dans votre entreprise,
- établir vos notes de frais,
- remplir des papiers,
- assister à des réunions,
- traiter les réclamations des clients,
- faire avancer les commandes,
- apprendre aux clients à utiliser votre produit ou service,
- vous déplacer.

Ne vous méprenez pas. Cela ne veut pas dire que ces tâches annexes sont sans importance.

Nous savons aussi bien que vous qu'elles sont essentielles à votre réussite à long terme. Mais ce n'est pas ce qu'on appelle vendre.

Quand nous parlons de temps consacré à la vente, cela signifie quelque chose de très précis. Il s'agit du temps que vous passez face à face (ou au téléphone) avec vos clients. Dans nos séminaires de Vente Stratégique nous utilisons la définition suivante :

Temps de vente : toute durée passée à discuter avec une influence d'achat en réaction de croissance ou de difficulté, ou à questionner un acheteur pour mettre à jour un écart dans la croissance ou la difficulté.

Une fois qu'ils ont compris cette définition, nos stagiaires avouent qu'ils sont heureux quand ils ont cinq ou dix heures par semaine à consacrer à cette activité professionnelle fondamentale.

La plupart des vendeurs de haut niveau passent, en fait, environ de 5 % à 15 % de leur temps total de travail à vendre véritablement. Parmi les milliers de vendeurs et directeurs que nous avons conseillés, nous n'avons pas encore rencontré la personne qui passe plus d'un quart de son travail hebdomadaire à parler de croissance et de difficulté avec des influences d'achat. Personne n'apprécie cet état des choses, mais c'est un fait dans la vie de chaque vendeur. Nous avons beau préférer passer plus de temps avec nos clients et moins derrière un bureau ou au volant, le temps de vente demeure une ressource unique qui nous fait toujours défaut. S'il l'organise mal, le vendeur sera la victime désignée d'un enchaînement fatal de rémunérations imprévisibles et variables : nous appelons cela l'effet « montagnes russes ».

L'effet « montagnes russes »

Si vous êtes dans la vente depuis plus de quelques mois, vous connaissez probablement cet effet.

Cette façon de décrire le revenu variable, typique de notre métier dans le temps est représentée par le tableau ci-dessous.

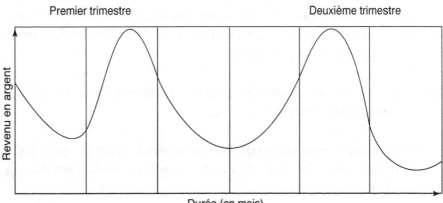

Comme vous le voyez, la courbe représente la relation entre la durée mensuelle consacrée aux clients et le montant du chiffre d'affaires ou plus crûment, entre le temps passé et l'argent gagné. De toute évidence, si l'on en croit cette courbe, l'argent n'est pas fonction du temps.

Si vous reconnaissez dans cette courbe votre propre courbe « temps-argent », vous n'êtes pas le seul. L'irrégularité de revenu est si courante parmi les vendeurs, que beaucoup d'entre-eux et de directeurs expérimentés, la considèrent comme une espèce de loi naturelle. Un directeur régional nous avoua un jour, en haussant les épaules, résigné : « Ainsi vont les ventes. Il ne vous reste plus qu'à patienter et laisser passer l'orage ». Erreur, lui avons-nous dit. L'effet de montagnes russes *n'est pas* un aspect obligatoire des ressources financières à long terme du vendeur, et il *existe bien* une alternative à l'idée de patienter en attendant des jours meilleurs. Nous savons tous que les fluctuations en matière de revenu sont inévitables. Elles font partie de la profession. Il existe des variations saisonnières, les budgets annuels, et les tendances micro-économiques qui empiètent sur le travail de tout vendeur. Cependant, l'expérience montre que les pires oscillations de l'effet de montagnes russes sont dues *non* à ces forces économiques, mais à une gestion déplorable de son temps de vente par le vendeur lui-même. Voilà une chose que nous pouvons vous aider à maîtriser.

Ce que fait l'entonnoir de vente

L'entonnoir de vente vous apprend à gérer plus efficacement votre temps de vente. Ceci afin que vous évitiez les creux les plus profonds de vos propres processus de vente et soyez ainsi assuré de transformer ce temps en des revenus stables et prévisibles.

Dans ce chapitre, vous apprendrez à gérer ce temps pour accomplir les tâches commerciales essentielles ci-après :

• Déterminer où vous en êtes de votre processus de vente en *séparant* vos nombreux objectifs en quatre catégories de base, ou niveaux de présence dans l'entonnoir.

- *Suivre* la progression de chaque objectif de vente tandis qu'il passe du premier contact à la signature de la commande.
- *Établir des priorités* pour s'attaquer aux objectifs à chaque niveau de l'entonnoir et donc s'assurer qu'on ne néglige aucun des quatre.
- *Consacrer du temps* aux objectifs à chaque niveau de l'entonnoir pour vous assurer que vous effectuez les quatre types de travail commercial.
- *Prévoir* les revenus futurs en se fondant sur la façon dont vos objectifs se déplacent rapidement et facilement vers la sortie.

En vous servant de cet entonnoir pour mener à bien ces actions, vous ne vous contentez pas de mieux utiliser votre temps, vous abordez et acquérez la perspective plus vaste nécessaire à la réussite à long terme de tous vos objectifs de vente.

Voyons maintenant comment fonctionne l'entonnoir de vente.

17

ÉLÉMENT CLÉ N°6 :
L'ENTONNOIR DE VENTE

LA MÉTAPHORE de l'entonnoir sert de base à notre sixième élément clé.

Dans notre approche, nous n'attendons pas les commandes, nous *secouons* l'entonnoir, pour que les commandes (et donc nos revenus) soient prévisibles. Notre entonnoir est également sophistiqué dans la mesure où nous le concevons en quatre parties distinctes, ou niveaux, correspondant aux différents types de travail commercial.

Ce que vous devez savoir faire en premier pour vous servir efficacement du concept de l'entonnoir, est d'apprendre à ventiler vos objectifs de vente entre ces quatre niveaux.

Les quatre parties de l'entonnoir

Le dessin suivant représente le concept de l'entonnoir de vente.

Vous noterez que certaines de ces caractéristiques vous sont déjà familières : « prospecter » « qualifier » et « conclure » sont des termes utilisés couramment dans la vente alors que « quadriller » et « univers » appartiennent à la Vente Stratégique et que nous les avons déjà définis. La nouveauté concerne nos appellations pour les trois niveaux de l'entonnoir « lui-même » : au-dessus de l'entonnoir, dans l'entonnoir et la crème. Avant de réviser et d'étendre le concept de Vente Stratégique, nous ne parlions que des trois niveaux de l'entonnoir. Dans cette version revue et corrigée, nous avons ressenti le besoin d'ajouter une étape préalable à toute entrée dans l'entonnoir, c'est la réduction de l'univers. C'est pourquoi nous avons ajouté ce niveau au schéma de l'entonnoir, comme partie intégrante du système. Ce qui aboutit à cet entonnoir révisé à quatre niveaux.

A noter que chaque niveau correspond à un type de travail commercial particulier. Ceci est une caractéristique essentielle de l'entonnoir : chaque partie est par nature liée à *un seul* type de travail.

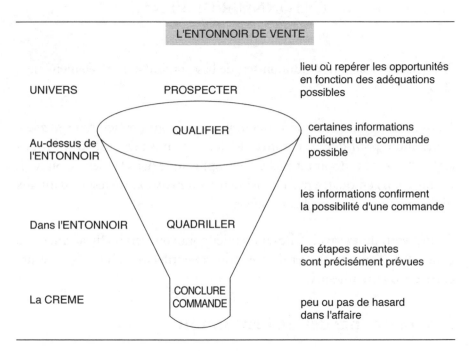

L'ENTONNOIR DE VENTE

UNIVERS — PROSPECTER — lieu où repérer les opportunités en fonction des adéquations possibles

Au-dessus de l'ENTONNOIR — QUALIFIER — certaines informations indiquent une commande possible

les informations confirment la possibilité d'une commande

Dans l'ENTONNOIR — QUADRILLER — les étapes suivantes sont précisément prévues

La CREME — CONCLURE COMMANDE — peu ou pas de hasard dans l'affaire

En tant que vendeur professionnel, vous devez être capable d'effectuer les quatre types de tâches suivants.

Vous devez pouvoir :

- prospecter,
- qualifier le client,
- quadriller les influences d'achat,
- conclure l'affaire.

Mais comme vous avez simultanément de nombreuses commandes possibles, chacune à un stade différent, le travail que vous ferez à un moment donné ne sera pas le même pour tous. Par exemple, vous en serez à prospecter ou à étudier certaines affaires, alors que d'autres se conclueront et que d'autres encore seront au stade du quadrillage. Vous n'obtiendrez un revenu stable et correct qu'en accomplissant avec régularité *le type de travail opportun* selon la commande possible *au moment opportun.*

Voilà pourquoi vous devez répartir vos tâches.

L'entonnoir est, d'abord et avant tout, un outil susceptible de vous y aider.

Remarques préliminaires

Avant de décrire en détail les quatre parties de l'entonnoir trois observations clés s'imposent concernant cet outil :

Premièrement : l'entonnoir vous aide à classer et à suivre la progression d'éventuelles commandes individuelles ou d'objectifs de vente, *non* la progression des clients. Il ne faut pas dire la société « Zenith » se situe au niveau de la crème. Mais seulement « l'accord de la société Zénith pour une installation pilote le 15 mai » se situe au niveau de la crème.

Deuxièmement : deux choses diminuent au fur et à mesure que l'objectif de vente progresse dans l'entonnoir : le *temps* qui vous sépare de la commande et le degré *d'incertitude* impliqué. Tous les objectifs partent du haut de l'entonnoir, avec souvent une longue période d'attente jusqu'à la commande et beaucoup d'incertitudes ; puis finissent au fond, la commande passée et les incertitudes maîtrisées.

Enfin : à chaque niveau de l'entonnoir vous devez satisfaire certaines *conditions préalables* avant de passer au prochain *et à chaque niveau correspond un seul et unique* type de travail commercial,

L'un des préalables pour repeindre une vieille table est d'abord d'enlever l'ancienne peinture et de la poncer. Vous pouvez la peindre sans le faire mais vous ne serez probablement pas satisfait du résultat. Tout comme vous ne serez pas satisfait d'une vente bâclée.

Les préalables pour faire progresser vos objectifs dans l'entonnoir sont indiqués à droite du schéma. Nous allons les détailler à présent.

L'univers

Comme nous venons de consacrer deux chapitres au concept du client idéal, nous n'allons pas nous répéter ici. Voici l'essentiel. Il existe des opportunités pratiquement infinies dans l'univers. Peut-être pas autant que d'étoiles dans l'univers physique, mais plus que vous ne pouvez en gérer à la fois. Pour apporter une touche de réalisme donc plus de succès à votre vente, vous devez commencer par « réduire judicieusement » ces opportunités en ne vous concentrant que sur celles qui peuvent déboucher sur des issues gagnant-gagnant. Le préalable pour sélectionner une opportunité et la faire entrer dans votre univers personnel – le monde de vos objectifs de ventes potentielles – est de découvrir un signe qu'il peut y avoir une adéquation avec votre profil de client idéal. Par exemple :

- Vous lisez dans les journaux un article sur l'expansion d'une entreprise qui pourrait être accrue par votre produit ou service.
- Un prospect assiste à une conférence et ramène chez lui votre documentation.
- Un contrat en cours avec un concurrent arrive à échéance.

Ce que vous devez faire à ce stade, c'est ce que l'on appelle généralement de la prospection. Trop souvent cela signifie de suivre toutes les pistes, même si elles paraissent peu vraisemblables, comme de lancer une opération de ratissage sur tout le sud du pays. Lorsque nous employons le mot prospecter nous voulons parler de la « recherche d'adéquation ». Au-dessus de l'entonnoir, vous comparez les prospects à votre profil de client idéal et vous réduisez le champ pour ne garder que ceux qui valent le coup. En d'autres termes, vous essayez de trouver un indice qui puisse faire croire à une adéquation parfaite entre votre entreprise et chaque prospect.

Au-dessus de l'entonnoir

Au prochain niveau, vous faites une tâche analogue mais pour une base plus réduite, plus concentrée.

Vous pouvez placer une commande éventuelle au-dessus de l'entonnoir, à la *condition préalable* de posséder des informations indiquant une adéquation non seulement entre vos deux entreprises mais également entre votre produit ou service et les besoins immédiats du prospect. Exemples :

- En assurant le suivi de l'article concerné, une influence d'achat potentielle vous confirme un besoin éventuel pour votre produit ou service.
- Votre société reçoit du client potentiel, qui s'est rendu au salon, une carte-réponse ou une simple demande d'information.
- La société dont le contrat avec votre concurrent expire bientôt, manifeste son intérêt pour votre solution.

Ce ne sont que des exemples, mais vous saisissez l'idée. Ne faites pas trop le difficile à ce stade. Aussi longtemps qu'il existe une chance, même minime, d'adéquation, placez le nom du prospect au-dessus de l'entonnoir. Le type de travail qui s'impose pour un prospect au-dessus de l'entonnoir, est de qualifier ou de vérifier vos données. Cette tâche s'accomplit en contactant les influences d'achat y compris le ou les coach(es).

La vérification peut prendre bien des formes.

Par exemple : une influence d'achat donnée semble intéressée lors d'un premier coup de fil ou d'une présentation.

Ou bien encore cette personne se met à vous conseiller sur les autres influences d'achat. Ou encore vous recevez une demande directe de démonstration.

Mais il y a un élément essentiel dans le processus de vérification. Vous devez contacter au moins une influence d'achat et découvrir un écart, dans la croissance ou la difficulté, que votre produit ou service peut combler. Ceci est votre tâche commerciale *minimum* sur une affaire placée au-dessus de l'entonnoir.

Dans l'entonnoir

Ici, *la condition préalable* pour placer un objectif de vente à l'intérieur de l'entonnoir est d'avoir vérifié la possibilité d'une commande : vous avez contacté au moins une influence d'achat et vous lui avez parlé croissance ou difficulté.

Le type de travail consistera dans cette partie de l'entonnoir à quadriller le terrain. Ceci implique l'usage de tous les éléments clés de stratégie déjà discutés. Vous accomplissez donc les tâches suivantes :

- Identifier toutes les influences d'achat concernées par la vente, et s'assurer que chacune a été contactée par la personne la mieux qualifiée pour le faire.
- Comprendre les réactions d'achat de chaque acheteur et se concentrer sur la réduction des écarts visibles chez tous les acheteurs en réactions de croissance ou de difficulté.
- Repérer les résultats dont chaque acheteur a besoin pour *gagner*, et bien s'assurer qu'ils ont tous compris que votre proposition va dans le sens de leurs intérêts personnels.
- Ré-évaluer sans cesse l'état de la vente, afin d'éliminer les drapeaux rouges. Profiter au maximum de vos points forts, selon le principe établi.

Le *temps* et *l'incertitude,* y compris celle liée aux menaces de la concurrence nous l'avons dit, décroissent avec la descente de l'objectif de vente dans l'entonnoir. Le but général du quadrillage est ici de s'assurer que vous êtes sur la bonne voie.

« La crème »

Avant de faire entrer un objectif de vente dans la catégorie de la crème il faudra comme condition *préalable* pratiquement éliminer la *chance* et l'*incertitude* comme facteurs de la décision d'achat finale.

Nous voyons bien qu'il s'agit d'un jugement subjectif, c'est pourquoi on peut admettre que la ligne qui sépare le niveau « dans l'entonnoir » et le niveau de la « crème », n'est pas aussi nette que celle entre « au-dessus de l'entonnoir » et « dans l'entonnoir ». Mais ce n'est pas un simple travail de devinette. Vous pouvez vraiment vérifier si oui ou non une commande potentielle est vraiment prête à entrer dans « la crème » en vous souvenant des points précis suivants :

- Au niveau de la crème ; quelques *tâches discrètes* restent à accomplir et vous savez exactement lesquelles. En d'autres termes, le *type de travail* à faire comprend les « finitions », comme vaincre les objections de dernière minute, s'occuper des questions de fond, obtenir la confirmation finale, la signature de la commande, etc.
- Pour un objectif faisant partie de la crème, vous avez si bien quadrillé le terrain que vous êtes désormais au-delà du tâtonnement et des devinettes. Par exemple, vous connaissez tous vos acheteurs, vous avez satisfait leurs résultats-gains, et mis au point un plan d'élimination des drapeaux rouges restants.
- Enfin, pour la crème, il y a une probabilité d'au moins 90 % pour que l'affaire se conclue en *moitié* moins de temps de votre *cycle normal de vente*.

Ce dernier point mérite éclaircissement, car il introduit un terme nouveau : « cycle normal de vente » essentiel à l'usage efficace de l'entonnoir.

Votre cycle normal de vente

Nous entendons par là, le temps qu'il vous faut en général pour faire passer une commande de haut en bas de l'entonnoir. En d'autres termes le temps qui sépare la prospection initiale de l'accord final.

Nous sommes conscients que les cycles varient de façon spectaculaire d'un secteur à l'autre, d'un produit à l'autre dans un même secteur ou une même entreprise. Les cycles sont influencés par de nombreux facteurs comprenant : le coût du produit, l'identité des influences d'achat et la complexité des décisions d'achat. Nous connaissons des commerciaux qui ont vendu des promotions spéciales à des chaînes de détaillants, en à peine une ou deux semaines, et d'autres qui ont passé sept ou huit ans à s'occuper de la vente d'avions à un gouvernement étranger. Il n'existe donc pas de cycle de vente « normal » en toute circonstance.

Ce qui nous intéresse c'est *votre* cycle normal, dans votre domaine et gamme de produits ou services. Même si toutes vos commandes ne progressent pas au même rythme, la plupart suivent sans doute un cycle moyen. C'est cette moyenne que nous entendons par « normale ».

Accordez-vous ici quelques minutes pour déterminer votre propre cycle normal de vente. Passez en revue les ventes effectuées depuis un an ou deux, et réfléchissez au temps qui s'est écoulé pour chacune entre votre premier appel téléphonique et la signature finale. Pour établir votre moyenne personnelle, n'incluez pas les réachats que vous avez obtenu sans rien faire, et ces commandes inattendues conclues deux jours après avoir rencontré le premier acheteur. Ne conservez pas non plus les commandes interminables pour des conditions commerciales très inhabituelles ou des situations ou des acheteurs particulièrement difficiles.

Concentrez-vous sur ce qui reste et faites-en une moyenne.

Par exemple, si la plupart de vos ventes prennent environ entre trois et neuf mois (d'un premier appel à la conclusion officielle du contrat), alors votre cycle de vente est d'à peu près six mois. S'il s'écoule en général dix à vingt semaines entre le premier appel et la conclusion, votre cycle normal est de quinze semaines.

Il est capital de bien connaître votre cycle normal de vente. En effet, c'est une des clés du « suivi » qui vous indiquent quand un objectif de vente doit passer d'un niveau à l'autre. Par exemple de l'intérieur de l'entonnoir à la « crème ». Vous devez le faire au bon moment pour chaque affaire. Si vous le faites trop tôt ou trop tard, vous risquez de finir par lui appliquer le mauvais type de travail et donc compromettre éventuellement des commandes « sans problèmes » Nous allons illustrer cela par un exemple :

Un de nos amis, Laurent, qui vend des micro-ordinateurs à des petites entreprises, essaya, il y a deux ans, d'en vendre un à une entreprise qui, à l'époque, n'avait pas les moyens de l'acheter. Les instances supérieures le voulaient de toute évidence et Laurent avait accompli un travail admirable en contactant toutes les influences d'achat concernées. Le seul hic était le budget. « On le fera passer sur le prochain budget, lui dirent-ils, mais nous mettons vraiment une option dessus. »

Ceci se passait en janvier et à l'époque ces propos étaient valables. A savoir : ils avaient sincèrement l'intention d'acheter, dès que les crédits seraient disponibles. Le seul problème était que le « nouveau budget » ne serait approuvé qu'en juillet. Ainsi que Laurent s'en aperçu trop tard, beaucoup de choses peuvent se passer en six mois. Normalement, il aurait conclu une affaire de ce genre en cinq ou six mois environ. Mais comme tout avait si bien marché jusqu'en janvier, il considéra que la commande était bien en main.

C'est-à-dire que, mentalement, il la fit descendre dans l'entonnoir pour la mettre dans « la crème ». Et il s'imagina qu'entre janvier et juillet il n'avait plus qu'à attendre le prochain accord budgétaire.

Ce fut une lourde erreur. Quand il revint chez son client en juillet, il s'aperçut que la vente lui avait échappé au profit d'un concurrent, lequel avait surveillé l'affaire jusqu'au dernier moment.

Si Laurent s'était souvenu de la règle de « la moitié du cycle normal de vente » il n'aurait pas commis cette erreur classique. S'il s'était rendu compte que six mois étaient une durée supérieure à la moitié de son cycle normal, il aurait laissé la commande dans l'entonnoir, et gardé le contact avec les influences d'achat jusqu'à l'été. Ainsi il n'aurait pas été court-circuité par son concurrent.

La leçon est la suivante : quand vous suivez vos objectifs de vente le long de l'entonnoir, n'oubliez pas les conditions préalables et les types de travail adaptés à chaque niveau de l'entonnoir.

Cet outil n'est opérationnel et efficace que si vous satisfaites aux conditions préalables avant de changer de niveau et que vous accomplissiez le type de travail opportun au moment opportun pour chaque objectif placé dans l'entonnoir. Vous allez maintenant pouvoir appliquer ces principes, au cours d'un atelier.

Atelier n° 10 : l'entonnoir de vente

Au cours de cet atelier vous allez trier vos propres objectifs de vente actuels. Vous verrez ainsi quelle distance sépare chacun de sa conclusion.

Déterminez les tâches particulières qui s'imposent pour les faire descendre davantage dans l'entonnoir. Vous aurez besoin de votre carnet, de crayons, et de votre liste de positions alternatives. Cet exercice devrait vous prendre environ trente minutes.

Etape n° 1 : faites une liste de vos objectifs de vente

Ouvrez votre carnet de façon à avoir deux pages blanches devant vous, en vous souvenant que l'entonnoir départage et suit les objectifs de vente ou les commandes potentielles et *non* les clients. Faites une liste des objectifs individuels sur lesquels vous travaillez actuellement. *Soyez précis.*

Dans le chapitre 3, nous avions décrit un objectif de vente comme étant :

- *mesurable* – Il donne des réponses chiffrées aux questions qui, quoi et quand,
- concentré sur *une seule et unique issue* à laquelle vous essayez de parvenir avec un client,
- défini par une phrase simple plutôt que complexe.

Vous pouvez avoir peu d'objectifs ou des douzaines à inscrire. Mais faites bien une liste de commandes en cours et pas de clients.

Vous ne pouvez pas suivre « s'occuper de la société Tangex » le long de l'entonnoir ; ce qu'il vous faut noter c'est « vendre à Tangex douze douzaines de nos lots à 500 F pour le 15 juin ». Techniquement parlant, les prospects que vous n'avez jamais testés ne devraient pas y figurer parce qu'à ce stade, il est trop tôt pour que vous ayez pu identifier des affaires spécifiques qui pourraient en faire des clients et encore moins le temps qu'il faudrait. En d'autres termes pour les nouveaux prospects, vous n'avez pas encore identifié d'objectifs de vente. C'est bien Pour viser à l'exhaustivité il s'agit de lister ici toutes les affaires et les affaires potentielles que vous considérez comme faisant partie de votre planning.

Etape n° 2 : triez vos objectifs de vente

En haut d'une nouvelle page, écrivez l'entête « entonnoir de vente ». Divisez la page en quatre colonnes, et en haut de chacune écrivez le nom de la rubrique décrivant chaque partie de l'entonnoir.

Cela doit être fait dans un ordre particulier.

La rubrique « la crème » sera celle de la colonne de gauche « l'univers » celle de la deuxième colonne « au-dessus de l'entonnoir » celle de la troisième colonne et celle de droite sera « dans l'entonnoir »

Nous nous rendons compte que vous n'auriez pas choisi cet ordre-là vous-même. Nous expliquerons dans le chapitre suivant pourquoi il est essentiel à votre réussite.

Ceci fait, le document de travail doit ressembler à l'exemple ci-dessous.

La crème	L'univers	Au dessus de l'entonnoir	Dans l'entonnoir

Répartissez maintenant vos objectifs dans les quatre colonnes, en fonction du travail qui reste à faire pour les mener à leur terme. N'oubliez pas d'y inclure l'objectif-test que vous utilisez dans ce livre. Vous devez avoir des objectifs dans *chaque* colonne.

Etape n° 3 : testez votre répartition

Pour être sûr que l'entonnoir de vente que vous avez établi est réaliste et non un vœu pieux, testez chaque élément inscrit dans les colonnes en vous posant les question précises suivantes :

• Pour chaque élément de la colonne « la crème » demandez-vous : « Ai-je bien quadrillé le terrain ? » « Suis-je à 90 % certain de pouvoir conclure cette affaire en moins de la moitié de mon cycle normal ?

Est-ce que je connais les tâches précises à accomplir pour m'assurer une conclusion favorable ? »

- Pour chaque élément de la colonne « l'univers » demandez-vous : « D'après ce que je sais des activités de ce prospect y a-t-il une adéquation possible entre leur façon de mener leurs affaires et notre profil de client idéal ? »
- Pour chaque élément de la colonne « au-dessus de l'entonnoir » la question sera : « Est-ce que je possède des informations indiquant une adéquation possible entre les besoins de ce futur client et mon produit ou service ? »
- Enfin pour chaque élément de la colonne « dans l'entonnoir » : les informations indiquant une adéquation possible ont-elles été confirmées ? Ai-je contacté au moins une influence d'achat et vérifié l'intérêt de la société ? »

Si vous obtenez un oui à toutes ces questions, passez à l'étape suivante. Sinon, faites les corrections qui s'imposent et continuez.

Etape n° 4 : analysez vos informations

Regardez ensuite le paysage de vos ventes en fonction de votre répartition. Vous avez un « cliché instantané » de votre situation commerciale globale *actuelle*. Utilisez-le ainsi que tout ce que vous savez sur vos clients, pour chercher des schémas de mouvements et de positions dans les quatre parties de l'entonnoir. Vous avez surtout besoin d'indications sur l'état de l'entonnoir : est-il à sec ou engorgé ? Avez-vous *trop peu* d'affaires en cours de descente ou *trop* d'objectifs coincés à un niveau de l'entonnoir ?

L'idéal est d'avoir en permanence *quelques* affaires à chaque niveau. Elles devraient s'acheminer vers leur conclusion à un rythme constant et prévisible. Si tel n'est pas le cas (surtout si l'une de vos affaires se trouve coincée dans l'entonnoir depuis plus longtemps que votre cycle normal) il vous faudra songer à modifier votre stratégie en prenant des positions alternatives.

Etape n° 5 : révisez votre liste de positions alternatives

La dernière étape de toute analyse d'un entonnoir de vente est de rechercher les moyens de mener à terme vos divers objectifs de vente de façon régulière et prévisible. Évaluez leur progression dans l'entonnoir en ce moment. Commencez par l'objectif sur lequel vous travaillez depuis le début de cet ouvrage, et posez-vous la question suivante :

Quelles tâches précises dois-je accomplir dès maintenant pour faire descendre cet objectif particulier plus avant dans l'entonnoir ?

Les réponses devraient toujours être en rapport avec le *type de travail* requis au niveau de l'entonnoir où se situe votre objectif. Par exemple, s'il se trouve actuellement au-dessus de l'entonnoir, une position alternative appropriée comportera un travail de qualification en vue de vérifier une adéquation supposée possible. S'il est placé dans l'entonnoir, le quadrillage entrerait dans les positions alternatives fiables. Et s'il est dans la crème, les positions alternatives consisteraient à s'occuper des finitions qui parachèveraient la commande.

Notez les réponses à la question sur votre liste de positions alternatives. N'oubliez pas que, non seulement toute position alternative choisie doit être en rapport avec le type de travail approprié, mais elle doit aussi éliminer un drapeau rouge, prendre appui sur un point fort, ou les deux à la fois.

L'entonnoir de vente a pour but de vous aider à mettre au point des stratégies pour chacun de vos objectifs de vente. Vous serez donc amené à les soumettre tous à cette même analyse. Ce n'est pas encore possible, car vous ne possédez pas assez de renseignements sur ces autres objectifs. Une fois le livre terminé, vous pourrez vous mettre à rassembler des informations et à faire de nouvelles analyses.

Celle que vous venez d'effectuer ici pour votre objectif de vente test servira de *modèle* aux suivantes. Plus vous utiliserez le concept de l'entonnoir de vente au fil des années, plus cet outil vous sera précieux dans la mise en œuvre de stratégies pour *tous* vos objectifs à la traîne ou apparemment bloqués.

Quelle que soit votre position actuelle face à votre client, nous allons maintenant vous présenter deux concepts qui, utilisés en interaction à long terme, sont sûrs de l'améliorer.

18

PRIORITÉ ET ALLOCATION DU TEMPS : DU BON USAGE DE L'ENTONNOIR

L E BUT FINAL DU CONCEPT DE L'ENTONNOIR est de vous permettre de faire progresser vos divers objectifs de vente dans l'entonnoir à un rythme prévisible et régulier, afin que votre futur revenu soit lui aussi constant. Pour y parvenir il faut vous atteler à deux tâches étroitement liées :

- Etablir un ordre de *priorités* pour les quatre types de travail commercial à effectuer.
- *Répartir* votre *temps de vente* limité de telle sorte que ces quatre types de travaux soient bien réalisés, suivant une base logique.

Etablir un ordre de priorité et répartir votre temps *ne sont pas* synonymes. Bien qu'elles soient souvent regroupées, ces deux opérations sont distinctes ainsi que le savent ceux qui se servent efficacement de l'entonnoir.

Vous devez déterminer vos priorités avant de leur allouer du temps. Nous commencerons donc par les priorités.

Etablir vos priorités

Nous entendons par là le fait de déterminer par quel type de travail commencer, lequel effectuer en second, lequel en troisième et par lequel terminer.

De toute évidence, il n'est pas ici question de l'ordre suivi pour la mise au point d'un objectif de vente ; toute commande éventuelle débute par la prospection, et la qualification se poursuit par un quadrillage et s'achève sur une conclusion.

Nous parlons de l'ordre à suivre en examinant *l'ensemble* de votre activité de vente. Établir les priorités de travail signifie pour un jour ou une semaine donné de décider à quels *types* d'objectif de vente vous attaquer en premier, lesquels traiter en second et laisser de côté pour un jour ou une semaine, considérant que vous avez du travail à faire dans tous ces domaines.

Si vous êtes comme la plupart de ceux à qui nous avons à faire, votre tendance naturelle vous porte à travailler de bas en haut de l'entonnoir. A savoir, vous travaillez dans l'ordre suivant :

1 - conclure les commandes de la crème,
2 - assurer le quadrillage des objectifs dans l'entonnoir,
3 - qualifier les prospects qui sont au-dessous de l'entonnoir
4 - trouver des affaires totalement nouvelles en prospectant dans l'univers.

Sur le plan psychologique, cette façon de travailler paraît sensée. Du fait que l'incertitude diminue plus vous descendez dans l'entonnoir, procéder « à rebours » peut sembler un plan confortable. L'anxiété immédiate est moins grande si l'on commence par des quasi-certitudes (la crème), on continue par des demi-certitudes (dans l'entonnoir) et on laisse de côté jusqu'à la dernière minute les quasi-incertitudes (au-dessus de l'entonnoir et dans l'univers).

Pratiquement tous les commerciaux procèdent ainsi.

Au cours de toutes ces années passées dans les affaires, nous n'avons rencontré que deux sortes de vendeurs : ceux qui disent avoir horreur de prospecter, et ceux qui refusent la vérité et prétendent aimer ça.

Le retour sur investissement des objectifs placés au-dessus de l'entonnoir est si éloigné que presque tout le monde les remet à plus tard, lorsqu'il n'y a plus le choix.

Le problème avec cette séquence c'est que souvent elle vous élimine des options - Pourquoi? Parce que cette approche traditionnelle et séculaire de l'organisation du travail du vendeur est la cause fondamentale de l'effet « montagnes russe ».

L'effet « montagnes russes » : la cause

Pour aplanir les creux et les pics de la courbe à long terme de vos revenus, vous devez avoir des objectifs de vente qui progressent avec constance et régularité de « l'univers » à « la crème ».

La structure type des priorités précédemment décrite assure précisément que cela *ne se* produira *pas*. Et c'est logique.
Quand vous remettez constamment à plus tard votre travail de prospection et de qualification, ceci devient naturellement le type de tâche qui est toujours laissé de côté.

En conséquence, le temps que vous acheviez de mener à terme ceux de la crème et tous vos objectifs dans l'entonnoir, le haut de l'entonnoir est à sec et ce n'est pas surprenant. A moins que vous ne « l'alimentiez », c'est automatique.

Le « syndrome de l'entonnoir à sec » et l'effet de montagnes russes ne sont jamais que deux descriptions métaphoriques d'une même et fâcheuse réalité. Il y a deux façons de régler le problème : la bonne et la mauvaise.

La mauvaise consiste à attendre jusqu'à la dernière minute puis à paniquer. Ce n'est pas une plaisantcric : cette « méthode » pour venir à bout de revenus irréguliers est utilisée par neuf personnes sur dix. Ils ignorent leurs objectifs « au-dessus de l'entonnoir » semaine après semaine, jusqu'à ce que tout le reste soit terminé. Puis, voyant venir la difficulté, ils se mettent à courir dans tous les sens, prospectant et qualifiant comme des fous, jetant tout et n'importe quoi dans l'entonnoir dans l'espoir vain d'éviter l'inévitable.

Cette méthode échoue pour deux raisons. D'abord, si vous attendez jusqu'au dernier moment pour prospecter, vous ne laissez tout simplement pas suffisamment de temps a un nouveau projet pour qu'il produise le profit escompté. La plupart du temps il n'est pas possible d'accélérer votre cycle de vente normal : si vous avez attendu trois mois de trop pour placer un nouveau projet au-dessus de l'entonnoir, vous devrez attendre aussi longtemps avant qu'il ne produise des résultats.

Ensuite, prospecter en vue de nouvelles commandes alors que vous êtes en pleine panique est psychologiquement inefficace. Souvenez-vous de ce que nous avons dit sur le fait de se trouver au point panique du « continuum euphorie-panique ». Quand vous vous inquiétez pour votre situation, vous avez tendance à tout faire en même temps, et il n'en sort rien. Il est impossible de prospecter intelligemment quand vous cherchez à tout prix de nouvelles ouvertures. Comment donner une impression d'assurance quand on pense : « Il me faut cette affaire maintenant ! »

L'effet « montages russes » : la solution

La *bonne* façon de venir à bout de l'effet de montagnes russes est d'organiser en premier lieu vos priorités de travail, de manière à ne jamais être confronté à une période de vaches maigres ou à un entonnoir à sec.

Il existe un ordre d'approche des parties de l'entonnoir qui vous assurera le mouvement régulier nécessaire à l'obtention de commissions prévisibles. Voici cet ordre :

1 - concluez vos affaires dans « la crème »,
2 - prospectez en réduisant l'univers,
3 - qualifiez vos objectifs au dessus de l'entonnoir,
4 - attelez-vous aux objectifs dans l'entonnoir.

Aussi étrange qu'il puisse vous paraître cet ordre est le *seul* qui vous assure des commissions constantes à long terme.

A noter que nous suivons la tradition en vous conseillant de commencer par la crème. C'est du simple bon sens. D'abord ces affaires constituent les meilleures chances de vous procurer un rapide retour sur investissement. Ensuite vous y avez investi le plus de votre temps, cela paie, et ils sont d'autant plus des proies faciles pour le concurrent qu'ils approchent de leur conclusion. Négliger une commande parmi la crème, c'est risquer la pire des mésaventures : voir quelqu'un d'autre empocher la commission, fruit de vos labeurs.

Là où nous nous écartons de la tradition c'est lorsque nous insistons pour que la priorité suivante porte sur les objectifs au-dessus de l'entonnoir. La seule façon d'être certain que l'entonnoir ne soit jamais à sec est de consacrer régulièrement un peu de temps au travail au niveau de l'univers et au dessus de l'entonnoir. De plus, il est si facile de remettre à plus tard ce genre de tâche que nous vous conseillons de le faire en second et en troisième et non en dernier.

Cela ne veut pas dire que vous devez laisser vos objectifs dans l'entonnoir vivre leur vie. Ils n'en feront rien. Vous devez constamment quadriller le terrain de vos objectifs de vente en cours. Mais nous nous sommes aperçus que les vendeurs perdent beaucoup de temps à effectuer ce genre de travail, simplement parce qu'il est plus *confortable* que de prospecter et de qualifier. Il est bien plus agréable d'inviter encore une fois à déjeuner votre vieux copain Paul Dubois que de partir à la conquête de nouveaux territoires et risquer l'échec. Mais vous devez vous forcer à le faire, ou vous essuierez plus qu'un échec.

Nous donnons à nos collaborateurs une simple règle empirique pour les aider à se souvenir de l'ordre que nous jugeons efficace :

Chaque fois que vous concluez une affaire, prospectez-en ou étudiez-en une autre.

Un de nos collègues, un consultant éditorial, nous raconta récemment que, la première fois qu'il entendit ces paroles, il y a environ deux ans, il comprit enfin ce qu'il avait « fait de travers pendant dix ans ».

Il nous avoua ensuite : « Depuis que je suis dans ce secteur, je considérais qu'abondance et famine faisaient partie de la règle du jeu. Depuis que vous m'avez montré comment garder l'entonnoir rempli, je procède différemment. Je consacre une matinée par semaine, toutes les semaines, à explorer une clientèle nouvelle.
Et ce, même si j'ai du travail par-dessus la tête. Cela a sauvé mes finances. Je suis maintenant dans la position incroyable de pouvoir refuser des affaires. Et je n'ai pas eu un seul mois creux depuis deux ans. »

La leçon est évidente. *Tout* commence en haut de l'entonnoir. La seule façon d'éviter un entonnoir à sec est de faire du travail de prospection et de qualification une priorité constante.

L'allocation du temps : un processus dynamique

Une fois établies les priorités pour les quatre types de travail nécessaires à vos objectifs de vente, vous pouvez déterminer combien de temps consacrer à chacun et faire votre allocation en conséquence.

Ce partage du temps n'est pas statique. En ce sens, il diffère du système de priorité que nous venons de voir. Ce système, lui, *est* statique. Pour obtenir des résultats optimums vous devez toujours suivre le même ordre. Par contre, le partage du temps est *dynamique*. Le temps que vous consacrez à chaque partie de l'entonnoir doit varier périodiquement, en fonction d'un certain nombre de critères.

Le principal critère à considérer est la répartition, dans votre entonnoir, des tâches à accomplir à un moment donné.

1. La quantité et la nature des tâches à accomplir

Le premier facteur et le plus important concerne la quantité et la nature des tâches à accomplir pour faire progresser vos objectifs dans l'entonnoir.

L'entonnoir est un cliché instantané du paysage de votre clientèle à un moment donné dans le temps. Au fur et à mesure que les objectifs progressent dans l'entonnoir, le paysage se modifie. Vous devez adapter votre partage du temps en fonction de ce changement. Savoir combien de temps allouer à chaque partie de l'entonnoir en ce moment, signifie donc vous occuper dès maintenant de la répartition, entre les tâches élémentaires que vous devez effectuer.

Supposons que votre entonnoir contienne quarante objectifs de vente différents. Si cet entonnoir est parfaitement « équilibré » avec dix affaires à chacun des quatre niveaux alors l'allocation du temps est facile. Vous devriez passer grosso modo un quart de votre temps par semaine à travailler à chacun des niveaux. Mais si la semaine prochaine, ou le mois prochain, 50 % de l'ensemble se sont déplacés vers « la crème », vous devez revoir votre partage du temps et passer plus de la moitié environ de votre temps à des taches de finition.

2. La difficulté et le volume de travail requis

Etant donné que toutes les ventes complexes sont différentes, aucun objectif ne requiert exactement la même quantité de travail. Vous devez donc adapter votre allocation du temps de façon à servir les objectifs qui réclament plus (ou moins) de temps que votre quantité habituelle de travail commercial.

Admettons que vous ayez un total de dix commandes potentielles dans l'entonnoir et une seule parmi la crème. D'un point de vue strictement mathématique, vous ne devriez pas consacrer plus de 10 % de votre temps à conclure cette commande. Cependant, si l'affaire est très compliquée, si le travail de clôture exige l'accomplissement de multiples tâches individuelles, et si vous savez que toute négligence dans ce domaine peut mettre la vente en péril, alors vous avez toutes les raisons d'y passer plus de temps. De même, si 80 % de vos commandes sont au-dessus de l'entonnoir, mais que tout ce que vous avez à faire pour que la plupart entrent dans l'entonnoir est de donner un rapide coup de téléphone, vous n'avez pas intérêt à passer 80 % de votre temps à ce travail. L'entonnoir est là pour vous aider à partager votre temps le plus *efficacement* possible. Faites les ajustements nécessaires, en vous appuyant sur les besoins de vos clients.

3. L'enjeu financier

Quelle que soit la position actuelle d'une affaire à l'intérieur de l'entonnoir, vous tiendrez sans doute à lui prêter une attention spéciale si elle implique au bout du compte une commission importante. Vous vous souvenez du consultant éditorial mentionné précédemment dans ce chapitre. Au cours de l'année dernière, bien qu'il ait eu beaucoup d'objectifs en permanence dans son entonnoir, et que la répartition de son travail ait constamment changé, il persista à consacrer bien plus de la moitié de son temps à suivre une *seule* commande potentielle depuis le dessus de l'entonnoir jusque dans l'entonnoir et parmi la crème. Il avait pour cela une excellente raison ; une fois conclue, cette seule affaire représenta plus de la moitié de son revenu de l'année.

La conclusion ici est… la conclusion elle-même.
Il est toujours bon d'ajuster le partage de votre temps pour favoriser les commandes dont l'enjeu est important, en faisant attention, bien sûr, de ne pas négliger le reste de l'entonnoir.

4. Le potentiel du client

Il y a cinq ans environ, nous avons appris qu'une très grande société était intéressée par nos méthodes. Son nom fut aussitôt inscrit au-dessus de l'entonnoir et diverses tentatives furent effectuées pour le faire progresser. Nous n'avons pas réussi et ne réussirons peut-être jamais. Mais nous contactons néanmoins *régulièrement* cette société, en prenant du temps sur des projets plus immédiats et plus lucratifs. En effet, nous savons que, si l'affaire se fait, elle nous revaudra largement chaque minute investie. Nous ne le recommandons pas comme un *modèle* à suivre. Normalement si une commande reste au-dessus de l'entonnoir deux ou trois ans sans qu'on puisse la déplacer, nous laissons tomber. Mais nous considérons la commande ci-dessus comme un investissement pour l'avenir. Nous sommes prêts à lui consacrer du temps régulièrement parce que le retour sur investissement est très élevé.

5. Les cycles d'achat

Vous savez que chaque société et chaque secteur fonctionne selon des cycles d'achat qui n'ont peut-être rien à voir avec la façon dont vous aimez vendre, ou avec les plans que vous préféreriez adopter. Mais vous ne pouvez pas ignorer ces cycles de consommation, car il est pratiquement impossible de vendre en dehors de ceux-ci.

Ceci est particulièrement évident dans les contrats avec l'État. Nous connaissons une excellente vendeuse qui vend à des établissements universitaires publics. Elle a appris à gérer son propre temps en fonction des plans de l'Etat qui aide les achats de ses client. Les influences d'achat du secteur public ont leur propre budget, leur propre système d'offre d'achat, d'examen et de remise en appel d'offre, leurs propres procédures de planification. Notre amie y réussit bien, en partie parce qu'elle connaît les impératifs du processus de décision et les périodes critiques et qu'elle est prête à adapter ses plans aux leurs.

Au vu de ce qui a été dit dans le chapitre 7 à propos de la façon dont vos influences d'achat *perçoivent la réalité*, ce n'est que simple bon sens.

Même si vous jugez leurs cycles parfaitement absurdes, ils n'en sont pas moins un facteur incontournable dans la façon d'organiser votre temps.

6. Les quotas basés sur le mix-produit

Toute médaille a son revers : il se peut que vous ayez à adapter votre partage du temps en fonction de quotas précis requis par votre société. Vous risquez d'avoir à passer plus de temps que vous ne le souhaiteriez à promouvoir un produit peu rentable pour vous, parce que telle est la volonté du service marketing. Le produit contre les quotas fait partie du tiraillement continu entre l'usine et le terrain. Bien que peu d'entre nous, sur le terrain, les apprécient, nous ne pouvons pas les ignorer. Particulièrement si nous tenons aux primes qu'entraînent souvent le fait d'honorer ces quotas spéciaux.

Un de nos clients, gros fabricant d'instruments scientifiques, produit du matériel pour tester les circuits électriques qui peut coûter jusqu'à plusieurs millions de francs ainsi que des oscilloscopes qui débutent à quinze mille francs. Nous connaissons plusieurs centaines de vendeurs dans cette société, et nous n'en avons encore rencontré aucun qui préfère passer son temps à promouvoir les oscilloscopes. Mais tous le font, parce que cela fait partie de leurs responsabilités de vendeurs.

Ces six facteurs ne sont que des exemples. Ils ne sont pas les seuls à influencer l'allocation de votre temps et il est probable que vous en trouverez d'autres vous-même. Mais nous espérons que ces six-là suffisent à bien faire passer notre idée. L'allocation de votre temps comme tout ce qui touche à votre stratégie, doit être *constamment ré-évaluée* si vous voulez garder son efficacité. Le but de cette perpétuelle ré-évaluation est de faire progresser toutes vos affaires le long des quatre parties de l'entonnoir à un rythme régulier et prévisible. Le plan de gestion du temps qui atteint ce but est celui qui vous convient.

Atelier n° 11 : priorités/gestion du temps

Regardez maintenant le schéma de l'entonnoir figurant dans le chapitre précédent et ajoutez-y l'information présentée dans ce chapitre.

Etape n° 1 : établissez vos priorités de travail

Si vous étudiez ce schéma, vous comprendrez pourquoi nous vous avions demandé de placer la colonne « la crème » à gauche, les colonnes « l'univers » et « au-dessus de l'entonnoir » au milieu et « dans l'entonnoir » à droite.

Cette présentation de gauche à droite est l'ordre *unique* et *optimal* pour aborder les quatre types de travail.

Etape n° 2 : analysez la répartition des tâches que vous devez effectuer

Remarquez comment les divers objectifs de vente notés dans votre dernier atelier se situent dans le tableau. Comptez les différents objectifs uniques inscrits dans chaque colonne et notez ce chiffre au bas de chaque colonne. Comparez le nombre d'objectifs de vente en cours de chaque colonne au total de vos objectifs de vente en cours, pour déterminer le pourcentage global de votre travail qui se situe maintenant dans chaque partie de l'entonnoir. Inscrivez les pourcentages correspondants au bas de chaque colonne. Ceci vous donnera une *idée approximative* du temps que vous devriez maintenant allouer à chaque partie de l'entonnoir en fonction du nombre et de la nature des tâches à effectuer.

Etape n° 3 : considérez les autres facteurs de gestion du temps

Ajustez maintenant les pourcentages ci-dessus en fonction des cinq « autres facteurs » qui affectent fréquemment toute répartition.

Posez-vous les questions suivantes :
- Dois-je accorder plus de temps à des objectifs de vente particulièrement compliqués ou difficiles ?

- Devrais-je opérer des transferts et consacrer plus de temps à telle affaire en cours dont l'enjeu financier est de taille ?
- Dois-je prendre le temps de m'occuper d'une commande potentielle de faible valeur en ce moment mais qui pourrait rapporter gros plus tard ?
- Faut-il que j'adapte ma propre allocation du temps aux cycles d'achat de mes divers clients ?
- Est-il nécessaire de revoir ce partage de base pour tenir compte de l'actuel débat produit contre quota ?

Les réponses à ces questions peuvent vous aider à ré-évaluer le partage du temps suggéré par la répartition de vos objectifs.

Etape n° 4 : comparez le partage réel et idéal du temps

Vous avez maintenant un paysage tout à fait acceptable de la façon dont vous *devriez* partager votre temps entre vos divers objectifs de vente : en d'autres termes un paysage idéal. Mais il n'est pas toujours possible de faire fonctionner l'entonnoir aussi systématiquement qu'on le voudrait ; nous savons bien que le travail réel que vous accomplissez avec certains de vos clients en ce moment n'entre pas exactement dans ce cadre idéal. Aussi êtes-vous instamment prié de comparer votre réalité actuelle (y compris vos priorités du moment et votre partage du temps) à l'idéal que vous venez de mettre en place.

Faites cela au coup par coup, pour chaque objectif de vente actuellement dans l'entonnoir.

Posez-vous l'une après l'autre, les questions suivantes :

- Ai-je effectué *le type de travail* approprié sur cette affaire, en fonction de sa position dans l'entonnoir ?
- Ai-je suivi, en m'en occupant, *l'ordre* qui convenait ? A savoir, en premier l'objectif qui est dans la crème, en second celui qui se trouve dans l'univers, en troisième celui au-dessus de l'entonnoir, et en dernier celui dans l'entonnoir ?
- Lui ai-je accordé le temps *convenable*, en fonction de la quantité et de la qualité du travail nécessaire pour emporter l'affaire ?

Etape n° 5 : révisez votre liste de positions alternatives

Enfin vous pouvez pour cette dernière étape utiliser les réponses ci-dessus.

Vous serez, tôt ou tard, amené à vous servir des leçons de l'entonnoir pour mettre au point une stratégie adaptée à chacun de vos objectifs. Vous pouvez commencer dès maintenant en regardant où se trouve votre objectif test en ce moment dans votre entonnoir et comment le faire aboutir.

- S'il se trouve dans *l'univers*, demandez-vous si le client que vous visez est vraiment en adéquation avec votre profil de client idéal
- S'il est placé au-dessus *de l'entonnoir*, demandez-vous comment vérifier les informations indiquant une adéquation possible entre votre produit ou service et les besoins actuels de l'entreprise cliente.
- S'il est *dans l'entonnoir*, avez-vous oui ou non correctement quadrillé le terrain pour assurer le succès de votre transaction.
- S'il se situe parmi *la crème*, demandez-vous quelles sont les dernières touches qui restent à apporter avant d'obtenir la signature de l'accord.

Ne perdez pas de vue que toute position alternative solide élimine un drapeau rouge, prend appui sur un point fort ou les deux à la fois ; utilisez en conséquence les renseignements acquis ici pour apporter les modifications qui s'imposent à votre liste de positions alternatives.

Mettez cette liste de côté ainsi que le schéma de l'entonnoir que vous avez élaboré. Cette analyse initiale de l'entonnoir ne sera tout à fait opérationnelle que quand vous la reprendrez plus tard, pour créer un nouveau paysage.

L'utilisation à long terme de l'entonnoir de vente

C'est là un des traits essentiels du concept de l'entonnoir. Mais vous ne commencerez à en apprécier sa valeur qu'après plusieurs analyses. Un des aspects clés de l'entonnoir est qu'utilisé régulièrement, il vous offre une vision à plus grand angle de votre position clientèle *à long terme*. Par conséquent, plus vous emploierez ce système, plus vous le comparez dans le temps, plus son aide vous sera précieuse pour mettre en évidence la modification constante que subit votre position.

Par exemple, imaginons que l'entonnoir que vous venez de mettre en place montre une concentration importante d'affaires possibles au-dessus de l'entonnoir. Supposons qu'une analyse de cet entonnoir, un mois plus tard, révèle que seulement un ou deux de ces objectifs de vente ont progressé dans l'entonnoir. En comparant les deux analyses, vous pourrez mettre en lumière un problème : votre incapacité à vérifier des indications initiales. Ou alors supposons que votre entonnoir fasse apparaître une répartition équitable des affaires futures entre les différentes parties de l'entonnoir, mais que celle effectuée un mois plus tard révèle une accumulation dans la crème et rien au-dessus de l'entonnoir. Ceci vous indique deux choses : qu'il vous faut accorder plus d'attention à la prospection, et à la qualification et qu'il vous faut découvrir ce qui empêche les objectifs en position de crème d'aboutir.

Un manque de mouvement dans l'entonnoir peut aussi indiquer que vous avez mal classé une affaire lors d'une analyse précédente. Par exemple, cet objectif de vente classé le mois dernier parmi la crème, est en réalité toujours dans l'entonnoir, à cause du manque de points d'appui. D'une façon générale, si vous retrouvez un objectif de vente dans la crème pendant deux ou trois vérifications de suite, il y a forte chance pour qu'il ne se trouve pas bien placé dans la crème au départ. Grâce aux comparaisons entre analyses successives, vous apprendrez graduellement à anticiper et à éviter ces erreurs.

Des comparaisons de ce type ont une telle importance que vous devez absolument conserver non seulement votre dernier entonnoir en date, mais aussi tout ceux que vous ferez à l'avenir. En comparant ces diverses photographies de votre situation de clientèle, vous serez finalement capable de construire une sorte de film décrivant l'évolution d'une période de vente à l'autre, et d'une année à l'autre, de l'ensemble de votre situation commerciale.

Fréquence des analyses de l'entonnoir de vente

A quelle fréquence établir ces analyses ? C'est une question qui revient souvent. Plusieurs réponses sont possibles. La fréquence des analyses dépend de l'ampleur et du rythme des *changements* que subit votre situation commerciale particulière. Certains tireront profit d'une analyse hebdomadaire, d'autres peuvent sans problème attendre un mois.

D'une façon générale, plus votre cycle normal de vente est long, plus vous pouvez vous permettre d'espacer vos analyses. Mais n'attendez pas trop longtemps. Nous conseillons à nos participants d'effectuer une nouvelle analyse concernant leur clientèle au minimum une fois par mois.

Comme vous commencez à peine à utiliser ce concept nous vous recommandons de faire ce type d'analyse, pour l'instant, une fois tous les quinze jours.

Ceux qui se servent du concept de l'entonnoir avec le plus d'efficacité, commencent par faire si régulièrement de telles analyses, qu'elles deviennent pour eux une seconde nature. C'est l'idéal à viser après avoir assimilé de la sorte l'usage du concept de l'entonnoir, vous saurez instinctivement quand il convient de « ré-analyser l'entonnoir ». Et vous l'effectuerez très rapidement.

Il importe de se souvenir que l'usage du concept de l'entonnoir doit être *périodique* plutôt que sporadique. Vous pourrez en tirer avantage même à raison d'une seule analyse par mois, pourvu que vous vous en teniez rigoureusement à cette fréquence.

Un outil de prévision

Employé périodiquement, le concept de l'entonnoir a prouvé qu'il pouvait dans de nombreuses affaires, offrir au vendeur une image exacte non seulement de la réalité présente, mais également des projets à venir. Vous vous souvenez que nous avons débuté notre discussion sur l'entonnoir en promettant qu'il constituerait un moyen de prévoir vos revenus futurs et donc d'éviter les désagréables incertitudes de l'effet des montagnes russes. Beaucoup de participants nous disent que c'est l'aspect le plus plaisant du concept. « Je ne m'en sers pas pour *suivre* mes affaires, nous dit un directeur régional, mais pour *prédire* l'avenir. »

L'entonnoir vous permet de le faire parce que par définition l'incertitude s'amenuise au fur et à mesure que vous vous rapprochez de la conclusion, ou pour l'exprimer de façon positive que la probabilité de vente augmente.

Comme nous l'avons dit, vous devez faire descendre une commande dans la crème uniquement lorsque vous êtes à 90 % sûr - ou pratiquement sûr - qu'elle sera conclue dans la moitié du temps nécessaire à votre cycle de vente normal. Nous pouvons également affecter des fourchettes de probabilités aux autres niveaux de l'entonnoir.

Lorsqu'un objectif est dans la partie univers, c'est-à-dire quand il est encore sur le point d'être qualifié, la probabilité qu'il aboutisse avant la moitié normale de votre cycle de vente est minime - peut-être pas plus de 4 % ou 5 %. Lorsqu'il se trouve au-dessus de l'entonnoir et que vous avez commencé à le qualifier, la probabilité peut atteindre 10 à 15 %. Un objectif qui est déjà entré dans l'entonnoir peut se situer entre 20 % et 80 %. En prenant ces chiffres comme repères, il est facile de comprendre pourquoi l'entonnoir vous permet d'avoir une idée de ce que l'avenir vous réserve.

Plusieurs des sociétés auxquelles nous avons enseigné l'emploi de l'entonnoir considèrent que cette capacité à lire dans l'avenir est le principal avantage du concept par rapport aux autres outils de « prévision ». Hewlett-Packard, la société de matériel électronique et informatique dont nous avons formé des centaines de stagiaires a incorporé le modèle de l'entonnoir dans son propre système de prévision. De même, Sentient a intégré le système de l'entonnoir à son processus de gestion des données clients. Et nombre de clients transforment avec succès le concept individuel de l'entonnoir en un système aux implications régionales et nationales : ils se servent des analyses individuelles de leurs vendeurs pour alimenter « des analyses locales » puis les projeter au plan régional et national.

L'usage régulier de l'entonnoir vous donne la possibilité de regarder *autant* vers l'avant *que* vers l'arrière, et vous permet d'utiliser au mieux votre maigre temps de vente pour assurer des affaires régulières et constantes. Il rend possible l'étude des événements passés et vous permet de déterminer ce qui va arriver, et de répartir votre temps présent de la façon la plus efficace stratégiquement.

Sixième partie

De l'analyse à l'action

19
VOTRE PLAN D'ACTION

VOUS AVEZ MAINTENANT en main tous les principes dont vous aurez besoin pour mettre au point des stratégies, non seulement pour l'objectif de vente sur lequel vous travaillez depuis le début de ce livre, mais pour tous vos futurs objectifs. Ces principes en eux-mêmes constituent un ensemble de connaissances sur la vente qui vous donnera une avance stratégique sur vos concurrents pour chaque vente que vous entreprendrez. Pour les utiliser avec efficacité dans la pratique cependant, nous vous suggérons d'employer un véhicule de planning dynamique appelé *Plan d'action*.

En clair, votre plan d'action est une liste d'actions pratiques et concrètes que vous pouvez entreprendre avant même de prendre contact avec le client pour vous rapprocher d'un objectif de vente donné. Il constitue une passerelle qui vous conduit de l'analyse de pré-vente ou stratégie à la vente tactique, celle-ci s'accomplissant *pendant* l'entretien. En tant qu'ultime étape de votre stratégie, son but est de vous confirmer qu'à chaque entretien vous contactez la personne qu'il faut, où il faut, quand il faut.

Ne vous méprenez pas sur notre emploi de l'expression « ultime étape ». Un plan d'action est ultime dans le sens où il constitue la dernière chose que vous devez faire avant chaque contact commercial. Mais il ne constitue ni une fin en soi ni un élément statique ; c'est aussi un véhicule dynamique qui doit évoluer d'un contact à l'autre, en tant que partie intégrante d'un *processus* permanent d'évaluation, de *feedback* et de réévaluation qui vous fait constamment réagir au changement.

Dans ce chapitre, vous allez relier la théorie à la pratique pour votre propre objectif de vente donné en fonction :

a) de votre position actuelle par rapport aux influences d'achat,

b) de ce que vous espérez réussir la prochaine fois que vous serez face à elles.

En même temps, le plan d'action que vous établissez ici sera un modèle pour vos plans futurs.

Une règle de base essentielle

Quand vous établissez une liste d'actions pratiques pour améliorer votre position stratégique actuelle, l'accent est mis sur le côté *pratique*. Vous voulez être sûr que votre action peut dans les faits vous rapprocher de l'objectif visé. Dans nos séminaires de vente stratégique, nous voyons qu'une règle de base toute simple peut aider les participants à garder cette notion de « pratique » en tête.

Toute action que vous inscrivez dans votre plan d'action doit s'appuyer sur un point fort, éliminer ou réduire l'impact d'un drapeau rouge ou les deux à la fois.

Nous insistons sur l'importance des drapeaux rouges et des points forts tout au long de ce livre. Nous mettons ici l'accent sur le principe drapeau rouge/point fort allant même jusqu'à l'exprimer sous forme de règle, comme formule destinée à vous empêcher de prendre vos désirs pour des réalités. Un moyen de vérifier le véritable potentiel d'action pouvant vous aider à vous rapprocher de votre objectif de vente.

Il convient de rappeler que, si les drapeaux rouges sont bien des signaux de danger, ils ne doivent jamais être perçus comme négatifs ou problématiques.

Repérer les dangers possibles est la chose la plus positive que vous puissiez faire dans n'importe quelle situation commerciale. Vous trouver devant des drapeaux rouges est donc la meilleure assurance que vos plans d'action s'attaquent à des vraies faiblesses et s'appuient sur d'authentiques points forts. Il y aurait un problème si vous n'en trouviez pas.

Mettre la théorie en pratique

Pour établir votre liste d'actions pratiques (votre plan d'action modèle), il pourra vous sembler utile, au moins au départ, de débuter en utilisant la liste de positions alternatives élaborée au cours de cet ouvrage. Placez cette liste en face de vous, et regardez votre position actuelle par rapport à chaque concept de la Vente Stratégique. Au fur et à mesure, notez dans votre carnet toutes les mesures que vous pourriez prendre, lors de votre prochain entretien de vente, pour améliorer cette position. Concentrez-vous sur les domaines suivants :

- votre objectif de vente,
- les influences d'achat concernées par cet objectif,
- les réactions d'achat de chaque acheteur,
- les résultats-gains de chaque acheteur,
- le niveau et la nature de la concurrence.

Testez brièvement chaque domaine, en vous posant quelques questions afin de faire apparaître les drapeaux rouges restants, puis envisagez les mesures qui pourraient les transformer en opportunités. Voici quelques conseils pour le faire.

Votre objectif de vente

Pour réussir dans n'importe quelle entreprise commerciale, vous devez savoir clairement ce que vous cherchez à faire et qui ne se produit pas actuellement. Un objectif de vente solide est toujours *précis, mesurable et réaliste*; en outre, il se définit toujours dans un *cadre temporel* précis, c'est-à-dire que vous savez pour quand vous voulez le réaliser. Si vous ne déterminez pas votre but avec précision, en ayant de bonnes raisons de croire que vous l'atteindrez à une certaine date, vous vous placez dans la situation de l'internaute débutant qui passe des heures et des heures sur Internet parce qu'il ne sait pas où il veut aller et comment y parvenir.

Regardez l'objectif que vous avez défini pour vous-même au chapitre 3. Répond-il aux conditions posées ici ? Si non, songez à le redéfinir.

Prenons un exemple : imaginez que votre objectif actuel soit : « Vendre un programme-pilote à la société Goliath pour le 1er juin ». Le mois d'avril s'annonce et les négociations sont au point mort. Tout le monde, chez Goliath, paraît intéressé par votre proposition. Pourtant, à en croire Jean Leroux, le directeur de la fabrication aurait dit « en cette période de l'année nous ne prenons guère d'engagements ». Il peut être bon de redéfinir et/ou de reprogrammer votre objectif. Par exemple : « prévoir un entretien avec Leroux la semaine prochaine, pour qu'il m'explique leur cycle de vente ». Remarquez que la formulation vise à améliorer votre position actuelle maintenant et répond à des questions *précises*.

Elle vous dit :

- *Qui* sera concerné par le contact ou l'entretien : dans le cas présent, seulement vous et une influence d'achat. Cependant, n'oubliez pas qu'une visite peut concerner plus d'une influence d'achat, et qu'elle peut ou non vous concerner personnellement, comme le mieux qualifié pour accomplir chaque action.
- *Où et quand* aura lieu d'entretien. Souvenez-vous que des actions peuvent être mises en place dans votre propre entreprise, en terrain neutre, ou encore dans les locaux du client. Et rappelez-vous que le moment idéal est le plus tôt possible en fonction de vos disponibilités et de celles des acheteurs.
- *Quels renseignements* précis attendre de la rencontre. Jusqu'à ce que vous soyez en situation de conclure l'affaire (et souvent même lors de l'entretien final), chaque action devrait vous aider à confirmer ou à infirmer toute information douteuse, ou à obtenir celle que vous n'avez pas.

Bien entendu, en plus de préciser le qui, quand, où et quoi d'un contact commercial, toute action incluse dans votre plan d'action doit également être conforme à la règle absolue. Dans l'exemple ci-dessus, cette condition de base est satisfaite parce que l'action proposée est destinée à réduire l'impact d'un drapeau rouge automatique (voir chapitre 6) : *le manque d'information.*

Les influences d'achat

Identifier tous les acteurs clés concernés par votre objectif de vente est, nous l'avons dit, le fondement de toute bonne stratégie. Nous vous avons donné une méthode pour les localiser, en identifiant les *quatre* influences d'achat toujours présentes dans les ventes complexes. Avant toute prise de contact, il est essentiel maintenant de revoir votre position face à chacune de ces personnes clés.

Prenez le tableau des influences d'achat et la liste de positions alternatives comme points de départ. De là, faites une liste des actions qui prendront appui sur un point fort et apporteront une solution directe aux drapeaux rouges de ce domaine critique. Le but de ces actions est de s'assurer que tous ceux qui tiennent un des quatre rôles d'influence d'achat lors de votre vente ont bien été contactés par la personne *la mieux qualifiée*.

Il faut commencer, bien sûr, par être certain de connaître l'identité de chacun des acheteurs. Vous devriez avoir au moins un nom dans chacune des cases du tableau des influences d'achat. Sinon, orientez vos actions vers ce drapeau rouge automatique. *Quelles* informations un coach peut-il vous fournir pour remplir les cases ? *Qui* peut vous apporter ces informations ?

Où et *quand* rencontrer cette personne ? Les réponses obtenues devraient suggérer des actions précises destinées à prendre appui sur les points forts et à éliminer des drapeaux rouges.

Supposons que toutes les cases soient remplies, mais que tous les acteurs clés n'aient pas été *contactés*. Il se peut qu'il soit impossible de rencontrer Legrand, votre acheteur économique, parce que, selon sa secrétaire, « il ne reçoit jamais les vendeurs ». Pourquoi ne pas organiser un entretien entre lui et un cadre de même niveau hiérarchique ? Une des actions du plan consistera à prendre rendez-vous avec un collaborateur de votre entreprise, l'idéal étant quelqu'un qui vous a déjà utilement conseillé, pour décider qui sera le mieux qualifié pour franchir le barrage de la secrétaire. Notez que, même si cette action prépare toujours la voie des contacts à venir avec les influences d'achat, elle se met en place sur votre propre terrain, et non sur le leur ; le lieu, en l'occurrence, pourrait être le bureau de *votre* patron.

Autre scénario : l'acheteur économique, Legrand, est très favorable à votre proposition mais, vous n'arrivez pas à vaincre la résistance de Dubois, l'acheteur technique qui a un « problème » non identifié face à votre proposition. Vous pouvez alors songer à utiliser un coach vers un niveau moins élevé : passer de l'acheteur économique à un cadre moyen. Action possible : « Rencontrer Legrand jeudi pour comprendre pourquoi Dubois a l'impression de perdre, ou encore, vous pourriez avoir recours à quelqu'un « Brun par exemple, que vous avez déjà repéré comme coach, pour vous aider à comprendre la résistance de Dubois. Ce qui aurait également l'avantage d'utiliser le concept du degré d'influence. Comme vous avez identifié que Brun avait une forte influence, elle pourrait être le levier nécessaire pour que Dubois qui a une influence moindre, change d'avis. Une fois de plus, remarquez la règle de base : cette action prend appui sur un point fort (le soutien de vos supporters) pour s'attaquer au drapeau rouge que représente la résistance de Dubois.

N'oubliez pas que chaque fois que vous rencontrez un acheteur économique, il vous faut une raison professionnelle valable à ses yeux : Legrand, vous donnera plus volontiers les renseignements recherchés, si vous commencez par lui apporter des informations qui *lui* sont nécessaires.

Action possible : rappeler à Legrand la conférence qui va avoir lieu sur la baisse de la productivité nationale, préparer une réunion d'information des cadres sur vos ventes antérieures gagnant-gagnant, ou lui apporter un article sur la résolution de problèmes. Comme toujours, vous devez savoir où et quand chacune de ces actions possibles peut être mise en place.

Les réactions d'achat

Il vous faut d'abord comprendre la perception qu'ont actuellement vos acheteurs de la situation pour apprécier leur réceptivité au changement que vous vous proposez. Ce sont les réactions d'achat et le point clé est de se souvenir qu'une influence d'achat donnée n'achètera que dans *deux* cas : croissance ou difficulté.

Dans ces deux situations, et seulement celles-là, l'influence d'achat perçoit un *écart* entre la réalité professionnelle actuelle et les résultats dont il a besoin pour gagner. Par définition, un acheteur dans l'une ou l'autre situation sera pour vous un point fort (si sa notation est positive), alors que celui en période de calme plat ou d'exaltation est un drapeau rouge (quelles que soient ses notes).

Gardant devant vous votre tableau des influences d'achat et la liste des positions alternatives, notez les actions susceptibles de mettre en évidence l'écart perçu par vos influences d'achat entre la réalité et les résultats, démontrez ainsi aux acheteurs en réaction de difficulté que votre proposition peut combler cet écart.

Dans le tableau type présenté chapitre 8, nous avions, par exemple indiqué que Legrand (acheteur économique) et Brun (acheteur utilisateur, coach) étaient en réaction de croissance ; Dubois (acheteur technique) et Lefort (coach) en réaction de difficulté. Le mieux serait probablement de se concentrer sur ces quatre personnes, plutôt que sur Petit (acheteur technique) exalté ou sur Lagrange (acheteur utilisateur et technique) en calme plat.

Action possible : d'abord « déjeuner avec Brun et Legrand vendredi prochain pour renforcer le potentiel de croissance de l'offre », action qui observe la règle de base en tirant profit d'un point fort. Puis vaincre l'opposition de Dubois : « visiter le service de Dubois mardi suivant avec Lefort pour que ce dernier puisse montrer comment ma proposition résoudra le problème de Dubois » ; cette action-là réduit l'impact d'un drapeau rouge.

Une fois de plus, vous n'êtes pas tenu de convaincre tout le monde vous-même ; Lefort peut être mieux placé vis-à-vis de Dubois, parce qu'ils vivent tous deux une perception de difficulté.

Attention : les quatre réactions d'achat doivent être considérées comme des perceptions de *situations* et non des types de personnalité ; ceci implique qu'elles peuvent changer n'importe quand.

Les résultats-gains

Le but fondamental de toute bonne stratégie de vente devrait être d'assurer des résultats-gains à toutes vos influences d'achat ainsi qu'à vous-même.

Le point clé, ici, c'est que la raison première de la décision d'achat qui est de gagner, n'est ni mesurable, ni quantifiable : les *gains* renforcent les valeurs et les attitudes *émotives*. Les *résultats* sont les *moyens* grâce auxquels les acheteurs *gagnent*, mais ils ne sont qu'un début. Si vous ne fournissez que des résultats, vos acheteurs vont perdre et vous avec.

Êtes-vous certain que votre proposition de vente peut fournir à chaque acheteur un résultat pour la société qui lui assurera un gain personnel ? Regardez votre tableau de résultats-gains. Vous devez avoir repéré au moins un résultat-gain pour chaque acheteur, sinon vous devez y mettre un drapeau rouge.

Sur le tableau des résultats-gains établi chapitre 10, nous n'avions pas réussi à repérer de *gain* ni pour Legrand ni pour Dubois. Les drapeaux rouges mis en place alors ont rendu visible notre manque d'informations. Si vous traitiez cette affaire, votre plan d'action comporterait des détails précis pour organiser des entretiens et éliminer ces drapeaux rouges. Des conseils de personnes qui connaissent Legrand et Dubois mieux que vous, vous aideraient à déterminer le qui, quand et où de ces rencontres. Action type : « Rendez-vous vendredi avec Lefort. Me faire expliquer les *gains* de Legrand. »

Trois avertissements : d'abord, bien qu'il vous semble quelque peu inutile de connaître les *gains* de chacun dans chaque vente (et que vous puissiez conclure l'affaire sans le savoir), ne fournir que des résultats n'en demeure pas moins une stratégie hasardeuse.

Étant donné que vous êtes chez ce client pour longtemps, plus tôt vous saurez comment gagnent vos influences d'achat, mieux vous pourrez satisfaire leurs besoins dans les ventes futures. Ignorer les gains des acheteurs peut, à la longue, mettre en danger votre position avec l'ensemble de la société.

Deuxièmement, obtenir que chacun gagne équitablement lors de chaque vente n'est pas toujours possible dans toute vente complexe. Mais votre but doit être de fournir un gain maximum et une perte minimum à chaque personne concernée. Parfois, le mieux que vous puissiez faire, est de minimiser les pertes. A notre avis, cela entre quand même dans le cadre gagnant-gagnant.

Troisièmement, n'oubliez pas vos *propres gains*. On pourrait penser qu'il est inutile de le rappeler aux vendeurs professionnels. Il n'en est rien. Nous avons déjà indiqué comment les vendeurs bradent souvent la marchandise dans le vain espoir que les acheteurs le leur revaudront un jour. Surtout ôtez de votre liste toute action susceptible de vous placer dans le type de scénario Je perds-Vous gagnez. Il ne servirait à rien de conclure une affaire que vous regretteriez plus tard et encore moins de faire une affaire que vous regrettez déjà.

La concurrence

Enfin, envisagez des actions qui vont vous permettre de minorer l'impact de votre concurrence pour cet objectif de vente. Souvenez-vous, comme nous l'avons défini, que la concurrence n'est pas seulement une méga-multinationale qui essaie de vous « piquer » votre vente. La concurrence recouvre toutes les solutions autres que celle que vous proposez au client, y compris la décision du client d'utiliser son budget ailleurs, de recourir à une solution interne ou de ne rien faire.

En imaginant des actions pour contrecarrer ces solutions qui vous contrarient, appuyez-vous sur vos points de force. Au lieu de vous demander sur la défensive : « Comment puis-je éviter d'être battu ici ? » Pensez positivement et proactivement. Demandez-vous quelle valeur ajoutée vous pouvez apporter à l'activité du client qui fera de votre solution la plus attractive.

En recherchant cette valeur ajoutée, allez au-delà du produit. Peut-être que ce que vous avez de mieux à offrir, c'est le savoir-faire particulier de l'un de vos cadres supérieurs ? Peut-être s'agit-il d'un historique d'excellence sans faille ? Peut-être s'agira-t-il de votre volonté de l'aider à mettre au point un nouveau critère ? Quelle qu'en soit leur nature, vos actions doivent exprimer votre différence. Elles doivent faire ressortir non pas que votre solution est la moins chère, mais qu'elle est unique en affirmant aux acheteurs : « Nous ne sommes pas en train de vous placer des produits de base. Nous souhaitons une relation qui contribuera à l'amélioration de votre activité. »

La liste « définitive »

Combien d'actions doit comporter un plan action ? Nous recommandons une liste courte, car le plan d'action est un instrument *dynamique* destiné à vous permettre d'améliorer votre position *actuelle*. Une fois ces actions effectuées lors d'une prise de contact, cette position aura par définition, changé. Il vous faudra donc réévaluer votre stratégie et mettre au point votre prochain plan d'action. Dans un monde qui est en constant changement rapide, vous n'avez pas intérêt à surcharger votre liste avec des actions planifiées sur six mois à l'avance et qui seront dépassées avant que vous n'en soyez à la moitié.

Si vous mettez sur pied un plan n'en comportant que quatre ou cinq susceptibles de vous rapprocher de manière visible et démontrable de votre but commercial, vous aurez alors fait tout le nécessaire pour continuer à améliorer votre position pour l'affaire en cours et tous vos objectifs à venir. Pour les objectifs ultérieurs, vous serez capable, avec la pratique de la vente stratégique, de choisir les meilleures actions beaucoup plus rapidement, souvent même sans les écrire.

Les actions sélectionnées pour l'avenir seront uniques pour une situation précise, pour que vous puissiez leur accorder le traitement qui convient.

Vous pourrez vous apercevoir que vous avez fait descendre votre objectif trop rapidement dans l'entonnoir et que vous essayez de conclure une affaire qui n'est pas prête. Il faudra alors réexaminer votre position et requadriller le terrain.

Ou alors peut-être voulez-vous éprouver la viabilité de l'ensemble d'un objectif par rapport à votre profil du client idéal. Si aucune des actions considérées ne semble être à même d'améliorer votre position actuelle, il se peut que l'affaire en question soit sans issue. Vérifiez si le client ressemble ou non à votre profil. Dans un nombre limité, mais non négligeable de cas, la meilleure mesure peut être de laisser filer une affaire.

L'épreuve du feu

C'est la dernière épreuve pour mesurer la validité des actions choisies. Dans le chapitre 3, en présentant le « continuum euphorie-panique », nous indiquions que vos propres réactions viscérales apportaient souvent une confirmation plus fiable et plus rapide de votre position réelle qu'une analyse cérébrale. Juger votre « sentiment » sur votre position peut être aussi une épreuve du feu pour les quatre ou cinq « meilleures » actions sélectionnées. Reprenez le continuum euphorie-panique (p.62) et utilisez-le pour vérifier une dernière fois votre plan.

Demandez-vous si oui ou non chaque action considérée dans votre plan d'action vous met *plus à l'aise* par rapport à la situation commerciale globale. Si, toutes les actions de votre liste aident à réduire votre inquiétude et à éliminer les incertitudes, elles ont de fortes chances d'être les meilleures. S'il n'en est rien, revérifiez le plan pour voir de plus près ce qui vous gène, et pourquoi. Faites-le avant votre prochaine prise de contact.

De la stratégie à la tactique – et vice versa

Le plan d'action que vous venez de mettre sur pied, outre qu'il vous fournit un modèle à usage ultérieur, vous a préparé à prendre un contact donné avec un ou des acheteur(s) donné(s). Le processus de vente étant dynamique, une fois le contact établi, le plan sera rendu obsolète précisément parce qu'il a rempli sa fonction. Il sera alors temps de songer à de nouvelles actions.

Le problème, comme nous l'avons dit précédemment, c'est que stratégie et tactique, bien que différentes, ne sont pas sans rapport. Elles sont dépendantes. Votre plan d'action vous permettra d'aborder une prise de contact en étant si bien préparé, qu'une fois devant votre influence d'achat, vous saurez utiliser au mieux vos talents tactiques. En même temps, chaque contact vous informera sur ce qu'il convient de faire pour atteindre votre objectif. (Renseignement jusqu'alors hors de votre portée.) Ne laissez pas dormir ces informations. *Servez-vous-en* pour réévaluer votre position, reconsidérer vos points forts et vos drapeaux rouges, et enfin prévoir votre prochaine série d'actions. Toutes les rencontres tactiques sont autant d'occasions de réexaminer votre position. Vos plans d'action successifs sont les moteurs de ces réexamens.

20
QUELLE STRATÉGIE
QUAND LE TEMPS FAIT DÉFAUT

IL FAUT EN MOYENNE UNE HEURE pour mettre sur pied un plan d'action sélectionnant les mesures les plus aptes à vous faire atteindre ou à vous rapprocher de votre objectif. Si vous aviez le temps, vous pourriez faire ce genre de plan en profondeur pour tous vos clients, tous vos objectifs de vente, avant chaque prise de contact. Vos résultats justifieraient sans aucun doute le temps que vous y consacreriez.

Dans la réalité, pourtant, vous n'avez pas de temps. Même si la mise en place d'un plan d'action devient plus facile et plus rapide avec l'habitude, et si ces plans détaillés vous permettent de comprendre le moindre de vos objectifs, le temps vous est compté. Il n'est évidemment pas question de décider au hasard quels sont les objectifs qui méritent vos efforts. Pas plus que d'aborder le *moindre* entretien sans le bénéfice d'une certaine stratégie. Vous devez absolument considérer une solution à deux volets en déterminant le temps à accorder à chaque objectif.

D'abord : décidez quels clients et quels objectifs méritent vraiment un plan d'action « long » (tel que celui mis au point lors du chapitre précédent) et accordez-leur l'heure nécessaire.

Ensuite : adoptez une forme d'analyse « courte » pour les objectifs et les entretiens pour lesquels vous ne disposez pas de temps pour un traitement complet.

Quand utiliser l'analyse « longue »

Dans de nombreuses entreprises qui ont adopté notre système de vente, des analyses « complètes » sont requises lorsque certaines conditions sont remplies. Ces conditions varient selon les clients mais elles sont généralement liées aux sommes concernées dans l'immédiat et au potentiel à long terme. Dans certaines entreprises, les commerciaux doivent fournir une analyse complète pour tous les objectifs supérieurs à un million de francs. Pour d'autres le seuil se situe à cinq cent mille francs. Dans d'autres encore, il n'y a pas de seuil officiel, mais les responsables peuvent exiger des analyses complètes lorsque le client visé a un fort potentiel de rentabilité à terme.

En raison de la diversité des situations, il n'y a pas de règle stricte qui impose cette analyse d'une heure. Il y a toutefois un certain nombre d'indicateurs fiables qui montrent quand elle est nécessaire. Imaginez les situations suivantes :

1. Vous venez « d'hériter » d'un important client d'un autre vendeur.

2. Vous traitez une grosse affaire, ou une affaire qui aura un lourd impact négatif si vous n'obtenez pas la commande.

3. Vous luttez pied à pied avec un concurrent.

4. Vous ne connaissez pas vos concurrents.

5. L'affaire en cours représente un nouveau marché, ou un nouveau secteur important.

6. Votre objectif est bloqué dans l'entonnoir, la date prévue pour la conclusion de l'affaire est passée et vous ne savez plus que faire.

7. Vous vous apprêtez à revoir le statut d'un client difficile avec votre directeur commercial.

8. Il vous manque un renseignement essentiel pour la vente et vous ignorez comment l'obtenir.

En pareils cas, nous ne conseillons jamais d'opter pour une analyse courte. Chaque fois que l'objectif considéré met en jeu beaucoup d'argent, que votre vision commerciale à long terme peut être altérée de façon non négligeable, ou que vous êtes en pleine incertitude, une analyse complète s'impose.

Pour l'exprimer négativement mais avec plus de force, si vous essayez d'aborder des situations commerciales difficiles, comme celles-ci, sans stratégie, vous vous faites des illusions et vous tendez la perche aux concurrents.

Quand utiliser l'analyse courte

Quand l'objectif visé n'est pas d'un montant énorme, quand les risques encourus ne sont guère élevés, que vous n'êtes pas confrontés à de lourdes incertitudes, ou que peu d'influences d'achat sont concernées ; alors une analyse courte peut souvent suffire à vous mener jusqu'au prochain entretien.

Si un plan d'action complet n'est pas indispensable, ou si vous n'avez tout simplement pas le temps d'en établir un, nous vous conseillons d'employer une ou deux variantes du modèle d'une heure, vous les utiliserez en fonction de la situation considérée.

Variante n° 1 : l'analyse « expédiée » en dix minutes

Supposons que vous ayez récemment hérité d'un client offrant un modeste mais fiable volume de vente. Votre objectif de vente actuel est d'obtenir de lui qu'il approuve un programme pilote pour une nouvelle gamme de produits, dans les six mois à venir. Vous avez rencontré l'acheteur économique et un ou deux acheteurs utilisateurs. Vous avez à nouveau rendez-vous avec l'acheteur économique cet après-midi à quatre heures. Vous vouliez vous établir un plan d'action pour cette entrevue, mais vos autres clients vous ont pris tout votre temps. Il est maintenant quatre heures moins vingt. Quel plan stratégique pouvez-vous mettre au point ?

Une brève analyse, comme toutes celles effectuées jusqu'ici, implique de vous poser des questions destinées à découvrir des zones d'incertitude et à proposer des moyens d'améliorer votre position face aux influences d'achat.

Quand vous n'avez que dix ou quinze minutes, vous devez, de toute évidence, vous concentrez sur vos interrogations les plus importantes. Nous vous suggérons les quatre suivantes :

- Est-ce que je sais qui sont tous les acheteurs ? C'est-à-dire est-ce que je connais l'identité et le rôle de tous les acteurs clés concernés par cette vente ? Sinon, ai-je au moins une idée de qui est l'acheteur économique ?
- Est-ce que je connais les résultats-gains de ces acheteurs ? Est-ce que je sais comment chacun d'eux va *gagner* personnellement à partir du résultat collectif apporté par ma proposition ?
- Est-ce que je prends appui sur mes points forts et travaille à éliminer ou réduire l'impact des *drapeaux rouges* ?
- Ai-je au moins un coach de confiance pour cette vente ?

Si les réponses obtenues sont toutes affirmatives, votre position stratégique est solide. Lors de l'entretien, vous pouvez partir de ce que vous savez déjà pour continuer à obtenir des résultats-gains, vous appuyer sur des points forts, et éliminer les drapeaux rouges.

Si elles sont négatives, vous devrez utiliser cet entretien pour commencer à obtenir des réponses. L'avantage de se poser ces quatre questions *avant* d'aller voir un acheteur, est que, même si vous n'en tirez rien, vous saurez *où* vous manquez d'information, et quel genre de données il vous faut obtenir sur cette influence d'achat. Bien souvent, la meilleure chose à faire lors d'un entretien n'est pas de faire un exposé impeccable, mais d'obtenir ce genre de renseignement utile.

Comment y parvenir, c'est-à-dire comment poser les questions qui vous permettent de mieux comprendre la vente, est affaire de tactique et non de stratégie. La tactique est essentielle pour bien vendre, naturellement, mais elle n'entre pas dans le cadre de cet ouvrage. La Vente Stratégique a pour but de vous donner une compréhension aussi complète que possible de la situation commerciale *avant* de rencontrer l'influence d'achat. Une méthode « vite faite » pour accroître cette connaissance est de vérifier les réponses que vous donnez aux quatre questions proposées.

Variante n° 2 : « panique dans l'ascenseur »

Parfois, bien sûr, vous n'avez même pas les dix minutes nécessaires pour analyser ces questions correctement. Voici donc un modèle encore plus bref.

Peut-être s'agit-il d'un petit client, pour qui l'analyse stratégique ne vous semble pas « nécessaire » ? Ou bien un réachat de routine chez un client « où tout est toujours pareil » ? Ou encore il s'agit d'un client nouveau pour vous et votre directeur vient de laisser une note sur votre bureau disant : « Je viens d'apprendre que Lucas, de chez IPC, part pour l'Australie demain matin. Pouvez-vous le rencontrer cet après-midi ? » Quelles qu'en soient les raisons (et vous savez que celles évoquées ci-dessus ne sont que la partie émergée de l'iceberg), vous vous retrouvez dans un ascenseur en route pour le dix-septième étage, avec une minute devant vous. Pas de panique. Même si vous n'avez jamais établi le plan stratégique pratique pour ce client et cet objectif de vente, vous savez pourtant *quelque chose* à son sujet, peut-être de simples bruits de couloir sur le client ou les noms de deux acteurs clés.

En fait, vous devez profiter de cette minute pour vous remémorer ce que vous *savez*. Ainsi, face à l'acheteur, votre position, si instable qu'elle soit, sera claire et plus gérable.

Comme dans toute analyse, cela exige de se poser les questions appropriées. Moins vous disposez de temps, plus les questions sont fondamentales. Celle-ci l'est plus que toutes les autres :

- *Est-ce que je sais qui sont mes acheteurs ?* ou au moins l'acheteur économique concerné par la vente ?

Les réponses obtenues en une minute ne vous renverront pas une image claire du client. Mais identifier les acteurs clés, vous remettre en mémoire les rôles tenus par chacun d'eux dans votre objectif précis, est la bonne stratégie, comme nous l'avons souvent répété. Si vous ignorez qui sont les acteurs clés, et leur rapport avant votre vente, vous ne savez vraiment rien du tout. Bien sûr, ne pas savoir qui sont vos acheteurs utilisateurs notamment n'est pas très confortable. Mais cela vaux mieux que de ne pas savoir que vous ne savez pas. Si vous vous rendez-compte que vous ne savez rien, vous devriez également vous rendre compte que vous devez utiliser l'entretien de vente imminent pour commencer à remplir les cases.

Ce qui est important ici, c'est que toute analyse stratégique mise au point avant un entretien jouera à votre avantage, même si elle ne vous sert qu'à identifier les informations qui vous manquent. La seule position intenable est d'aborder un entretien à froid, sans informations ou principes stratégiques pour vous guider. Ce que Socrate disait de la vie est également vrai pour la vente : le début de la sagesse, c'est de sonder votre ignorance.

Pour citer quelqu'un de moins illustre, écoutez ce que dit un directeur régional qui attribue à notre système ses résultats « record » d'un trimestre : « Aborder un entretien sans se demander qui sont les influences d'achat revient à entrer dans une pièce les yeux bandés. Avant d'adopter votre méthode, je faisais cela sans arrêt, je me cognais partout. Poser cette question fondamentale m'a enlevé le bandeau. Je ne sais pas toujours où j'en suis dans chaque vente, mais je sais où se trouvent les meubles. »

Stratégie d'abord et encore

Il n'est pas question de *substituer* l'analyse de « l'ascenseur » ou « expédiée » à une analyse plus approfondie. Le modèle en dix minutes est mieux approprié pour passer rapidement en revue une situation commerciale qui vous est déjà familière. Le modèle de crise n'est pas autre chose qu'un expédient en cas d'urgence, mais vous devrez le plus souvent trouver le temps de réfléchir à un plan d'action complet et détaillé. Le modèle à adopter dans chaque cas dépend de la préparation nécessaire pour que vous soyez à l'aise lors de votre prochain entretien.

Tout se ramène à la stratégie, et à la remarque faite au chapitre 2 : la stratégie et la tactique sont toutes deux indispensables à une réussite commerciale à long terme, mais la stratégie doit toujours venir en *premier*. Quel que soit le modèle que vous jugez convenir à tel objectif et à tel client, vous ne tirerez profit de la Vente Stratégique que si vous faites votre analyse stratégique *avant* la vente. Au moment où vous êtes assis dans le bureau de Legrand, il n'est plus temps de vous demander si oui ou non il *est* vraiment l'acheteur économique. Occupez-vous des questions stratégiques avant de venir, et vous aurez l'esprit libre pour faire ce que vous réussissez le mieux : vendre. Si vous mettez toujours la stratégie en premier, vous serez sûr que, même si le temps *imparti* est bref, il sera toujours *bien employé.*

21
LA VENTE STRATÉGIQUE :
L'AFFAIRE DE TOUTE UNE VIE

Beaucoup de programmes de formation à la vente s'achèvent par un petit discours bien enlevé sur « l'attitude mentale positive » et « le travail, le travail », à la fin duquel le formateur souhaite aux vendeurs rassemblés « bonne chance » sur le terrain.

Nous n'achevons pas de cette manière nos séminaires, et nous ne concluerons pas ainsi ce livre, parce que, dans notre système la « chance » joue un rôle négligeable. La Vente Stratégique réussit précisément parce qu'elle réduit les incertitudes liées à la chance, aux tâtonnements, et au pur hasard.

Elle fonctionne parce qu'elle se fonde sur la logique et sur une solide connaissance de tous les éléments clés de la vente complexe. Dans notre système, c'est vous qui créez votre *propre* chance.

La raison pour laquelle les professionnels de la Vente Stratégique y parviennent, c'est qu'ils ont compris les deux facteurs de succès importants dans la vente.

Le premier facteur est la *méthode*. Les professionnels de la Vente Stratégique abordent leurs ventes armés d'un système planifié de vente par étapes, logiques, claires et renouvelables. Ces vendeurs ont compris que, dans la vente comme dans toute autre activité humaine, c'est *la façon dont le professionnel procède* qui le place hors de portée des concurrents.

Le deuxième facteur que nous n'avons jamais cessé de répéter dans nos ateliers est l'importance d'une *réévaluation constante*. Étant donné que le changement est la seule constante de vos ventes complexes, et qu'il peut vous miner faute de vous y adapter, vous profiterez d'autant plus de notre système de Vente Stratégique que vous le considérerez comme *dynamique*, toujours en voie d'amélioration.

La conclusion logique de cette observation est que plus vous *emploierez* la Vente Stratégique, plus elle jouera en votre faveur. En outre, plus le système deviendra *facile* à utiliser pour vous.

Au cours de la description de l'entonnoir, nous remarquions que la répétition en rend le travail d'analyse de plus en plus simple, jusqu'à ce qu'il devienne presque une seconde nature. Une fois que vous avez effectué plusieurs analyses de ce type, et que vous en *assimilez* les techniques et les concepts, vous pourrez en faire d'autres plus rapidement et plus efficacement.

On peut dire la même chose de la Vente Stratégique dans son ensemble. Non seulement, la pratique facilite l'emploi de chacun des six éléments clés, mais, avec le temps, le système lui-même *s'auto-renforce*. Nous n'avons cessé de l'observer lors des enquêtes de suivi que nous réalisons auprès des ex-participants à nos séminaires : ceux qui réussissent le mieux doivent leur succès à l'usage constant et permanent des principes stratégiques, avec tous leurs clients. Un directeur local, qui attribue son oscar du meilleur directeur commercial de l'année à ce système, affirme. « Plus je le pratique, plus j'ai de chance ».

Espérons donc que cette observation sera pour vous, comme pour tant de nos stagiaires, le mot de passe vers le succès à venir. La Vente Stratégique aide à aborder la vente complexe, votre vie durant. L'étude effectuée tout au long de cet ouvrage sur votre objectif de vente-test est un modèle. Au fur et à mesure que vous l'appliquerez et l'affinerez, dans vos tâches futures, vous pourrez dire : « c'est ma façon de procéder qui fait de moi le numéro un ».

« La chance », a un jour remarqué un écrivain avisé, « c'est lorsque la préparation rencontre l'opportunité ». La Vente Stratégique, les preuves ne manquent pas, peut préparer n'importe quel professionnel consciencieux

360

à affronter plus efficacement les opportunités de ventes. Si, grâce à l'emploi des principes et techniques présentés dans cet ouvrage, vous et vos influences d'achat *gagnez* dans toutes les transactions, alors nous aussi, nous aurons gagné.

CONCLUSION

APRES VINGT ANS : LES REPONSES AUX QUESTIONS LES PLUS DIFFICILES DE NOS CLIENTS

AU COURS DE CES VINGT ANNÉES où nous avons fait découvrir la Vente Stratégique aux commerciaux, nous avons eu le privilège de les entendre poser littéralement des centaines de questions provocantes et de défis intellectuels. Ces exemples de la participation du client nous ont apporté énormément de satisfaction, car ils nous ont contraints encore et encore à suivre nos propres conseils et à soumettre notre réflexion sur la vente à de constantes révisions.

La plupart des explications que nos clients nous ont poussé à donner ont déjà été utilisées comme matière première dans cette version longue de notre texte initial. Une poignée de questions toutefois semblaient tellement provocantes et importantes qu'elles exigeaient un traitement spécifique. Nous concluons donc cet ouvrage en y répondant directement. Les quinze « merveilleuses » questions suivantes illustrent à la fois la perspicacité et la sophistication de nos collègues commerciaux lorsqu'ils se débattent avec les nombreuses complexités de notre métier. Nous proposons ces réponses ici afin de poursuivre le dialogue dans cette conversation fascinante que nous appelons la vente.

1. Où dois-je commencer ? A quel niveau dois-je débuter le processus de vente ? Dans la mesure où parvenir à l'acheteur économique est si important, dois-je toujours essayer de partir du haut de l'entreprise ?

Certainement, si vous le pouvez et que vous y jouissez de crédibilité. Vous devez commencer n'importe quelle vente complexe là où vous avez le maximum de crédibilité. Ce qui découle logiquement de notre principe qu'il faut construire sur ses forces. Si vous vous sentez à l'aise avec le directeur, formidable! Commencez par là. Mais si vous ne l'avez jamais rencontré et que vous disposez d'appuis solides auprès d'un acheteur utilisateur, commencez alors par là. Votre objectif est de lancer le processus de vente d'une base aussi solide que possible et de construire sur cette base pour vous élever. La dernière chose à faire est de s'attaquer à l'acheteur économique et de commencer à lancer votre solution avant même d'avoir pu pleinement comprendre les problèmes que rencontre l'entreprise et les enjeux personnels de l'acheteur économique. Si vous ne comprenez pas d'abord ces choses – si vous n'obtenez pas d'aide pour les comprendre – vous pouvez franchir le seuil, mais nous pouvons vous le garantir qu'une fois que vous aurez quitté son bureau, vous n'y serez plus jamais convié.

2. Le tabouret à un pied. J'ai eu affaire à la même personne dans l'entreprise cliente depuis cinq ans et elle vient d'être licenciée. Au secours!

Une relation professionnelle exclusive avec une seule des parties prenantes à l'achat est à la fois extrêmement fréquente et le plus souvent fatale. C'est ce que nous appelons la stratégie du « tabouret à un pied » car c'est au moins aussi stable qu'une telle invention. Lorsque vous négociez dans les méandres de l'entreprise moderne, il est impératif d'avoir le plus grand nombre de contacts possibles et de les renforcer par un réseau solide de conseils.

Nous l'avons dit à plusieurs reprises : le changement est la seule constante de la vie professionnelle d'aujourd'hui. Si vous vous trouvez abandonné après que votre seul contact soit parti, vous devriez alors le prendre à la fois comme une leçon et une opportunité. Vous pourrez ou non récupérer l'objectif unique de vente qui était lié à ce seul individu, mais vous pouvez commencer à développer un réseau pour les opportunités à venir. Ce n'est pas très confortable de partir de zéro, mais au moins cela ne peut pas être pris pour de la fausse assurance. Parfois en reconnaissant votre ignorance vous pouvez bien démarrer et cela vous donne la motivation dont vous avez besoin pour fabriquer un tabouret qui ne va pas vaciller.

3. L'a-t-elle ou ne l'a-t-elle pas? L'une des parties prenantes me dit que c'est elle qui détient la décision finale, mais je n'en suis pas sûr. Comment puis-je être vraiment sûr qu'il s'agit bien de l'acheteur économique?

Si tous ceux qui disent détenir le dernier mot l'avaient réellement, des négociations de dizaines de millions de francs seraient signées tous les jours par de jeunes responsables. Le fait est que le plus souvent, la personne qui dit : « Il n'y a personne au-dessus de moi » est en train d'essayer de vous détourner de quelqu'un qui pourrait bloquer sa décision. Dans ce cas, la façon dont la partie prenante vous décrit son autorité vous donnera une indication sur ce qui est vrai et ce qui est illusoire. Lorsque vous n'en êtes pas sûr, nous recommandons de poser des questions indirectes pour établir où se trouve en définitive l'autorité suprême. Au lieu de dire « Est-ce vous qui donnerez l'accord définitif ? » il est souvent plus efficace de dire : « Quel est le processus de décision ? Qui doit accorder le budget ? » ou « Y-a-t-il quelqu'un d'autre dont nous devons obtenir l'approbation ? ».

Lorsque vous posez des questions comme celles-là, vous découvrez souvent un paradoxe. Généralement ceux qui sont les plus ardents défenseurs de leur pouvoir – « N'essayez pas de me contourner ou je vous briserai les jambes » – sont généralement des acheteurs techniques qui n'ont pas le dernier mot. Les acheteurs économiques sont généralement moins imbus de leur personne. Dans la mesure où ils détiennent le pouvoir, ils n'ont pas besoin de vous seriner à ce propos. Souvenez-vous que la plupart des acheteurs économiques n'ont pas de problème avec l'autorité. Si la personne « détentrice de la décision finale » se montre inquiète de la perdre, c'est qu'il y a de fortes chances qu'elle ne l'ait jamais eue.

4. Le facteur du « non-facteur » Si j'ai identifié quelqu'un comme n'ayant qu'un faible degré d'influence pourquoi dois-je perdre du temps ne serait-ce qu'à parler avec lui ?

Pour deux raisons. D'abord, vous pourriez vous être trompé dans votre interprétation de la situation. La personne que vous avez identifiée comme ayant un faible degré d'influence peut en fait en avoir bien davantage que ce que vous aviez compris et en le traitant comme quantité négligeable, vous risquez pour le moins de laisser un front découvert. Souvenez-vous de l'acheteur économique avec un faible degré d'influence. Il ou elle peut accroître cette influence si le besoin s'en fait sentir. C'est également vrai, dans une certaine mesure, des autres parties prenantes à l'achat. Jean peut ne pas manifester d'autorité ou d'intérêt pour influencer notablement votre vente d'aujourd'hui, mais des centaines de raisons pourraient conduire à ce que son attitude soit modifiée demain. Aussi devez-vous être constamment vigilant sur tous les fronts et surveiller les décisionnaires qui pourraient « sortir du maquis ».

En outre, justement parce que les choses peuvent changer, minimiser l'importance d'un décisionnaire au faible degré d'influence risque d'en faire un ennemi potentiel – un anti-parrain plein de rancœur – non seulement pour l'affaire en cause mais aussi pour les autres à venir. Même si vous avez raison sur le manque d'autorité ou d'intérêt actuel d'une personne, en la traitant comme si elle ne comptait pas, vous pouvez créer un effet boomerang dans une autre situation où elle compterait. Dans le contexte actuel de chaises musicales, la personne qui se trouve être un acheteur utilisateur avec peu d'influence le lundi matin, peut devenir un acheteur économique à forte influence avant la fin de la semaine. Souvenez-vous de la cruelle réalité de la revanche de l'acheteur. Comme Shakespeare aurait pu le dire : « Il n'y a guère de furie comparable à celle de l'acheteur méprisé ».

5. Les clients internes. Certains de mes clients les plus difficiles se trouvent à l'intérieur de ma propre société. Lorsque vous avez à vendre une solution à votre propre service de fabrication ou à vos services administratifs, faut-il les traiter comme vous le faites pour les parties prenantes à l'achat ?

Absolument, car ce sont des parties prenantes à l'achat. Souvenez-vous que nous avons défini la partie prenante à l'achat comme quiconque peut avoir une influence sur l'issue de la vente.

Clairement, cela englobe un nombre considérable de personnes dans votre propre entreprise – à commencer par la production, le bureau d'étude, la recherche, le marketing, les services de support – sans leur aide vous ne pouvez pas parvenir à des ventes de qualité. Tous ces salariés sont également des individus, avec leurs propres besoins, leur niveau de réceptivité et leurs résultats-gains. Bien que vous les traitiez en quelque sorte de façon différente des autres parties prenantes les plus importantes, il est un impératif stratégique majeur qui reste le même : vous devez obtenir leur aval où votre vente sera compromise.

Malheureusement, de nombreux commerciaux commettent l'erreur de penser que cet aval existe sans avoir à le demander. « Nous faisons tous partie de la même équipe » se disent-ils « aussi tout le monde ici souhaite que je fasse cette vente. » Cette erreur peut même devenir fatale lorsque vous négociez l'affaire du siècle et que vous vous apercevez que vous n'avez pas de soutien. Vendre votre solution à votre entreprise peut donc être au moins aussi important que de la vendre à des clients. Dans notre processus de gestion des grands comptes, lorsque nous traitons de ce sujet, nous recommandons une politique institutionnelle « de plein engagement » de la part de la structure. En œuvrant pour vous assurer de cet engagement, vous devez vendre votre propre engagement.

6. Naviguer dans les canaux. Nous vendons indirectement au consommateur final au travers des canaux de distribution. Où devrions nous rechercher les acheteurs économiques ?

Ceci dépend de l'importance de l'impact qu'a, ou que pourrait avoir, le consommateur final sur ce que vous livrez au distributeur. Il est extrêmement fréquent aujourd'hui pour les commerciaux de vendre au travers de canaux de distribution, qu'il s'agisse de distributeurs, de grossistes, ou de revendeurs à forte valeur ajoutée. Mais il n'y a pas deux canaux qui soient exactement les mêmes et il est donc impossible – pour ne pas dire dangereux – de généraliser la prise de décision lorsque vous « naviguez dans les canaux ». Si vous vendez un composant pour un produit de grande consommation, disons, par exemple, des circuits intégrés pour PC, alors M. Durand qui achète son ordinateur dans un magasin de détail ne verra jamais votre produit et il peut n'avoir aucune influence sur sa configuration, sa livraison ou son prix, de sorte que même s'il est en définitive le décisionnaire final pour le PC, il ne constitue pas une partie prenante notable pour les circuits. Par contre, si M. Durand gère une entreprise importante sur le plan national qui achète des centaines de PC, il peut avoir suffisamment de poids sur le cahier des charges, les livraisons – même sur le choix du fournisseur. Dans ce cas, ses décisions peuvent directement influencer votre vente. Il pourrait même être votre acheteur économique.

Le mot important ici est « pourrait ». Dans toute occasion de vente donnée, votre mission est de comprendre comment un certain nombre de personnes jouent un ou plusieurs des quatre rôles de parties prenantes pour cette affaire. Pour bien le faire, il faut examiner chacune des situations individuellement, puis se poser les questions nécessaires pour clarifier le processus de décision. Il n'y a pas de schéma universel, aussi vous ne pouvez rien supposer. Si vous n'êtes pas sûr du degré d'implication de votre consommateur final parmi les parties prenantes à l'achat chez votre revendeur à forte valeur ajoutée, découvrez-le. Sinon vous risquez de vous noyer dans les canaux.

7. Qui a besoin d'un conseil ? En quinze années de vente, je n'ai jamais eu besoin d'un conseil. Pourquoi m'en soucierai-je aujourd'hui ?

Cette question nous l'entendions souvent au début de notre activité. Nous l'entendons de moins en moins aujourd'hui, car les grandes ventes deviennent de plus en plus complexes et les commerciaux se rendent compte que de mettre au point une stratégie sans l'aide d'un conseil est comme voler à l'aveuglette. La plupart de ceux qui se vantent encore de ne pas avoir besoin de conseil se scindent généralement en deux catégories. Certains d'entre eux sont des membres indéracinables de la vieille garde qui ont été de bons commerciaux pendant 15 ou 30 ans, mais qui sont toujours restés un peu en deçà de leur potentiel maximum. D'autres ont eu recours à des conseils tout au long de leur carrière, mais en les appelant par d'autres noms. Peut-être qu'ils ont été très habiles à obtenir des conseils de la force de vente interne ou de l'acheteur économique, de sorte qu'ils ont bénéficié de *coaching* sans vraiment le reconnaître comme tel.

Nous ne sommes pas les inventeurs du *coaching*. Nous avons simplement identifié le type de conseil dont la plupart des commerciaux performants ont bénéficié lors de leur ventes complexes et nous avons mis en avant les trois critères auxquels satisfont les meilleurs « conseils ». L'insistance de

Miller Heiman à avoir recours au *coaching* loin de venir d'une révolution est le fait du simple bons sens. Et c'est de bons sens dont les commerciaux les plus performants ont toujours usé.

8. Le conseil « agent double ». Je pense que la personne chargée de mon coaching peut également fournir des informations à mon concurrent. Comment puis-je le savoir et que dois-je faire ?

Un conseil « agent double » ça n'existe pas. Par définition un coach est une personne qui gagne lorsque votre solution l'emporte : il ou elle souhaite que vous réussissiez votre vente. Il est vrai de dire qu'un *coach* peut fournir des informations à plus d'un concurrent. Cela peut être dans la nature de son activité de le faire, et pour cette raison ce sont des agents doubles de la fourniture d'information. Mais toutes les informations ne sont pas à mettre sur le même plan. Si la personne qui vous communique des informations est réellement un *coach*, il ou elle ne communiquera qu'à vous les informations exclusives nécessaires pour faire la vente, en d'autres termes les informations de choix.

Bien sûr, il n'est pas toujours facile de faire le tri. C'est pourquoi il vous faut un réseau de *coaches*, pour recouper l'information donnée par une personne auprès d'une autre. Et c'est la raison pour laquelle vous devez constamment vous demander : cette information m'aide-t-elle à mieux comprendre le processus de décision de mon client ? Améliore-t-elle ma position auprès des parties prenantes à l'achat ? Rend-elle ma gestion de cette vente plus prévisible ? Si vous ne pouvez pas répondre par l'affirmative à ces questions, c'est que peut-être la personne qui vous communique des informations n'est pas vraiment votre coach. Et pire encore, il se pourrait qu'elle conseille un concurrent. Si tel est le cas, vous devez la « remercier » et obtenir des conseils de quelqu'un d'autre.

9. Au-delà du produit. Il n'y a pratiquement pas de différence entre notre produit et celui du concurrent et pourtant notre prix est plus élevé. Y a-t-il moyen malgré tout de réaliser la vente ?

Pas si vous êtes convaincu qu'il n'y a pas de différence entre vous et eux. Pourtant, il y a en certainement une. Peut-être ne se situe-t-elle pas dans le produit ou service lui-même. Peut-être ce qui vous différencie de la concurrence, c'est un meilleur service après-vente ou quelque savoir-faire particulier que vous pouvez apporter au client, ou la présence de personnes clés dans votre structure, ou même les talents personnels que vous pouvez mettre dans la balance. Regardez au-delà du produit et du service pour voir ce qui justifie votre prix plus élevé. Si vraiment il n'y a rien de différent – sur quelque plan que ce soit – entre vous et vos concurrents, alors vous avez raison. Vous êtes sur un marché de produits de base et c'est le plus bas prix qui l'emportera. Mais en tant que professionnel de la vente, vous devez aller au-delà du prix. Vous devez aller au-delà de simples soumissions de prix et de réponses aux appels d'offres pour déterminer les apports exclusifs que seuls vous pouvez faire. Votre intérêt et votre talent doivent vous permettre de comprendre l'objectif particulier du client et de démontrer comment votre entreprise, et elle seule, peut le mieux contribuer à le réaliser.

10. Pourquoi m'en faire ? Ma société est le leader incontesté du secteur. Pourquoi devrions-nous nous soucier de la concurrence ?

A moins que vous ne disposiez d'une boule de cristal qui vous permette de voir ce qui va se passer dans votre secteur et celui du client pendant le siècle à venir, vous feriez mieux de vous préoccuper de la concurrence. Du moins, vous feriez mieux d'y penser en vous interrogeant constamment et honnêtement sur les raisons qui font que vos solutions sont différentes de toutes celles qui existent par ailleurs. En d'autres termes, vous devriez constamment vous remémorer comment vous êtes devenu leader de façon à continuellement accroître les apports qui vous y ont mené. La vente est essentiellement l'art de soulager les difficultés. La plus grosse compagnie du monde peut perdre sa première place du jour au lendemain si elle cesse de penser comment elle peut faire mieux que d'autres.

Attention, nous ne voulons pas dire pour autant que vous devriez être obnubilé par ce que l'autre est en train de faire. Comme nous l'avons souligné dans le chapitre sur la concurrence, l'une des stratégies communes et fatales est qu'à force de se concentrer intensément sur la concurrence, on perd de vue les préoccupations du client. Mais ignorer la concurrence peut être également fatal. Aucun leader de secteur n'est si imposant qu'il ne puisse être renversé. Et lorsqu'un David débutant met Goliath KO, c'est généralement parce que David a écouté plus attentivement ses clients pendant que Goliath se félicitait de sa position « imprenable ».

11. Piégé par le cirque. Mon prospect ne veut pas avoir de conversation. La seule chose qu'il souhaite est une présentation-spectacle de 50 minutes. Je ne peux même pas identifier les parties prenantes à l'achat dans ces conditions de contrainte, encore moins les comprendre. Que devrais-je faire ?

Lorsqu'on nous demande comment mettre en scène une présentation-spectacle, notre première recommandation est de l'éviter complètement parce que cela signifie clairement que vous êtes mal placé et que le prospect vous contraint à une comparaison qui masque le caractère unique de votre prestation. S'il faut absolument que le spectacle continue, toutefois, nous conseillons tout d'abord de tenter de se présenter avec des acteurs majeurs et de viser le dialogue avec le client bien avant que la grand-messe prévue n'ait lieu. Si vous n'avez pas établi de contacts préalables et que vous arrivez à froid à ce genre de présentation, vous êtes en position d'extrême faiblesse. Nous n'affirmons pas catégoriquement que vous n'emporterez pas l'affaire, mais si vous gagnez ce sera dû à un de ces rares instants de chance du vendeur – et pas parce que vous avez vraiment fait votre travail. Il y a également un autre point à garder en mémoire, si vous ne pouvez éviter la situation, c'est de ne pas vous lancer dans une présentation magistrale, mais de tenter d'établir un dialogue interactif. Souvenez-vous que sous les super chapiteaux comme celui-ci, les prospects s'ennuient au-delà de ce qu'il est possible. Si au lieu d'essayer de les éblouir, vous obtenez leurs opinions, vous serez dans une meilleure position que n'importe lequel de vos concurrents. Non seulement une présentation sur la base d'échanges et de conversations vous différenciera de tous les autres intervenants, mais elle vous aidera également à comprendre ce que pense le client, ce qui est exactement ce qu'il vous faut pour mettre en valeur votre rôle.

Vous pouvez avoir recours à tous les éclairages, les *paper-boards* et les transparents que vous voulez. Mais tâchez de passer moins de deux minutes au départ à étaler votre planning et votre façon de voir les choses. Faites vous désirer et obtenez un feed-back dans les cinq premières minutes. Ainsi même si vous êtes obligé de faire une présentation, cela vous donnera davantage l'impression que vous êtes dans une conversation avec vos parties prenantes à l'achat. Ce qui est exactement en quoi consiste une bonne vente en fin de compte.

12. Au-delà des caractéristiques et des bénéfices. J'aime beaucoup l'idée de procurer des gains aussi bien que des résultats, mais une déclaration de résultats-gains est-elle fondamentalement différente d'une déclaration de caractéristiques et de bénéfices ?

Oui. Une déclaration de caractéristiques et bénéfices est élaborée en interne, généralement par votre service de fabrication ou de marketing. Elle décrit ce que votre société pense être vrai sur ce que vous essayez de vendre. Une telle déclaration, par nature, va être générique. Quelle que soit l'excellence de sa logique et de son intelligence, elle restera, malgré tout, une liste des avantages inhérents au produit et au service lui-même. Le genre de slogan tel que « ce modèle vous permettra de faire tant de litres au cent en ville ».

Par contre, une déclaration résultats-gains mêle l'aspect objectif (les résultats) à l'aspect subjectif (les gains) et en outre est adaptée à chacune des parties prenantes à l'achat. Une telle déclaration est spécifique à tel individu, en telle circonstance et à tel moment. Si vous la réduisez à ses aspects génériques et objectifs, vous risquez de tomber dans la vente « à taille unique ». C'est là une bonne recette pour « fourguer » de la marchandise en quantité et finalement perdre le client.

13. Jouer le jeu. L'un de mes clients est bien loin de l'idée que je me fais du client idéal et j'adorerai le laisser tomber. Mais que se passe-t-il si je n'ai pas les moyens de me priver de sa clientèle ?

Ce serait formidable si nous avions tous tant de prospects que nous puissions les ignorer tous sauf le client idéal « fait sur mesure pour nous » ! En réalité, les commerciaux sont affectés à des comptes qu'ils ne peuvent absolument pas laisser tomber et gèrent des activités qui sont bien trop juteuses pour être abandonnées, quels que soient les maux de tête qu'ils peuvent leur causer. C'est pourquoi lorsque nous présentions le module sur le client idéal, nous disions qu'il pouvait vous aider de deux façons : à vous concentrer sur vos clients les plus susceptibles d'être des gagnants-gagnants et à anticiper les problèmes avec ceux qui ne leur ressemblent que de loin.

En anticipant ces problèmes, vous devez rechercher là où l'adéquation entre les deux entreprises est imparfaite et essayer aussitôt que possible, lors de chacune des ventes, de vous attaquer aux divergences et d'adapter votre stratégie en conséquence. Vous êtes constamment en train de comparer irritation potentielle et recettes potentielles pour déterminer les sacrifices que vous êtes disposé à faire pour obtenir l'affaire. Nous disons que c'est très bien – à condition que vous sachiez qu'il s'agit d'un risque calculé et que vous gardiez les yeux ouverts. Dans certains cas, vous ne serez pas en mesure d'éliminer tous les drapeaux rouges dans une affaire à l'adéquation médiocre. Mais au moins le profil du client idéal vous indique qu'ils sont là.

14. La conclusion feu à coup sûr. Lorsque tout a été dit et fait, vous avez encore à conclure. Disposez-vous de techniques de conclusion infaillibles pour nous aider à améliorer notre ratio de succès?

D'un mot : non. Les directeurs commerciaux ont de tout temps souhaité disposer de « buteurs », c'est à dire de commerciaux qui ont constamment un taux élevé de succès. La plupart des ouvrages de vente d'ailleurs comportent toujours un chapitre incontournable sur « les conclusions feu à coup sûr » ou « 16 moyens infaillibles d'obtenir sa signature au bas du contrat ». Nous n'avons pas ce chapitre parce que nous pensons que l'accent mis traditionnellement sur les conclusions d'affaires est inadapté. A notre avis, une conclusion n'est pas ce que l'on vous donne comme récompense pour avoir parlé gentiment ou ce que vous devriez (pourriez) contraindre votre client à accepter. Nous ne pensons pas que vous réussissiez lorsque vous « prenez » la commande de quelqu'un.

Une conclusion que vous obtiendriez en suivant le principe 14 serait vraisemblablement artificiel et éphémère. Comme elle serait basée sur un truc, elle ne pourra jamais vous apporter l'activité continue que tous les professionnels recherchent. Une conclusion solide, par ailleurs, est l'aboutissement naturel et inévitable d'un processus de vente construit sur un engagement progressif et une compréhension mutuelle. Si vous devez « demander la commande », c'est que probablement vous n'avez pas suivi ce processus, car lorsque vous travaillez avec le client à des solutions mutuellement bénéfiques, la conclusion devient, selon les termes mêmes de l'un de nos clients : « quasi-automatique ». Non pas entièrement automatique, nous l'avouons : nous ne sommes pas dans l'activité de balles magiques ! Mais suffisamment automatique pour amener des succès de vente accrus et comme le disait un autre client : « Si j'ai bien fait mon travail pour encourager une communication de qualité, c'est souvent le client qui me demande où il faut signer ».

15. Le secret du succès. On dit souvent que la qualité majeure du commercial est la persévérance. Qu'en pensez-vous ?

La persévérance est une qualité formidable ; mais elle ne vous mènera nulle part à moins que ceux envers qui vous vous montrez persévérant croient en vous et sont absolument convaincus qu'ils peuvent vous faire confiance. La qualité majeure que doit avoir un commercial, ce n'est pas la persévérance mais la crédibilité. C'est là un secret de Polichinelle que connaît tout commercial qui réussit. Lorsque vous et votre société jouissez de cette crédibilité auprès du client, cela signifie que vous êtes fiable, digne de foi, que vous méritez sa confiance et son engagement. Cela signifie aussi que le client peut compter sur votre parole et être certain que vous n'êtes pas en train d'essayer de lui « fourguer » de la marchandise jusqu'à ce qu'il soit submergé. Si c'est là l'attitude que vous inspirez à vos clients, vous êtes à des lieux au-dessus de n'importe quel concurrent persévérant.

Le parolier américain Cole Porter a une fois fait remarquer que si vous aviez du style vous n'aviez pas besoin de grand chose d'autre, et que si vous n'en aviez pas, rien d'autre ne pourrait vous sauver. Nous irions presque aussi loin en ce qui concerne la crédibilité. Ce n'est pas tout à fait vrai de dire que c'est tout ce que dont vous avez besoin, parce que même si vos clients croient en vous, il vous faudra quand même connaître le produit

374

et avoir des capacités d'analyse et aussi… de la persévérance. Mais si vous n'avez pas de crédibilité à leurs yeux, alors rien d'autre n'aura d'importance. C'est une note aussi bonne qu'une autre pour terminer cet ouvrage. Le début du succès en vente repose sur une certaine confiance. Et une philosophie gagnant-gagnant est le chemin qui y mène.

SUR MILLER HEIMAN INC.

La firme internationale de consultants en vente, Miller Heiman Inc., est spécialisée dans les processus efficaces de développement de clientèle ce qui lui a valu le titre de « consultant et de formateur de vente d'avant-garde » de la part du magazine *Success*. Ses clients qui viennent essentiellement des plus grosses sociétés américaines participent à des séminaires de deux jours soit en intra, soit sur mesure ou encore, selon la nouvelle formule inaugurée il y a peu, à des séminaires « ouverts » qui se tiennent partout dans le monde. Employant des consultants expérimentés en vente sans cesse plus nombreux avec à son actif plus de 150 000 clients satisfaits, Miller Heiman propose aujourd'hui des séminaires dans les domaines suivants : vente stratégique, vente conceptuelle, processus de gestion des grands comptes, coaching de direction et télévente stratégique.

Si vous voulez en savoir plus sur les méthodes qui peuvent maximiser l'efficacité des ventes et les efforts de développement de clientèle de votre entreprise, appelez ou écrivez pour obtenir une documentation complète à :

Miller Heiman, Inc
2 Vermont Place,
Tongwell,
Milton Keynes MK15 8JA
ENGLAND
0800 132595
ou
1595 Meadow Wood Lane, Suite 2
Reno, NV 89502
USA
(800) 526-6400
ou
visitez notre site web
http ://www. millerheiman. com

INDEX

Composé par Infoprint/Editec
Achevé d'imprimer : JOUVE, Paris
N° d'éditeur : 2125
N° d'imprimeur : 270641K
Dépôt légal : Juin 1999
Imprimé en France